Δ ¹⁹/₂₃ FOR LANG £3

tuhaf ilişkiler

william mcilvanney

ayrıntı: 994 | kara kitaplar: 3

tuhaf ilişkiler / william mcilvanney

orjinal adı / stranges loyalties

ingilizceden çeviren / fırat yıldız

yayıma hazırlayan / aslı güneş

son okuma / selnur aysever

© william mcilvanney, 1991

bu kitabın türkçe yayım hakları
ayrıntı yayınları'na aittir.
türkçe yayım hakları anatolialit agency aracılığıyla alınmıştır.

kapak illüstrasyonu / berat pekmezci

kapak ve görsel tasarım / gökçe alper

dizgi / kâni kumanovalı

baskı: ali laçin - barış matbaa-mücellit
davutpaşa cad. güven san. sit. c blok no. 286
topkapı/zeytinburnu - istanbul - tel. 0212 567 11 00
sertifika no: 46277

birinci basım, istanbul, ekim 2020 / baskı adedi 2000

isbn 978-605-314-111-2 / sertifika no.: 10704

ayrıntı yayınları basım dağıtım san. ve tic. a.ş.
hocapaşa mah. dervişler sok. dirikoçlar iş hanı
no: 1 kat: 5 sirkeci – istanbul
tel.: (0212) 512 15 00 faks: (0212) 512 15 11
www.ayrintiyayinlari.com.tr • info@ayrintiyayinlari.com.tr

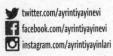
twitter.com/ayrintiyayinevi
facebook.com/ayrintiyayinevi
instagram.com/ayrintiyayinlari

william mcilvanney

William McIlvanney 1936'da Kilmarnock'ta (İskoçya) doğdu. Bir madencinin dört çocuğunun sonuncusu olan McIlvanney, edebiyata olan sevgisini ve öğrenme isteğini "mütevazı imkânlar" diyebileceğimiz koşullarda keşfeder. O zamanlar bu eski deyim, muteber bir saygınlığa karşın, modaya uygun deneyimden yoksun olmayı simgelerdi ama bazen de en büyük yatırımını düşünce hayatına yapan aile ekonomisi anlamına da gelirdi. McIlvanney'in talihi böyle olmasıydı. Daha sonra evinde edindiği faydalı öfkeyi, koyu tartışmalarla birlikte, Kilmarnock Akademisi veya Glasgow Üniversitesi'ne yatırmayı öğrenecekti ve bunun karşılığını da fazlasıyla alacaktı. On beş yıllık İngilizce öğretmenliğinin yanı sıra, on beş tane kurgu ve kurgu-dışı, şiir ve düzyazı kitabı yazmış, iki Scottish Arts Council Book Ödülü, iki CWA Siler Dagger, Saltire Society Scottish Yılın Kitabı Ödülü, Geoffrey Faber Memorial Ödülü, Whitbread Ödülü ve Scottish BAFTA almıştır.

Liam için...,

Hoş bir vahşi orman var burada:
güvenin düzlüklerini

Şehvetin muhabbet kuşları
huzursuz eder,

Hırsın timsahları arasında,

Aldatıcı sükûnetin sularında
yıkanmak ister insan...

birinci bölüm

bir

Şiddetli bir baş ağrısıyla uyandım. Eğlenmek sıkıntılı bir iş, değil mi? Doğrusunu isterseniz dün akşamın eğlenceyle bir ilgisi yoktu, viskiyi sadece uyuşturucu etkisi için almıştım. Etkisi hafifleyince ağrım daha da arttı. Her zaman böyle olur zaten.

Bugünün böyle olmasını arzulamadım. Böyle bir günü kim ister ki? Hadi başka kapıya. Kafamı yastığa gömdüm. Faydasız. Uykusuz bir yastık. Sahi bu tür ifadeler için hangi sözcük kullanılırdı? Değişleme?* Ah hocalar! Bilmemem gereken her şeyi öğrettiler bana.

Kalkıp ağrı kesici avına çıktım. Bakılacak çok yer yoktu. Yatak odası seçeneklere dahil değil. Geriye oturma odası, küçük mutfak, salon ve banyo kaldı. Salon da olmaz. Kasten halının altına koymadıysam, ilacı saklayacak başka bir yer yoktu orada. Bu durumda bakılacak yer mutfak veya banyo. İşte buna akıl yürütme denir. Neyse ki iyi bir dedektifim.

Eski tıraş bıçaklarının ve kullanabileceğimden daha fazla tabağın olduğu dolaplara baktıktan sonra sihirli kutuyu

---

* (İng.): *Transferred epithet.* Bir şeyi, bir hali cümlede gerektiği kelimeden başka bir kelime veya kelimelerle anlatma. Burada "uykusuz bir yastık" cümlesi değişlemedir. (ç.n.)

buldum. Oturma odasında, cebimde tutmaktan hiç hazzetmediğim bozuk para yığınının arkasındaydı. Bir bardak su ile iki hap aldım; bir kargaşayı bastırmak için iki çaylak polis göndermişim gibi hapların işe yaramayacağını düşünüyordum.

İlaçtan sonra oturma odasına geçtim. Hafızam geri geldikçe –ki gelmemesini yeğlerdim– yine aynı şeyi yaptım: Ağlamaya başladım. Neredeyse bir aydır bunu yapıyordum. Güne gözyaşlarıyla başlıyordum. Belki de başkaları sabah sporu yapıyordu. Ben ağlıyordum. Feryat figan içinde bir ağlama değildi benimki. Sessiz, amansız, merhametsiz gözyaşları. İyi tarafı çok uzun sürmemesiydi.

Birkaç dakika sonra duruldum. Yüzümü elimle silip ayağa kalktım. Bugün en azından gözyaşlarım için bir şeyler yapmaya karar verdiğim gündü. Niyetimin ne olduğunu anlattığım iki kişiden biri benim çıldırmış olduğumu söylemişti. Zaten ben aklı başında olduğumu söylemedim ki hiç; çevremde gördüğüm insanlardan daha deli değildim, o kadar. Kahvaltıya rapor edilmiş dokunaklı suçlarla oturup, yatağa giderken de Mogadon* niyetine ulusal felaket görüntülerini mideye indirenler, bana deli demesin.

Doldurduğum küvete yıkanmak için değil de bir arınma törenindeymişçesine uzandım. Ey kutsal su! İyileştir beni ve yapmam gerekenler için hazırla beni. Beklentimi tam olarak karşıladığını sanmıyorum ama sıcak su baş ağrıma iyi geldi. Viski vücudumdan ter ile atılırken, zihnimi çevreleyen zehir buhara karışarak, sis perdesini aralar gibi oldu.

Belki de Brian kısmen haklıydı. Tamam, deli değilim ama belki biraz çatlağımdır. Ortada bir ceset vardı. Peki, bir cinayet var mıydı? Varsa bile yasada karşılaşacağınız türden

---

* Uyku hapı olarak kullanılan sakinleştirici bir ilaç. (ç.n.)

değildi. Zaten yasalara da çok inanan biri değildim. Bay Bumble bu konuda yanılıyordu. Kanun ahmaklık değil, daha şeytani bir şey. Kanun hilekâr, işbirlikçi bir alçaktır bana göre. Merak etmenize gerek yok, o ne yapacağını iyi bilir. Zaten yasaların yapılış amacı da özellikle bu yönde işlemesi içindir. Bu işlerin böyle yürüdüğüne çok şahit oldum. Duruşmalarda, çevresinde cereyan eden yasal zırvalıkları izledikçe, sanığın şaşkınlığının arttığını siz de görebilirsiniz. Gözlerindeki endişeyi, paniği ve en nihayetinde boyun eğişi görürsünüz. Duruşma salonunda konuşulanlar hakkında hiçbir fikri yoktur. Artık yapması gerekenlerin de bilincinde değildir. Orada konuşulanları yalnızca hukukçular anlar. Çünkü bu onların oyunudur. Sanık sadece bir piyondur.

Sanık kürsüsüne oturttuğum kişilerin duruşmalarında da bulundum; duruşma dedikleri şeyin daha on beşinci dakikasında ayağa kalkıp, savunma adına konuşmayı çok arzuladığım olmuştur. "Bakın, bu adamı sokaklarda yakaladım. Yani yaşadığı yerde. Siz o sokaklarda hiç bulundunuz mu?" diye haykırmak istemişimdir. Ama onlar bildiklerini okumaya devam eder, emsal kararları güzel bir şarkı gibi dinler, kelime oyunları yapıp birbirlerini alkışlarlar. Bazen bu anlamsız bürokratik gürültünün içinde sanığın sesi duyulur; cılız ve çoğunlukla hüzünlü olan bu ses, Latince bir konuşmanın ortasında duyulan İskoç aksanı gibi biraz tuhaf kaçar. Bu durum, bir zavallının elbise yırtığından çilli ve zayıf cildinin bir anlık görünüp kaybolması gibidir. Oyun metnini bile bilmezken, bu ahlak oyununda lafa karışan kişi de kim oluyor?

Küvetteki su soğumaya başlamıştı, oysa ben o yargıçları düşünüyordum. Birçok şeyi küvetteyken düşünürüm. Belli ki duşu olmayan bir daire kiralamanın avantajı da buydu. Yargıçlar gerçek dünyayla Dalai Lama kadar ilgilidirler. İnsan yüreğini birazcık olsun anlama kaygıları yoktur, çoğunlukla yargılamaya kalkıştıkları kişilerin günlük yaşamlarını kavramaktan uzaktır onlar. Olimpos Dağı'ndan aşağıya bakıp huysuz ve titrek sesleriyle, defalarca insanı hayrete düşüren sorular sormuştur yargıçlar: "Bir transistör mü? Tam olarak ne demek istiyorsun?" "UB40 mı? Bu bilimsel bir formül mü?" (Formül değil sayın yargıç. Bu bir belge. İşsizlik belgesi.) "İşsizlik belgesi mi? O da ne öyle?"

Bir kulübe gittiğinizde, aynanın karşısında peruğunuza çekidüzen vermek zorunda kaldınız mı? O yargıç peruklarının altındaki tuhaf düşünceler önyargılarla birleşince nasıl da karman çorman bir hal alıyordur?

Yüzüm tavana doğru, "Peki ya avukatlar?" diye söylendim. Hele onlara hiç güvenilmez. Cüzdanlarını suçlarla doldururken, kendilerini toplumun direkleri olarak lanse ederler. Avukatlık ücretleri çoğunlukla resmi bir soygundur ama onları kendilerinden başka kim enseleyebilir ki? "Parlak bir avukat!" Bu, benim sıkça duyduğum bir sözdü. Bununla yasal oyunları iyi bilen birini ima ediyorsanız sorun yok. Peki, bu ne demekti aslında? Kapalı devre bir beyin. Zekâ asla kapalı bir devre olarak işlememeli. Onları her şeyin önceden ayarlandığı duruşma sahnesinden dışarı çıkarırsanız, avukatların çoğu gözyaşlarını yağmur damlasından ayırt edemez.

İşimle ilgili hayal kırıklığına uğradığımı düşünüyorsunuzdur sanırım. Küvetten çıktım ve tıpayı çektim. Su boşalırken bir yandan küvetin kenarlarındaki izleri temizledim. Yalnız yaşamaya başladığımdan beri öğrendiğim bir teknikti bu. Böylece küveti temizlemek daha da kolaylaşıyordu. (Laidlaw'ın Bekâr Erkekler İçin Kolay Ev Önerileri: İlk baskı hazırlık safhasında.)

Havluyla kurulandım. Çıplakken sarkan göbek görüntüsünden pek hoşlanmıyorum. Üstümde elbise varken görüntü o kadar kötü değil. Ayrıca bildiğiniz gibi etrafta başkaları varken gösteriş olsun diye göbek biraz içeri çekilir. Banyo-dayken göbeğimi de biraz düşündüm ve arzu ettiğimden daha büyük olduğunu fark ettim. Hey gidi günler! Eskiden tıka basa yememe ve dünya kadar içmeme rağmen göbeğim hiç sarkmadan dümdüz kalırdı.

Havlunun altındaki şişkinlik ölümlü olmanın habercisiydi aslında. Zaman sonsuzmuş gibi gelirdi eskiden. Hatta zaman, zaman değildi sanki. Yaşantım bilinmeyen bir kıta ve ben onun yegâne kâşifiydim. Peki, ne mi keşfettim? Hımm, şey, hayat... Bir şeydir. Bana birkaç yıl daha verin ne olduğunu bulayım. Kaç yılım kaldı acaba? Şimdilerde zaman çok hızlı geçiyor. Atan sigortayı onarırken bir an başını kaldırıp bakı-yorsun ki bir yıl daha geçmiş. Yaşlandıkça zamanın neden daha hızlı geçtiğine dair bir teori okuduğumu anımsadım. İşin aslı şu: On yaşındayken bir yıl hayatınızın onda biri-dir; ama kırk yaşında olan biri için hayatının kırkta biridir. Kırkta bir, onda birden çok daha azdır. Ben kırkımı geçtim. Ondalık noktaları hesaplamaya kalkışmadım. Ama teorinin özü aklıma yatmıştı.

Fakat ilginç olan şu ki, ölümlü olduğumun farkına varmak benim için itici bir güç oldu. Vücuduma pompalanan ruhsal adrenalin, zihnimde artakalan son sis perdesini silip süpürdü. Deneyimlerinize sadık kalırsanız yaşlanmaktan korkmanıza gerek yoktur. İnsan yaşlandıkça daha ferasetli olur. Her zaman ferasetli olmayı istemişimdir. Öyle olabilecek miyim, görelim bakalım.

Temiz bir iç çamaşırı giydim. Küçük şeylerden başla-yalım... Tıraş makinesine yeni bir jilet taktım. Avucuma sabunluktaki tıraş sabunundan sıktım. Yanaklarımı, çene-mi, üstdudağımı sabunladım. Son zamanlarda bıyığımdan sıkılmıştım. Polis gibi görünmemde büyük bir katkısı vardı: Kimlik kartı ve olmazsa olmaz bıyık. Gemi penceresi gibi görünen küçük yuvarlak aynada sakalları beyaz görünen başımın yansıması vardı. Aynadaki görüntü kadar yaşlı hissediyordum, görüntü ile kendimi eşleştirecek ferasete sahip olmayı umuyordum.

Yüzümdeki kıvırcıkları tıraş ettikçe açığa çıkan çenemle birlikte zaman da ona bağladığım amacı sertleştirerek belirginleşiyordu. Bir haftam vardı. O kötü olayın üzerinden bir ay geçmişti; ancak bu süre zarfında polislikten en azından resmi olarak uzak, bir haftalık zaman kazanabilmiştim. Yine de çalışarak geçireceğim bir haftalık tatildi bu.

Bir tür soruşturma olacak bu, ama kendi yöntemimle. Glasgow'da polisliğe başladığımdan beri üstlerimin, sanki dosyamdan okuyorlarmış gibi, beni tanımlamak için kullandıkları ifade "başına buyruk"tu. Bu ifade bir tür rütbe gibi olmuştu: Başına buyruk Jack Laidlaw. Evet, haklıydılar. Ben başına buyruk biriydim. Ama ne ölçüde başına buyruk olduğumu bilmiyorlardı. Avukatları sevmediğim gibi polisleri de pek sevmezdim. Yıllarca mizacıma aykırı bir iş yapıyordum.

Yanlış insanlar için çalıştığım hissine ne kadar sık kapılıyordum. En kötü haksızlıkların şahıslardan değil, kurumsal, mali ve politik nedenlerden kaynakladığına da. Suçun ötesindeki suçtu beni her zaman ilgilendiren; soruşturduğum dosyada kendini yavaş yavaş gösteren, yasalarla pekiştirilmiş toplumsal adaletsizliğin kutsal ağı. Paris'te gördüğüm bir duvar yazısında, "Bir parmak, ayı işaret ettiğinde, parmağa bakan ahmaktır." yazılıydı. Sanırım ben de uzun süredir yalnızca parmaklara bakıyordum.

Bütün aldanışlarım gelip evime tünemiş, mitolojik kuşlarım özdeğerimin üstüne pislemiş, yaptığım işle alay eder olmuştu. Eğer ben bir dedektifsem, işimi yapmam lazımdı. Yeteneklerimi kullanmak için kollarımı sıvamanın zamanı gelmişti.

Çünkü iç yüzünü anlamam gereken bir ölümle karşılaş-
mıştım. Araştırmam gereken bir ölümdü; polisiye neden-
lerden ötürü değil, ama muhtemelen polisiye yöntemlerle.
Dedektifin araştırdığı aslında kendisidir. Şimdi bir ölü vakası
vardı ve ölen kişi büyük bir olasılıkla benim herkesten çok
sevdiğim biriydi.

Bu olay için "cinayet" kelimesini kullanan olmadı. Fakat
bildiğim en yersiz, en anlamsız ölüm gibi geliyordu bana.
Bugüne dek birçok ölümle karşılaşmıştım. Büyük bir potansi-
yele sahip, hayat dolu, böylesi anlamsız bir ölümü hak etme-
yen –hepimiz öyle değil miyiz?– biriydi. Bunu biliyordum.
Bilmem de gerekir. Çünkü o benim kardeşimdi.

Kapı zili çaldı. Zilin sesi düşüncelerimin dağılmasına neden
oldu. Kendinizi ruhen bir şeye hazırlamak için, zihninizi
deneyimlerinizi anımsamaya zorlayabilirsiniz. Veya zihni
melekelerinizi harekete geçirip, gerçeklerin karşısına duy-
gularınızın yoğunluğunu koyup, ortaya çıkan sonuçlara
bakabilirsiniz. Bu ikisi arasındaki fark, spor salonundaki kar-
şılaşma ile şampiyonluk müsabakası arasındaki fark gibidir.
Zilin sesi bir anlamda, "İlgisi olmayanlar dışarı!" der gibiydi.
Yani bu işte tek başınasın. Başkalarının etrafta olması bu
durumu değiştirmiyordu.

Kulağımın etrafında ve üstdudağımda sabun köpüğü oldu-
ğu halde, parmaklarımın ucuna basarak kapıya yöneldim.
Bunu yaparken küçük bir ifşada bulunacağım: Dünya teh-
likeli bir yer. Biz de ona göre yaşıyoruz. Kiraladığım daire
eski ama tadilat görmüş bir binadaydı. Bina ilk yapıldığında
herkesin kolayca girebileceği, sokağa açılan bir kapısı varmış.
Sonra değiştirilmiş. Dış kapı kilitlidir. Zile basarsınız. Birisi
telefonla kim olduğunuzu sorar. Sizi tanıyorlarsa düğmeye
basarlar. İçeri alınıp, gideceğiniz dairenin kapısına gelirsi-

niz. Kapı gözetleme deliğinden kontrol edilirsiniz. Testten geçerseniz kapı açılır.

Burası Glasgow'un kenar mahallelerinden birindeki bir gecekonduydu, Otranto Şatosu değil. Burada yaşayanların çalmaya değer eşyaları pek olmazdı. Belki bir video. Kendimizden korkar olduk. Bir zamanlar kapının herkese açıldığı günlerden gurur duyan insanlar vardı. Neler oldu bize böyle?

Bunun kardeşimin ölümüyle bir ilgisi olabilir miydi? Artık her şeyin ilgisi olabileceğini düşünüyordum. Elimi ahizenin üstüne koydum. Ey tuhaf dünya, içeri buyur. Seni hiç yapmadığım kadar yakından takip edeceğim. Ahizeyi kaldırdım.

iki

"Kim o?"

"Merhaba. Jack?"

Gelen Brian Harkness'dı. Ancak bu kadar hızlı olabilirdi. Son zamanlardaki durumum, Brian'ın içindeki sosyal hizmet uzmanı kişiliğinin ortaya çıkmasına neden olmuştu.

"Tamam, Brian."

Düğmeye basıp, kapıyı aralık bıraktım. Brian içeri girip kapıyı kapadığında tıraşım bitmek üzereydi. Gelip küvetin kenarına oturdu.

"Evet, Brian."

"Jack."

Mercek altına almışçasına dikkatle bakıyordu bana.

"Nasılsın? Bir şey mi kullanıyorsun sen?" diye sordu.

"Daha açık konuşur musun?"

"Bir şey mi kullanıyorsun sen?"

"Brian. Reçeteyle alıyorum."

İnce zekâ, gerilmiş ipin üstünde yürürken elindeki denge çubuğudur. Yüzümde kalan son köpüğü de duruladım.

"Tanrım! Endişelendiğimden soruyorum. Ne yapıyorsun kendine böyle? Artık kimse nerelerde olduğunu bile bilmiyor. Departmandaki namın samanlıktaki iğne. Seni sadece işte görebiliyoruz. Sonra kayboluveriyorsun. Bu mudur?"

Etrafa bakınıyordu. Ben de yüzümü kuruluyordum.

"Brian" dedim, "Neden şöyle bol çiçek desenli bir elbise giymiyorsun?"

"Ne?"

"Eğer anne rolünü oynayacaksan, onun gibi giyinmen gerek."

"Sus da, hayatında bir kerecik olsun dinle, tamam mı?"

"Annem hiç böyle konuşmazdı. Devir değişti."

"Jack. Aklını başına toplaman lazım."

"Gerçi böyle konuşurdu. Gerçekten annem olmak istiyorsan, yiyecek bir şeyler hazırla da yiyelim. Benim daha hazırlanmam lazım."

Hastanede hasta yakınlarının, hasta yakınlarının gözlenmediklerini düşündükleri anda, hastalarına baktıkları gibi bakıyordu bana. Ama ben haybeden dedektif değildim. Brian'ın, "Acaba hasta durumunun ne kadar kötü olduğunu biliyor mu?" bakışını yakaladım. Başını sallayıp mutfağa geçti.

Geldiği için şimdilik memnundum. Onu görmek, üzerimdeki baskıyı hafifletti. Doğrusu kendimden çok da emin değildim. Dağınık ve ıslak saçlarımı taramaya başladığımda, gecikmeli de olsa Brian'ın söylediklerini düşündüm, haklı endişelerini ve bunun sebeplerini. Dağınık saçım tarağın dişlerine takılınca, birkaç telin koptuğunu gördüm; ama pek umursamadım. Neyse ki saçlarım hâlâ dökülmemişti. Eskiden olduğu gibi sıktı, henüz aklar düşmemişti. Saçlarımdan başka bana geçmişimi hatırlatan ne vardı ki?

Brian haklıydı. Hayatım berbat bir karmaşa içindeydi. Miguel de Unamuno, benim bu halimi yansıtan bir şeyler yazmıştı ama kafamı toplayıp hatırlayamıyordum. Cellat gelmeden, elindeki testereyi bir yerlere saklamaya çalışan birinin telaşı içinde, bir hayli felsefe okumuşluğum vardır. Bu, devamlılıkla ilgili bir durumdu. Unamuno der ki:

Kendi devamlılık duygusunu yitiren biri başarılı olamaz. Zırvalamaya başlar.* Miguel, eğer sözünü tam doğru olarak aktaramadıysam beni bağışla.

Bu, benim durumuma tıpatıp uyuyordu. Kendi devamlılık duygumu yitirmiş bir haldeydim. Her yeni gün benim için bir doğaçlama olarak başlıyordu. Artık kim olduğumu da bilemiyordum. İnşa ettiğimi sandığım hayat yerle bir olmuştu. Mesela ailem. Ailemi her zaman hayatımın çekim gücü olarak düşünmüştüm ama Ena'dan geri dönüşsüz biçimde ayrılmıştım; çocuklarımı da randevu alarak görebiliyordum. Jan ile ilişkim duygusal olarak bir araftaydı; herhangi bir toplumsal yapıya bağlanmamış yüzergezer bir ilişki. Sevişmenin ötesinde ona verebileceğim bir şey var mıydı, bilmiyordum. Her gün sorguladığım bir işle geçiniyordum. Tam tükenmeye başladığımı düşündüğüm bir zamanda, bana hayatın anlamsızlığını gösterecek en ufak bir onaya ihtiyacım olduğu bir anda, hayatımın en kötü dönemlerinde bana benden çok daha değerli görünen kardeşime, rastgele bir araba çarpmıştı. Ya da rastgele miydi?

İçimde bir şey, öyle olmadığını telkin ediyordu. İntihar olduğunu düşünmüyordum. Ne mi düşünüyordum? Ben de bilmiyorum. Belki de bendeki kısmen "suçluluk" duygusuydu. Ne zaman sevdiğim biri ölse, suçluluk hissediyordum. Onlarla yeteri kadar zaman geçiremediğim, yanımdayken onların kıymetini tam olarak bilemediğim, onlara vermem gerekenleri yeteri kadar veremediğim için.

Öte yandan suçun sadece bana ait olmadığına yürekten inanıyordum. Böyle durumlarda hiç sınırlayıcı değilimdir. Araştırdığım her davaya, kendimle beraber, mümkün

---

* Orijinal metinde Glasgow'da kullanılan bir İskoç deyimine yer veriliyor: *His bum is out the window.* Zırvalamak, anlamsız şeyler söylemek anlamında. (ç.n.)

olduğu kadar çok insanı dahil etmek isterim. Benim için bütün insanların oturduğu sanık koltuğu en ideal olanıdır. Hepimiz ifade vereceğiz, hüzünlü hikâyemizi anlatacağız; kitlesel beraat kararından sonra da herkes yoluna gidecek ve sonra tekrar yargılanacağız. (Bu söylediklerimi Kriminal Suçlar Şefi'ne söylemeyin.)

Ölen kardeşim Scott, içimde uzun süredir bastırdığım çılgın duyguların odağı haline gelmişti. Ölümünün görünenden daha çok anlam ifade etmesini istiyordum. İçindeki yaşama sevgisi herhangi bir otomobil plakasının üstünde son bulacaksa, hepsi bundan ibaretse, o zaman düşüncelerimin üzerine kepenk indirip, ahlak duygumu da masada bırakmaya hazırdım. Dünya bir tombala tezgâhıydı.

Fakat ben öyle olmasını istemiyordum. Scott'a hayattayken ihtiyaç duyduğum gibi, öldüğünde de ihtiyacım vardı. Aramızdaki anlamlı bağın yeniden kurulmasına gereksinim duyuyordum.

Brian'ın kapı aralığından bana baktığını fark ettiğimde, banyoyu yalandan toparlamayı bitirmek üzereydim. Beni gözetlediğini çaktırmamak için konuşmaya başladı.

"Yiyecek bir şeyler hazırla mı demiştin?" diye sordu. "Peki, neyle? Buzdolabını vitrine koysan iyi edersin. İçinde hiçbir şey yok. Ne yapmamı istersin? Perdelerle çorba yapayım mı? Su ısıtıcısını açtım. En azından biraz su stoklamışsın."

"Tutumlu bir hayat benimkisi Brian."

"Tutumlu mu? Seninki tek kişilik kıtlık."

"Yumurta var."

"Doğru. Plastik kapta dört yumurta. Nevalen bu."

"Yumurtaları haşla. Biraz ekmek kızart. Her birimize iki yumurta. Kızarmış ekmek ve kahve."

"Ekmek banyo karolarına dönmüş."

"Kızartınca belli olmuyor."

"Anlaşıldı Egon."

Brian, mutfakta lezzetli bir kahvaltı hazırlarken ben yatak odasına geçtim. Giyindim ve siyah deri yeleğimi yatağın üstüne serdim; çok amaçlı bir giysi, kokteyle de köpek yarışına da gider. Aslında nereye gideceğimi bilmiyordum. Valiz dolaptaydı. Sorun, içine ne koyacağımdı. Valiz hazırlama konusunda umutsuz vakayım. Genellikle son ana bırakırım ve son dakikacılığım valiz hazırlama işini yüzüme gözüme bulaştırdığımda bahanem olur.

Belki bir hafta burada olmayacağım. Dolaptaki askılarda beş temiz gömlek vardı. Askıda tutuyordum çünkü ütüm yoktu. Bereket versin çamaşır kurutma makinesi vardı. Ama katlama işini halletmem gerekiyordu. Önce hepsinin düğmeleri iliklenir, yatağa ters olarak serilir, omuzlardan başlayarak hafifçe içe doğru katlanır, gömlek kolları geriye doğru bükülür, alt kısmı biraz içe katladıktan sonra gömlek ikiye katlanır. İşte önünüzde tertipli bir nesnenin güzelliği. (Kişisel köşe yazısı: kiralık evde yardım, tüm evsel beceriler.)

Beş gömlek yeterdi, ayrıca üstümdeki gömlek vardı; gömlek yakasındaki ikinci gün kirini gizlemek için valize bir çift kazak koymama gerek var mıydı, bilmiyorum. İhtiyaç duyacağıma inandığım her şeyi valize koydum ve Laidlaw Şaşmaz Paketçi Kanunu'nu uygulamaya koydum: Baştan aşağı, içten dışa her şeyi kontrol ettim. Fazladan bir çift ayakkabı koymayı unutmuşum. Onu da ekledim. Tamam. Ayakkabılar. Yedi çift çorap. Yedi külot ama ütüsüz. Beş gömlek. Gömlekler ikinci gün giyilemeyecek olabilir diye balıkçı yaka altına giymek için iki tişört. Resmi durumlarda takmak için iki kravat. Buruşmasın diye akıllıca sarmalanmış iki pantolon. Spor bir ceket.

Kozmetik çantası. Banyoya geçtim, kozmetik çantam için gerekenleri içine koyduktan sonra çantayı valize yerleştirdim. Valiz pek hoş görünmüyordu. Birçok yerinden kabarmıştı.

Ama fermuar kapanmıştı. Migren haplarımı bulup yan cebe sıkıştırdım. Aziz George yola hazırdı.

Brian da hazırdı. Pencerenin yanındaki masaya oturup kahvaltımızı yaptık. Güzel bir gün gibi görünüyordu. Valize yağmurluk koymamıştım.

"Bu tost insanı yoruyor" dedi Brian. "Bir arada yenen şeyler. Bir kişi için gereğinden fazla. Bir grup şeyi aynı anda çiğnemek zor."

"Bence güzel. Böylece yiyeceğin değeri biliniyor. Öyle ağza lokmayı atıp, lüp diye yutmak yok. Özen gerektirir."

Oynadığımız bu vodvil elbette bir son bulacaktı. Ciddi konular ise kuliste bekliyordu.

"Jack. Bunu yaparak neyi ispatlayacağını umuyorsun?"

"Her ne olursa."

"Aman ne güzel. Hadi ama Jack. Scott öldü. Araba çarptı. Kardeşin sarhoştu. Sen sürücüyü mü suçluyorsun?"

"Sürücüyü suçlamıyorum Brian, aklını başına al. Sürücüyü neden suçlayacak mışım?"

"Öyleyse ne olacak? Trafik sistemini mi mahkemeye vereceksin?"

"Sadece üzerinde biraz çalışmak istiyorum. Hem kendi boş zamanımı harcıyorum bu işe. Kime, ne zararım var?"

"Kendine var. Bana göre."

"Her neyse, sen neler yapıyorsun?" diye sordum, konu değişti.

"Bob Lilley ile çalışıyorum. Onun ortağı da şimdi izinde. Ama akıl hastalığı gibi nedenlerden değil."

"Hı hı. Başka."

"Nehrin yakınlarında bir ceset bulundu. Rotunda'nın karşısında. Henüz kimlik tespiti yapılmadı. Boynunda ipten bir kravat vardı."

Tarihi bir bina olan Rotunda, modaya uygun bir restoran olarak düzenlenmiş, yenilenen Glasgow'un sembolü olmuştu.

Clyde'ın karşısında, endüstri üretiminin bittiği harabe yerler vardı. Parlak ışıklar altında yiyip içenleri ve sonra suyun karşı tarafında, ışığın yetişmediği karanlıkta terk edilmiş cesedi düşündüm. Belki de içinde bulunduğum ruh halinden kaynaklanıyordu ama iki resim arasındaki bağlaşım, zamanın mottosunu getirdi aklıma: Lüks içinde yaşa ve başkalarını hiç umursama.

"Dahası bağımlıymış. Bob'un aldığı rapora göre kolu yakın zaman önce kırılmış. Öldürmeden önce canını yakmışlar gibi görünüyor. Parmaklarını birer birer kırarak."

"Yumurtam bayat sanırım" dedim, "Aşçıbaşı bir harika! Bir daha yemek yerken bana konuşmamamı söylersin."

Yemekten artakalanları temizledik, Brian bulaşıkları yıkamak için ısrar etti.

"Burası tekrar gelmek istemeyecek kadar iç karartıcı." dedi. "Hem bulaşıkları yıkamak için pazarlık yapacaksın hem de kafanı birdenbire fırının içinde bulma ihtimalin var."

"Elektrikli o fırın."

"Böylece kendini ölünceye kadar pişirebilirsin."

"Zaman nasıl geçmiş fark etmemişim" dedim bulaşık kurulama havlusunu asarken. Havluyu da bu aralar yıkamam lazım. Kurularken tabakları daha da kirletiyordu. "Planladığımdan daha geç uyandım. Jan her an gelebilir."

"Jan mı geliyor?"

"Bir şeyler yemek için Lock'a gideriz diye düşünmüştük. Sonra beni istasyona bırakacak."

"Hangi istasyon?"

"Merkezdeki."

Brian elini kaldırdı.

"Dur anlatma!" dedi. Eski basımlardan birinde Sherlock'un yaptığı gibi elini çenesine götürdü, parmağını bana doğrulttu. "Graithnock'a" dedi.

"Tanrım, çok iyisin" dedim. "Scott'ın yaşadığı tek yer."

"Suç mahallini tekrar ziyaret edeceksin. Tabii ortada bir suç olmaması ayrı konu..." Suskunluğum onu yumuşattı, konuyu değiştirdi. "Demek Jan geliyor."

"Planımız bu. Şehir dışındaki işe başlamadan önce bir veda yemeği."

"İkiniz ne düşünüyorsunuz?"

"Ha, o harika biri" dedim, "muhteşem bir kadın."

"Sorduğum o değildi."

"Brian. Bütün Rusya'yı gübreleyecek kadar pisliğe batmış durumdayım. Ne yapacağımı nereden bileyim? Onu sevdiğimi biliyorum. Bu her ne anlama geliyorsa. Ama ne yapacağıma bir bakacağım. Bu soruyu beklemeye al."

"Her neyse" dedi. "Jan'ın gelmesi küçük bir sorun oluşturuyor benim için. Sana arabamı bırakacaktım."

"Sana lazım değil mi?"

"Ben Morag'ın arabasını kullanırım. Zaten bu haliyle pek de kullanabiliyor sayılmaz. Kullanabilmek için arka koltuğa oturması lazım."

Morag gebeliğin sekizinci ayındaydı. İkinci çocukları olacaktı. Stephanie ise on beş aylıktı. Arkadaşım boş durmuyordu.

"Emin misin?"

"Çarpışan araba kullanır gibi sürebilirsin. Beni düşünme."

"Sağ ol dostum. Çok iyi olur. Her şeye rağmen o kadar da dik kafalı değilsin, değil mi?"

"Akıl hastalarına zaafım var. Ama sen arabayı Ena'ya hiç vermemeliydin."

"Benden daha çok ihtiyacı vardı. Çocuklar için."

"Şimdi ben eve nasıl döneceğim? Beni bırakırsın diye düşünmüştüm."

"Bırakırım seni."

"Ama Jan'la görüşeceksin."

"Sen de gelirsin."

"Yo, hayır. Sizinki özel bir görüşme."

"Brian. Öğle yemeğine çıkacağız. Sinemanın arka sıralarına değil. Hepimiz tecrübeli yetişkinleriz, değil mi küçük adam? Sanırım üstesinden geliriz."

Jan'ı beklerken Brian, Ena ve çocukların durumunu sordu. Bir gün önce, pazar günü, görmüştüm onları: Bütün Batı dünyasında özgüvensiz babaların, evliliklerinden artakaldığını düşündükleri yegâne şey olan çocuklarını gördükleri yeni, agnostik şabattı pazarları. Çocuklara hediye olarak üzerlerine bol gelecek elbiseler, hiçbir zaman okunmayacak kitaplar ve eğlence merkezi üyelik kartları verilirdi.

Ben de bu listede yer alıyordum. Bu düşünce canımı sıkıyordu. Peki ya yıllarca verilen emek ne olacaktı? Bir cumartesi günü ölsem, çocuklarım için yalnızca bir yabancı ölmüş olacaktı. Bu düşünceden yara alarak çıktım. Sıkıntı verici başka bir düşünceye daldım. Son zamanlarda zihnimi meşgul eden şeylerin çoğu ümitsizlikten kaynaklanıyordu.

Jan'ın kornaya basması beni memnun etmişti. Valizimi aldım, önümde ümit bağladığım bir hafta, Brian ile aydınlık gün ışığına çıktık. Brian Jan'a el salladı, sonra elini kaldırıp beni işaret etti. Yani "Suçlu bu" demek istiyordu. Bunun üzerine Jan güldü. Gülüşü güzel bir bağışlamaydı.

Arabada Jan ile öpüştük; şehvetle değil, sadece ateşleme lambasının hâlâ açık olup olmadığını kontrol için. Arabayı hareket ettirdikten sonra dikiz aynasına baktı.

"Evet" dedim. "Bizi takip edecek. O da geliyor."

"Desteğe ihtiyacın mı var?"

"Brian bana arabasını ödünç veriyor. Onu evine bırakmam lazım. Başka ne yapabilirim?"

"Jack." Jan sizi kendi isminizle çarpabilirdi. "Takılıyorum. Tamam mı? Baş başa konuşacak biraz zaman bulduğumuz sürece sorun yok."

Onun bu ses tonu ve hoş kokusuyla bazı hormonlarım kabarmaya başladı: Burada bize ihtiyaç olabilir ha? Öldüğünüzü düşündüğünüz anda hayat ayaklarınızı gıdıklamaya başlıyor.

ÜÇ

Böylesi zamanlar nasıl oluyor da ortaya çıkıyor bilemiyorum? İnsana saygıları yok. Bir günün kötü olduğuna karar veriyorsunuz. O günü griye boyuyorsunuz ve aniden varlığından habersiz olduğunuz renk cümbüşüyle gözleriniz kamaşıyor. Zevkin tuzağına düşüyorsunuz. Lock 27 numarada olan da buydu.

Yemeği dışarıdaki tahta masalarda yedik. Bana ve Jan'a bir şeyler ifade eden bir yerdi; daha önce birkaç kez burada yavaş yavaş içkilerimizi yudumlarken, bizi sinsi bir rotayla yatağa sürükleyen uzun sohbetler yapmıştık. Yol üzeri farklı geçmişlerden yabani çiçekler koparmak için durup, dudaklarının denizşakayığı gibi şaşırtıcı bir organizmaya dönüştüğü ve benim sol kulak memesine tutkuyla bağlandığım, ah o zamanlar.

Bugün, bütün bunların bir orkestrası gibiydi. Etkiyi meydana getiren hususlar o kadar da muhteşem görünmedi bana. Zaten "Solveig's Song"un nota sistemi de o kadar da muazzam değildir, en azından benim için. (Okuldayken bir keresinde müzik öğretmeni bana göstermişti.) Ama dinleyince sizi kendinizden geçirebilir.

Jan ve Brian beyaz şarap içiyorlardı. Ben ise araba kullanacağım için Perrier* içiyordum. Bir şeyler yedik. Sohbet ettik. Hepsi bu. Fakat sonra, bir insanı öldüresiye peşinden koşturacak kadar gizemli koku izleri bırakan mayıs ayı yüzünü gösterirken, güneş ışığı, "Bak, suyla neler yapabiliyorum?" dercesine kanalda şov yapıyordu; genç bir çift, yanlarında bir çocuk, kıyı boyunca bir aşağı bir yukarı yürüyorlardı, insanlar sohbet edip gülüyorlardı. Bütün bunlar insan türünün bir parçası olmanın o kadar da kötü olmadığı hissini uyandırıyordu ve ben bu manzara için tam sergilenecek oyun diye düşünüyordum. Sahneyi durdurun. Kâfi.

Yemek süresince Jan ile Brian, büyük bir özenle, tek başıma yaşama beceriksizliğim (Scott'tan bahsetmeden) konusunda bana takıldılar; Brian hesabı ödemek için ısrar etti ve kanal kenarında yürüyüşe gitti.

"Ne yaptığını biliyorsun, değil mi?" diye sordu Jan.

"Sanırım."

"Bu bazı şeyleri değiştirecektir."

"Hadi ama Jan. Bari sen yapma."

"Özellikle ben."

Güneş ışığı gözlerine vuruyordu, göz göze gelmesi zorlaştıran bir bakışı vardı. Hani derler ya, "insanın düşüncelerini okuyan", işte öyle bakıyordu. Hele benimle bunu yapması daha kolaydı, diye düşünüyordum. Çünkü çıkarım yapabilmek için kullanacağı çok anıma şahit olmuştu. Ama beni yanılttı.

"Sahi kimsin sen? Halen bilmiyorum. Bildiğimi sanıyordum. Son zamanlarda seni izlemek, kalabalıkta birini aramaya çalışmak gibi. Senin diye tuttuğum kola baktığım

---

* Maden suyu markası. (ç.n.)

zaman bir başkası olduğunu görüyorum. Bu sadece Scott'ın ölümüyle ilgili değil. Hep böyleydi. Ama şimdi daha da kötü. Şu an çevirdiğin işe bak. Bunu yapmaya seni iten ne?"

"Sanırım cenaze töreni."

"Cenaze töreni mi?"

"Evet, sanırım öyle. Tamam, cenaze töreninin iyisi olmaz Jan. Ama Scott'ınki en kötüsüydü. Çünkü Scott orada değildi. Gülme. Onun yürüyerek taziyeye gelenler arasına oturmasını beklemiyordum tabii ki. Ama onun varlığını orada hissedemedim. Belki David ve Alan hariç. Zaten çocuklar olup bitenin farkında değillerdi. Ama en azından yaşadıkları şok gerçekti. Tabii Anna da acılıydı. Ama soğuk duruyordu yahu! Sonrasında hiç hazırlık yoktu biliyor musun? Hiçbir şey. Ne bir sosisli sandviç, ne bir fincan çay. Krematoryumun önünde birkaç dakika bekledik. Bir grup yabancı, sanki cenaze sahibi törene katılmamışmış gibi bakınıyordu. Çalıştığı okulun müdürü benimle konuştu. 'Siz kardeşi olmalısınız. İyi bir öğretmendi.' İyi bir öğretmen mi? Al fikrini başına çal. İyi bir öğretmenden çok daha fazlasıydı. Ama son zamanlarında çok da iyi bir öğretmen olmadığını hepimiz biliyoruz zaten. Ama bilmediğimiz şey neden öyle olduğu? Orada bulunanlardan hiçbirimizin bu konuda bir fikri yoktu. 'İyi.' Bu kelime beni uyuz ediyor. Bu şahsi bir yanıt değil. Rapor kartındaki cevap kutucuğunda var. Zayıf, iyi, mükemmel. Uygun seçeneği işaretleyin. Törende bulunanlardan bazıları da benimle konuştu. John Strachan diye biri vardı. İlk olarak, onunla tekrar konuşmak istiyorum. Çünkü o zaman kendimde değildim. Hepimiz arabalarımıza binip dağıldık. Futbol maçından dağılırcasına."

"Jack. Bu işler zaten böyle olur."

"Bir köpek böyle gömülmez Jan. Kardeşimi böyle gömemezler. Orası kesin. Orada kendimde değildim ama o halimle bile bunun farkındaydım. Böyle olamaz. Neyle uğraştıklarını biliyorlar mıydı? Öylesine bir adam, biliyorsun. O adamın kendisi olduğu zamanı bilirim. Bir karınca yuvasından daha meşgul bir kafa. Resim yapardı. Yazmaya çalışırdı. Her şeyin içinde olmak isterdi. Öldüğünde daha otuz sekizindeydi. Böyle bir şey nasıl olur yahu?"

"Bu bir kazaydı."

"Bir kaza olduğunu biliyorum Jan. Ama kaza nerede başladı? Bilmek istediğim bu. Yolun ortasında mı? Kaldırımda mı? Bardan çıkmadan önce mi? Çok içtiği gerçeğinde mi? Çok içmesine neden olan şeylerden mi? Kaza ne zaman başladı? Ve hangi sebepten? Kardeşim yaşama sevincini ne zaman kaybetti? Bir araba çarpana dek ortalıkta amaçsızca gezinecek kadar. Niye? Neden kendini kaybetti biz onu bir arabanın önünde buluncaya kadar? Bunu bilmek istiyorum Jan. Neden en iyilerimiz kendilerini harcarken, en kötülerimizin yıldızı parlar? Bilmek istiyorum."

Maden suyu içerken böyleydim, bir de viski içseydim! Birkaç dakika öncesine kadar ayrılmak istemiyordum. Şimdi tadım kaçtı. Kelimelerim ortamı gerdi. Güneş de insanlar da halen oldukları yerdeydi ama artık az önceki gibi görünmüyorlardı. Sanki onlara öfkeliydim. Sanki Jan da bana kızgındı.

"Daha ne kadar sürer bilemiyorum Jack" dedi.

Bu sözü beni şaşırtmalıydı aslında. Ama aşkın kendi dili vardır. Söylenmemiş cümleler paylaşılır, anlaşılır. Ben de şaşırmadım. Güneş ışığında da benzer bir korku belirdi, aydınlık bir günde denizde görülen köpek balığı yüzgeci gibi.

"Bir çete sürüsüne âşık olmak gibi bir niyetim hiç olmadı. Her güne yeni bir amaçla başlıyorsun. Grup seks asla tarzım değil. Sevişmenin en âlâsını yapıyoruz. Ama yataktan çıkınca, kimsin sen? Yataktan çıkanın kim olduğu hakkında hiçbir fikrim yok, yatağa gireni ise koyver gitsin. Benim olacak bir Jack Laidlaw'a ihtiyacım var. Artık otuz yaşındayım."

Son zamanlarda bir çocuk sahibi olmaktan bahsediyordu. Baba olarak ilk seçeneğin ben olduğumu biliyordum ama yalnızca ilk seçenektim. Genlerimde potansiyel olduğunu düşünüyor gibiydi, elbette ki doğru bir eğitimden geçmek koşuluyla; benim geçmediğim besbelliydi. Kadınların basireti beni hayrete düşürür. Bir gülüşten, gelecekteki bir ilişkiyi tahmin edebilirler, bazısı da bununla bir gelecek kurar. Verdiğinizden bile bihaber olduğunuz bir sözle yuva kurarlar. Jan, bizde bir gelecek görüyordu; ben göremesem de o halen görüyordu. Ondaki vesveseyi anlayabiliyordum. Yatakta karanlığa bakarken yaş ile ilgili imaları dinleyen tek kişi değilimdir. İçinde bir yerlerde müstakbel yavrularının umutla parlayan, mum alevi gibi yalın çehrelerini görüyordu. Eğer yavrular bana çekmeyecekse, bir başkasına çekeceklerdi. Zaman onun için de tükeniyordu. Her zaman herkes için tükendiği gibi.

"Git, bir hafta zamanın var" dedi, "döndüğünde görüşürüz."

İçimde durumumu savunmak için şiddetli bir arzu vardı ama kendimi durdurdum. Nasıl savunacağımı bilemedim. Onun gittiği yönü seziyordum, benden uzaklaşıyor olması da gayet muhtemeldi. Oteldeki işinden ayrılmış, iki arkadaşıyla küçük bir lokanta işine girişmişti. Hayatı düzenliydi, başarılıydı. Bana gelince, geriye gidiyor gibiydim. Bazen herkes hızla ilerlerken yaya kaldığımı düşünüyorum. Sanki henüz tekerlek icat edilmemiş gibi. Belki bu hafta icat edilir. En azından Jan beni bekliyor olacak. Bir haftalık adli tatilim var.

Brian yakınlarda dolanıyordu, ona seslendim. Jan'la onun arabasında vedalaştık, ön camdan beni sevdiğini söyledi. Brian'ı evine bıraktım.

Arabada çok konuşmadık. Evinin önünde, arabanın aralık kapısında dikildi.

"Unutma, Jack" dedi. "Polislerin gayri resmi özgürlüğü, bahisçilerin özgürlüğünden daha azdır. Herhangi bir delilik yapma ya da en azından çok fazla delilik yapma. Yalnızca arabanın ne halde olduğunu söylemek için bile olsa benimle iletişim içinde ol. Senden haber almak istiyorum. Üzerinde çalıştığım dosya için de tavsiyelerine ihtiyacım olabilir."

Önceden hazırlanmış bir konuşmaydı. Dokunaklıydı.

"Her kilometrede telefon açarım." dedim.

"Tamam. Sana iyi bir dedektiften tüyo: Her zaman yeni bir arabanın torpido gözünü kontrol et."

El sallayıp oradan ayrıldım. Biraz gittikten sonra ne dediğini düşündüm. Torpidonun düğmesine bastım, kapak açılınca elime bir şişe Antiquary marka viski geldi. Şişeyi tekrar torpido gözüne koyup, kapağı kapattım.

Masallarda yola çıkan insanlar aklıma geldi: Yolculuk için uyarılarda bulunan esmer güzeli kadınlar ve yolda kullanılmak üzere verilen sihirli iksirler.

dört

Graithnock, Glasgow'dan uzakta değildi, yirmi milden biraz fazla. Fakat oraya ulaşmam elli dakika sürdü. Herhangi bir hız rekoru kırmaya çalışmıyordum. Gideceğim yere yaklaştıkça yaptığım şeye güvenimi kaybediyordum.

Anna'nın beni görmekten pek hoşlanmayacağını aklımda tutmalıydım. Törenden sonra birkaç defa aradım onu, bir buzdolabıydı muhatabım. Her yanıtı küçük birer buz küpü şeklinde veriyordu. Zaten kendisi de bir şey sormuyordu. Üçüncü arayışımda cevap vermedi; o zamandan beri de görüşmedik. Ona neler olduğuna dair bir fikrim yoktu. Arabayı bir sis bulutunun içine sürüyor gibiydim. Bu da yavaşlatıyordu tabii.

Kendime bir yol çizmek istiyordum. Ama kolay değildi. Scott ölmeden önce ona çok yakın olmasaydım, Anna'yı tanıma şansım olabilir miydi? Scott ile en yakınlaştığımız zaman birkaç ay öncesiydi. Telefon açıp evime gelmişti. Sarhoş olma aşamasındaydı, yani kişinin şaşırtıcı bir şekilde ayık olduğu safhada. Bir taş ustası dikkatiyle kelimelerini yontuyordu. Ben de sarhoş olmaya başlamadan önceki bir saat boyunca onu küçümsemeye oldukça hevesli gibiydim. Evdeki içecekleri bitirmiştik.

Felekten bir gece çalıyorduk. Dışarı çıkıp güvenli birer menzilmiş gibi barları dolaşmaya başladık. Konuşmamız en kısa sürede, en çok zırvalama yarışına döndü. Rakip olarak oldukça eşit sayılırdık. Birçok âlemcinin yaptığı gibi bizim de yaptığımız şey; gülünç dertlerimizi, kederlerimizi, alkol simyasını kullanarak eğlenceye çevirmekle ilgiliydi.

İkimiz oldukça farklı yöntemler kullanıyorduk. Scott'ınki komik ve sevimliydi. Benimki değil. Yabancılara büyük bir resmiyet ile "sayın bayım" ve "sevgili, değerli bayım" diye sesleniyordu. Bir içki siparişi, kraliyet borusu eşliğinde yapılmasını gerektirecek ölçüde merasime dönüşüyordu. Paraları, bir antikacının nadir eşyalarını sergilemesine benzer bir biçimde, tezgâha diziyordu. Dört farklı barda, dört farklı kadına, birlikte kaçmayı teklif etti. Eğer o Sir Galahad ise ben de Mordred'dım. Benim ruh halim daha karamsardı. Bana masumca sözler söyleyen, bakışlarımdaki rahatsız edici anlamı okuyabilirdi. O kadar tiksindirici olmuştum ki kendime bile tahammülüm yoktu.

Gittiğimiz son barlardan biriyle ilgili bir anım var, neyse ki puslu. Sanırım Reid's of Pertyck barıydı... Her neyse, masa ve sandalye eklenmiş yüksekçe bir balkon bölümü olan bir bardı. Barmenin yanındaydım. Sipariş veriyor olmalıydım. Scott balkon bölümünde oturuyordu. Muhtemelen ortam kafasını karıştırdı, kendini başka bir yer ve zamanda sandı. Oturduğu yerden sipariş vermesi, birkaç meraklı kafanın kalkmasına neden oldu. Bazı Glasgow barları böyle tantanaya yol vermez.

"Sanırım sıra bende" diye bağırıyordu Scott. "Barmen bir kadeh şarap daha. Hey yardakçı." Neyse ki bana doğru işaret ediyordu. "Hesabı al."

Buruşuk beş sterlini bana doğru fırlattı. Kısa boylu bir adam parayı alıp, avucunda sakladı. Kafam dağınıktı. Ama bunu fark ettim. O anda Mordred olarak nefret dolu bakışlarımı ona odakladım. Bu bakışta sadece kötülük vardı. Avucumu açıp adama doğru uzattım. Adam bana sorgularcasına bakıyordu. Sol işaretparmağımla sağ avucuma dokundum, durumumu göz önünde bulundurursak büyük bir başarı sayılır.

"Bu mu?" dedim, elimi yumruk yaptım. "Bu mu?"

Kısa adam parayı geri verdi ama bundan pek hoşlanmadı.

"Bir şakaydı" dedi.

"Bir şakaydı ha" dedim. "Pekâlâ, neredeyse Arthur Askey* kadar komiktin."

İçkinin parasını ödeyip masaya döndüm. Scott'a şarap değil de cin tonik kendime ise ruh halimin mantıklı bir ifadesi olduğu için Bloody Mary aldım, aslında hiç içmediğim bir içkiydi. Scott'a parasını geri verdim.

"Yo, hayır" dedi. "İnsanlara ver. İçki içsinler."

"Doğru dur" dedim.

Kısa adam geri geldi.

"Hey sen. Bir şakaydı" dedi.

"Nesin sen?" dedim. "Lanet olası bir papağan mı? Tekrarlaman için öğretilenin hepsi bu mu? Bir ay sonra yeni bir cümle öğrendiğinde tekrar gel."

"Dinle!" dedi kısa adam kolumdan tutarak.

Onu silkeleyip kolumu kurtarınca, yere oturdu. Kalkması için yardım etmesem işler değişebilirdi, hani derler ya, çirkin bir durum olabilirdi.

Tekrar "O bir şakaydı" dedi.

"Evet, öyleydi" dedim, "unutalım gitsin."

"Tamam" dedi, "şaka olduğunu bildiğin sürece sorun yok."

Cümlenin tekrarı, içimdeki şeytanı yeniden canlandırdı.

"Seni küçük düşürdüğüm için özür dilerim" dedim.

---

* İngiliz komedyen, oyuncu. (ç.n.)

Şükürler olsun ki kısa adam geri dönüp bakmadı. Ama bir sürü homurdanma oldu; alçak sesle savrulan tehditleri kendi şerefine verilen bir konser sanan Scott'ın gözleri parlıyordu. Mucize eseri o ve bir sonraki bardan daha büyük bir sorun olmadan çıkabildik; sonuç olarak eve götürmek üzere bir bardan içki alıp taksiyle daireme döndük.

Gece, olmayı azmettiği şeye dönüşmüştü sonunda. İkimiz de birer enkazdık. Scott'ın beni bir tür ortak şeytan çıkarma ayini için, ebeveynlerimizin evinde paylaştığımız odamızda yatarken, birlikte yumurtladığımız vahşi hayallerimizden kalanları karşılıklı olarak örtbas etmek için görmeye geldiğini sanıyorum.

Evliliğinin kötüye gittiğini kendisi de kabullenmeye başlamıştı ve bu kabullenişi eski rüyalarının bekçisi olan benimle –ki o da benim eski rüyalarımın bekçisiydi– paylaşmaya ihtiyacı vardı. Benim durumumu da biliyordu; sanırım kendisinin de yakında benim gibi olacağından korkuyordu ve belki de o yoldan daha önce geçmiş biriyle durumu gözden geçirmek istiyordu.

Şimdi, keşke daha çok yardımcı olabilseydim, diyorum. O zaman ikimiz de çok kederliydik. Gece boyu içip sohbet ettikçe, yeni bir kardeş rekabeti keşfetmiştik. Sende yara izi var mı sanıyorsun? Benimkilere bak. Senin pusulan mı şaşmış? Benim tutkularım kangren olmuş. Kadınların analizleri daha dolambaçlıdır. İlişkilerin doğası üzerine ağır beyanlarda bulunur, sonra da bunları unuturlar. Uzun zaman önce meçhul evliliklere yelken açan ve boşandıkları yalnızca soyadlarından anlaşılan eski kız arkadaşları, nostaljinin ağlak coşkunluğunda görür, önlerinde inancımızı asla yitirmememiz gereken bir mabet gibi diz çökeriz. Anlaşılmaz ve söylenemez olanın karşısından kendimizi hırpalayıp, yorgun düşeriz.

Sabaha doğru üç buçuk gibi, Scott uzandığı yerden birden doğruldu. Öngörülü bir insan edasıyla gözlerini ileriye dikip bakıyordu.

"Sana bir şey söylemek için geldim buraya" dedi. "Aslında daha önce söylemeliydim."

Bana baktı, sonra yüzünü yana çevirdi. Söyleyeceği şey kolayca söyleyebileceği bir şey değildi anlaşılan.

"Anna'dan ayrılıyorum" derken sesi monotondu, tekrar uzanıp uykuya daldı.

Ertesi sabah mahcup bir şekilde yıkanıp, benim tıraş bıçağımla tıraş olup, eşine döndü. Ondan sonra birkaç kez daha görüştük ama hep başkalarıyla ilgili etkinliklerde.

Hayattayken onunla geçirdiğim son gerçek anım o geceydi ve o kadar da kötü bir anı değildi benim için. Varsın hayatın doğrulukla ölçülebileceğini düşünenler, sevdikleriyle daha hoş son anlar temenni etsinler. O çılgın gece hep benimle beraberdi, aklıma geldikçe beni gülümsetiyordu. Zira bütün acıya rağmen, o bir şekilde bunların dışında kalıyordu. Acının büyüklüğü, kendisinde yadsındığını hissettiği hayalin büyüklüğü ölçüsündeydi. O acıya katlanmak o hayale katlanmak gibiydi. Onun ölümünü affedemeyişimin bir nedeni de buydu. Anna'ya gidişimin bir nedeni de buydu.

Kimdi Anna? Bunun üzerinde pek kafa yormamıştım. Tamam, neye benzediğini biliyordum. Ufak tefek, ince kemikli ve tatlı yüzlü. Scott ile evliliğinden beri karşılıklı şakalar yapmıştık; şakalarımız mühürlü zarflar gibiydi. O zarflarda ne tür imalar olduğunu kim bilebilir? Muhtemelen artık çözeceğim onların ne olduğunu.

Yolun sol tarafında Fenwick vardı; Brian Harkness, Morag ile evlenmeden önce babasıyla burada yaşıyordu. Yaşlı adamı birkaç defa görmüştüm. Onu severdim. Oraya gidip onunla görüşmeyi istedim; böylece Graithnock'ta beni bekleyen her neyse onunla karşılaşmayı biraz geciktirebilirdim. Brian'ın babasıyla ortak noktalarımız vardı. O da polislere güvenmiyordu. Ama Graithnock'a varmama yalnızca dakikalar kalmıştı, saklanmak için çok geçti artık. Bir telefon kulübesi bulana dek tek yönlü yoldan gittim. Sonra park edecek bir yer bulmam gerekiyordu. Anna ile konuşmadan önce, John Strachan ile bağlantı kurmaya karar verdim. Cenaze töreninde, Scott ölmeden önce onunla beraber olduğunu söylemişti bana. Sanırım Anna'nın muhtemelen tek hecelik cevaplarına karşı tedbir almak istiyordum. Bana bir şey söylemek istemezse sessizliğine karşı koyacak, bu yolculuğun bir işe yaramasını sağlayacaktım. Scott'ın çalıştığı okulu aradım.

"İyi günler. Glebe Akademi."

Arkadan daktilo ve ne dediğini tam duyamadığım insan sesi, ah şu normalliğin tatlı sesi; bu sesler takıntılı biri için dükkân vitrinindeki tatlılar gibidir, takıntılı oğlan çocuğu ancak dışarıdan bakar tatlılara; çünkü satın alacak parası yoktur.

"Evet, burası Glebe Akademi?"

"İyi günler. Bay Strachan ile görüşebilir miyim lütfen?"

"Kim arıyordu?"

"Ben Laidlaw. Jack Laidlaw. Scott'ın ağabeyiyim."

Neredeyse, "Scott'ın ağabeyiydim" diyecektim. Keder öylesine naziktir ki, insanı şaşırtır. Telefonun diğer ucunda anlam veremediğim bir sessizlik oldu.

"Bay Laidlaw" dedi ve sonrasında göğsüme bir hançer gibi saplanan sözler döküldü ağzından: "Müthiş bir kardeşiniz vardı, Bay Laidlaw. Birçoğumuz onu özlüyoruz. Öğrenciler de, personel de..."

Hoşuma giden, yalnızca söyledikleri değildi. Sesindeki tutukluk, mahcubiyetini aşarak içten gelen ifadesi de beni duygulandırdı. Ezberden söylediği şeyler değildi bunlar.

"Teşekkürler" dedim.

"Sizin için Bay Strachan'ı bulayım."

Strachan telefona geldiğinde sesini tanıyamadım. Buluşacak olursak onu fark edemeyebilirdim.

"Merhaba, Bay Laidlaw."

"Bay Strachan. Rahatsız ettiğim için özür dilerim. Biliyorum meşgulsünüzdür. Ama bugün Graithnock'tayım. Görüşebileceğimizi düşündüm. Scott'la ilgili. Sadece kafam biraz netleşsin istiyorum. Zahmet olacak ama bir ara görüşebilir miyiz? Yarım saatlik de olsa yeter."

Beklemeden cevapladı.

"Bu akşam evime gelebilirsiniz" dedi.

"Emin misiniz?"

"Eminim. Buralarda mı olacaksınız?"

"Kesinlikle."

"Tamam. Üzgünüm ama Mhairi'ye haber vermek için geç. Yoksa birlikte akşam yemeği yerdik. Ama yemekten sonra gelebilirsiniz. Size de uyarsa."

"Fevkalade."

Adresini verdi. Rahatlamıştım. Bu onu yakından tanıyacağım anlamına geliyordu.

"Saat yedi gibi diyelim. Umarım çocukları o saate kadar uyutmuş oluruz."

"Harika. O zaman görüşürüz. Müteşekkirim."

"Önemli değil. Scott konuşmaya değer bir insandı."

Onun ve sekreterin sözleri zihnime ilaç gibi geldi. İki insan benimle aynı duyguları paylaşıyordu. Scott'ın ölümünü kabullenmeyen bir kadronun üyesi gibi hissediyordum kendimi. Uzmanlığımın cinnetime galebe çaldığını hissettiğimde Anna ile konuşmaya hazırdım artık. Arabaya döndüm.

beş

Scott ile Anna'nın yaşadığı ev, teraslı evlerin olduğu bir sokağın sonundaydı. Sokakta, asfalta meydan okurcasına çatlakların arasından ağaçlar yeşermişti. İki ağacın arasında park ederken levhayı fark ettim. Ön bahçedeki çakıl taşlarının arasına saplıydı. "Satılık Ev" yazıyordu.

Arabadan indim, bahçe yolundan geçerek zile bastım. Bu zil hiçbir zaman yanıt verilmeyen, boşluk içinde titreşip kaybolan türdendi. "Bir mezara seslenmek" ifadesi bu durum için yeterince uygundu. Perdesiz ön pencereden içeri baktım. Oda tamamen boştu. Duvarda Scott'ın tablolarının asılı olduğu yerlerin izi belliydi.

Hayalimde bir tanesini olduğu yere tekrar astım. Bir mutfak penceresinin egemen olduğu büyük bir tabloydu. Tablonun ön planında bulaşıklıktaki tabaklar, tavalar, mutfak takımları resmedilmişti. Pencereden solgun yerler, yoksul insanlar, vinçler ve bacaların tasvir edildiği şahane bir şehir manzarası görülüyordu. İnsanlar, parçası oldukları nesneler tarafından köleleştirilmiş gibiydi. Bir binanın penceresinde, parmaklıkların arkasındaymış gibi bakan bir yüzü hatırlıyorum. Scott'ın bana dediğine göre, resmine bakan kişinin yansıması olsun istemiş bu figür. Elindeki kaynak üflecinin aleviyle yüzü eriyik görünen adamı da anımsadım, sanki kendisini eritiyormuş gibi. İşçi sınıfının kasklarının altındaki keskin hatlarına kadar her şey natüralist bir yaklaşımla detaylandırılmıştı; ama resmin genel etkisi bir kâbus görüntüsüydü. Mutfak penceresinin solunda, aptalca bir haritanın üstündeki lejant gibi küçük kare bir tablo vardı. Dışarıdan fark edilmesi için parlak kontrast ile tatlı renklerle boyanmıştı. Güzel, dağlık alanda yer alan bir vadideki fundalıkta, bacası tüten bir kulübe ve yanındaki köpeğiyle kulübeye yönelen bir çobanı gösteriyordu. Scott bu resme "İskoçya" ismini vermişti.

Hayalimde canlandırdığım tablolar, yerlerini duvardaki izlere bıraktı. Derince hissedilen bu hayali silmek, bu kadar kolay mıydı? Oda artık hiç kimsenindi, hiçliğindi. Halı bile kaldırılmıştı. Anna hep tutumlu bir kadın olmuştur.

Çakıl taşlarını hışırdatarak evin yan tarafına yürüdüm. Bahçenin etrafındaki duvarda tahta bir kapı vardı. Kilitliydi. Ayağımı kapı kolunun üstüne koyup, yukarıya doğru uzanarak kapının diğer tarafına atladım. Evin arka bölümü bir müştemilat, garaj ve bir parça yeşillikten ibaretti. Bahçe işleri Scott'ın ilgi alanının dışındaydı.

Etrafta biraz dolandım, mutfak penceresinden baktım. İçerisi boş ve temizdi. Anna'nın ev idaresi her zaman iyi olmuştur. Yeşilliğe baktım. Havanın güneşli olduğu birkaç pazar, çimin üstüne serilmiş yollukta; Scott, Anna ve Ena ile birlikte oturduğumuzu anımsadım. Çocuklar etrafımızda oynarken biralarımızı yudumluyorduk. O zamanki havadan sudan konuşmalarımız adeta havada asılı duruyordu. Planlarımız toza dönüşmüştü, güneş ışığında görünen tozlara.

Müştemilatın kapısı kilitli değildi. İçine baktım. Eski, paslanmış bir çim biçme makinesi, bir tırmık, çeşitli uzunluklarda tahta, neredeyse tümü boş yağlıboya tüplerinin olduğu küçük bir poşet. Hepsi bu muydu?

Sanki arkeolojik bir alana rastlamıştım. Uzmanların detaylı bir teori oluşturma tekniğini uygulamadıkça, burada bir zamanlar kimin yaşamış olduğunu anlatmakta zorluk çekerdiniz. Scott'ın anıtı, evinin getireceği para ve bir avuç dolusu döküntüydü.

Sonra onu gördüm. İlk başta ne olduğunu anlamadım. Bir panonun arkasında, ön yüzü duvara dönüktü. Parıldayan verniği görünceye kadar onun da başka bir pano olduğunu düşündüm önce. Olduğu yerden çekip çıkardım. Scott'ın resmiydi: "İskoçya"

Resmi kaldırınca inanamadım. İkisinin arasında ne olmuştu ki Anna bunu yapmıştı? Scott için bu resmin neler ifade ettiğini biliyordu. Öfkelenmiştim.

Büyük siyah bir çöp poşeti bulup, resmi içine koydum. Dışarı çıktım, müştemilatın kapısını kapattım. Bahçe kapısına bitişik garaj çatısının üstüne resmi bıraktım. Kapıya tırmandım, resmi alarak aşağı indim. Resmi arabanın bagajına yerleştirirken, bir komşu yolun bu tarafına, bana doğru geliyordu. Tanıdığım biri değildi.

"Affedersiniz" dedi. "Burada ne yapıyorsunuz?"

"Öylesine bakıyorum."

"Yalnızca randevu alarak bakabilirsiniz."

"Görmem gerekeni gördüm ben."

"O aldığın şey nedir?"

"Sen de kim oluyorsun?" dedim. "Mahallenin bekçisi mi?" der demez kendimi kötü hissettim. Adam haklıydı. Boş bir eve bakınıp duran bir yabancı görmüştü.

"Bak" dedim.

Kimlik kartımı çıkartıp ona gösterdim.

"Ben Scott Laidlaw'un ağabeyiyim. Yalnızca bana bırakılan bir şeyi almaya geldim. Scott'ın yaptığı bir tablo."

Resmi ona göstermem için bekliyordu. Büyük bir fırsat yakalamıştı sanki.

"Tamam" dedi. Konuyla ilgili yüce kanaatini lütfediyordu. Onu umursuyormuşum gibi duruyordu. Bir parça mülkü olan bazı insanlar neden kendilerini dev aynasında görürler? "Evet, sanırım her şey kanuna uygun."

"Öyle mi?" dedim. Bagajı kapatıp arabaya bindim.

Arabayı sürerken sinirlendiğim için kendime kızıyordum. Köpeğe ağızlık takmak lazım. Aslında öfkem o adama değildi. Ama birine öfkeliydim. İçimde hissediyordum öfkemi, mühürlenmiş ve hazır, sadece bir adres lazımdı.

altı

Saat yediyi on geçiyordu; John Strachan'ı görür görmez hatırladım. Biraz daha geç gelmeyi umuyordum ama ancak bu kadar erteleyebilmiştim. Scott'ın nefret ettiği kent merkezine uğramıştım. Bir kafede bir şeyler yemiş, arabayı bir parka bırakıp yürümüştüm. Ama sabırsızlık duygum üstün gelmişti.

"Jack, değil mi?" dedi.

Tokalaştık.

"Ben John. İçeri buyur."

"Çok naziksin."

"Hayır." Başını salladı. "Ben de bu konuda konuşma gereği hissediyorum." Gözlüklü ve uzun bir adamdı. Otuzlarında olmalıydı ama sıkıntılı, düşünceli havası kafasında yapmayı tasarladıklarının işe yaramadığı izlenimi veriyordu. Kot pantolon ve bol bir kazak vardı üstünde.

Beni oturma odasına götürüp Mhairi ile tanıştırdı. Kısa ve kilolu olan Mhairi'nin parlak, yuvarlak yüzü, içinde kötü bir şey olmayacağından emin olduğunuz hamur köftesi gibiydi. Kot pantolon ve çiçek desenli, bol bir üst giymişti. John beni çocukları Catriona ve Elspeth'e tanıttı veya daha doğrusu etrafımda pervane gibi döndükleri için onları bana tanımladı.

Çocukların genellikle yaptığı şeyi yapıyor, sıradanlığı oyuna çeviriyorlardı. Bu oyunlarda onlardan başka kimse kuralları bilemezdi. Bu oyunun içeriği, sekiz yaşlarındaki Catriona'nın, Elspeth'in burnunun dibinde klaksona benzer bir ses eşliğinde oluşturabileceği en çirkin yüz ifadesinden ibaretti. Sonra mobilyaların arasında koşturup bulduğu en erişilmez noktada duruyordu. Beş yaşlarındaki Elspeth de suratını buruşturup, sesler çıkararak onu takip ediyordu. Birçok çocuk oyununda olduğu gibi bu oyunda da bitiş ile ilgili kimsenin bir kural üreteceği yok gibiydi.

Üç yetişkin, belki de küçük bir kasabayı aydınlatacak bir enerjinin böylesine kolay israf edilmesi karşısında donakalmıştık.

"Umarım çok erken gelmedim" dedim.

"Yok, hayır" dedi Mhairi.

İfadem tuhafına gitmiş olacak ki şaşkınlık içinde söyledi bunu. Zamanlama konusundaki katı anlayışım onun yabancı olduğu bir şeydi. Kısmen gözlemim, kısmen de belleğimin yardımıyla onlar hakkında bazı izlenimler edinmiştim. Mutfak tarafında kapının yanında duran Mhairi, durakta bekleyip de beklediği otobüsün o yoldan geçmeyeceğini düşünmeye başlayan birinin şaşkın teslimiyeti içindeydi. Güzergâh levhasında olması gereken, vaat edilmiş durakları tahmin edebiliyordum: "Çocuklar büyüyecek", "Kendime daha çok vakit ayıracağım" ve "Hep yapmak istediğim şeylerden bir kısmını yapacağım".

"Sanırım Jack'i salona götürmeliyiz" dedi Mhairi.

Üçümüz beraber oraya geçtik. Catriona ve Elspeth bizden uzakta olsalar da bir hisarı çevreleyen dağlardan atılan top ateşi gibi, konuya yoğunlaşmamıza tehdit oluşturmaya devam ediyorlardı.

Salona geçmek, John ve Mhairi'nin bildiklerine ve söyleyeceklerine yaklaşmaktı bir anlamda. Salonun döşenmesinde pek de seçici davranılmamıştı. Verniklenen zeminde bir Hint halısı vardı. Eski ve güzel koltuklar salona uyumlu değildi, muhtemelen rahatlıkları için seçilmişti. Biri makrome kursu almış olmalıydı. Duvarda bir Afrika maskesi ve Scott'ın daha önceden görmediğim tablolarından biri vardı. Ben etrafa bakınırken susmuş bekliyorlardı. Mobilyadan daha çok kitap vardı. İki büyük kitaplık, birkaç da küçük kitap standı vardı. Bir tanesi siyahi yazarlara ayrılmıştı: George Jackson, Baldwin, Cleaver, Biko, Mandela, Achebe. Arkadaşlarıyla burada oturduklarını hayal edebiliyordum. Şarap içip önemli konular hakkında ciddi ciddi konuşuyorlardır. Onları yermek başkası için kolay olabilirdi. Ama ben, iki insanın hayatlarını dürüstçe yaşanabilir kılmak için değerler oluşturmaya çalıştığı bir nezaket sığınağında olduğumu hissediyordum.

Otururken "Tablonun ne ile ilgili olduğunu düşünüyorsunuz?" diye sordum.

Da Vinci'nin "Son Akşam Yemeği" tablosunun bir pastişiydi. Masada öne doğru dönük beş kişi vardı. Ortadaki adamın yüzünde organlar yoktu. Elleri yan tarafındaydı. Diğer dördü sakallıydı. Bir tanesi Scott olabilirdi. Yemekler ve elbiseler günümüze aitti. Önlerindeki tabakların boş olduğunu görebiliyordunuz. Ortadaki adamın tabağı desensizdi. Diğer dördünün tabağında aynı yüz ifadesi vardı; tabaklardaki elli yaşlarında, saçı dökülen, sakin ama hüzünlü yüz size bakıyordu. Tabloda daha başka şeyler de vardı ama inceleyecek zamanım yoktu. Tablo hoşuma gitmemişti. Çok fazla çıkarsama vardı, Da Vinci'den değil, kendine yabancı ve çok başarılı bir şekilde ifade edilemeyen bir fikirden.

"Emin değilim" dedi John. "Belki de diğer dördü ortadaki adamla besleniyordur. Onun kaybolan kişiliğinden."

"Onun gibi bir şey" dedi Mhairi. "Her neyse, benim hoşuma gidiyor. Ayrıca Scott hiçbir zaman ne anlama geldiğini söylemedi."

Hepimiz kısa bir süreliğine tabloya baktık.

"Tanıştığımıza memnun oldum" dedi Mhairi. "Scott senden çok bahsederdi. Bazen senden Black Jack diye söz ederdi. Ama olumlu anlamda. Onu çok özlüyoruz."

"Ben de" dedim. "Son zamanlarında çok görüştüğümüz için değil. Benim için her zaman oradaydı. Bankadaki para gibi. Aniden büyük bir çöküntü oldu benim için. Onsuz biraz fakirleştiğimi hissediyorum."

"Özel bir insandı" dedi John. "Okulda çocuklar sık sık ondan konuşuyorlar. Altıncı sınıf kızlarından birkaçı onunla evlenme düşleri kuruyordu sanırım."

"Son zamanlarda pek olmasa da Scott ve Anna ile çok sık görüşürdük" dedi Mhairi. "Ama kendisi yine de uğrardı."

"Anna" dedim, "onu görmeye gittim bugün. Evi satılığa çıkarmış. Çok hızlı oldu bence."

Birbirlerine baktılar.

"Scott ölmeden önce aralarının ne kadar kötü olduğunu biliyor musun?" dedi John.

"Bir fikrim vardı sanırım. Ama galiba büyük oranda hafife almışım. Cenaze töreni için ne düşündüğünü bilmiyorum, John. Ama benim için kabullenmesi zor. Biliyorum, Anna yapması gerektiği gibi yapacaktı bu işi. Ama bu kadar da olur mu?"

"Anna'nın ne yaptığını anlıyorum sanırım" dedi Mhairi. "Ben de öyle yapar mıydım bilemiyorum. Ama belki de o kadar cesaretim olmazdı."

Susmuş dinliyordum.

"Scott ölmeden önce aslında ayrılmışlardı. Tabii aynı evde yaşıyorlardı. Ama kabul etmek gerekir ki sonuç değişmeyecekti. Sanırım Anna'nın ona karşı hisleri nefrete yakındı. Cenazedeki tutumu mümkün ölçüde riyakârlıktan kaçınmanın bir şekliydi sanırım. Anna, iradesi çok güçlü bir kadındır."

"Mhairi, Scott da öyleydi" dedi John. "Bununla beraber birçok cazibeli yönü olan biriydi. Ama biraz üstüne gidince kuzu postuna bürünmüş kurt ortaya çıkıverirdi."

"İkisi arasındaki sorun neydi sizce?" diye sordum.

İkisi de gülümseyerek başlarını salladılar.

"Anladım" dedim. "Bu soruyu pas geçelim."

"Hayır" dedi John. "Onları tanıdığımız kadarıyla galiba bazı göstergeler vardı. Fakat bunlar nasıl referans olur bilemiyorum? Bazen onların mahremiyetlerinden çıktıklarını görürdün ve oyunun değiştiğini anlardın."

"Doğru." dedi Mhairi. "Biliyor musun neyi fark ettim? Çiftlerin ortalık yerde bir şeye aşırı tepki göstermesi işaretlerden biridir. Bir konu vardır ve her ikisi de beklenenden fazla tepki verir. Konuştukları şeyin aslında o konu olmadığını fark edersin. Bu yalnızca derinlerdeki nefretin bir bahanesidir. Çünkü gerçek sorunu çözmeye çalışmayı bırakmışlardır. Diğer şeylerin kavgası için o konu bir araç olur."

"Ne demek istediğini anlıyorum" dedi John, "Scott ile Anna'da bunu fark ettiğim zamanı anımsadın mı? Daha ilk zamanlarda. Özel okul tartışması. Hatırladın mı?"

Mhairi iç çekerek başını salladı.

"Vietnam Savaşı'nı hatırlıyor muyum? Korkunçtu. Bir ara Scott'ın saldırganlaşacağını sanmıştım."

"Bunu yapacak biri değildi asla. Ama kelimeleri son sınırına kadar kullanırdı."

"Özel okul mu?" diye sordum.

"Anna'nın fikriydi" dedi Mhairi. "David ve Alan'ın özel okula gitmesini istediğini söyledi. O gece buradaydılar. Sadece dördümüzdük. Sanırım Anna belki biraz destek bulurum düşüncesiyle bizimle bir aradayken konuyu açtı."

"Hiç şansı yoktu" dedi John. "Çalıştığım yere inandığım için orada eğitimciyim. Mesele sadece para değil. O da önemli ama. Çok değil."

"Ha, üçümüz aynı fikirdeydik. Ama Anna düşüncesinde haklı olduğunu savunuyordu. Scott çileden çıkmıştı. Bağırmasını bitirince ben Anna ile aynı fikirde olabileceğimi düşünmeye başlamıştım. Affedersiniz ama o gece zıvanadan çıkmıştı."

"Endişelenme" dedim. "Sana inanıyorum. Sanırım bu aileden gelen bir özellik."

"Sanki Anna onun hayatının anlamını baltalamaya çalışıyordu" dedi John.

Catriona ve Elspeth bir molotof kokteyli gibi odaya dalıp ortamızda patladı.

"Hadi kızlar" dedi Mhairi cansız bir tonda.

Pekâlâ, buyurdu Knud*: Ey medcezir, geri dön. Yeni bir oyuna başlamışlardı. Bu oyun öncekinden daha az karmaşıktı, oyun kurgusundaki ustalıkta belirgin bir düşüş vardı. Bu oyun tamamen sesin şiddetiyle ilgiliydi.

"Naya, naya, naya, naya" Catriona şarkı söylüyordu. "Naya, naya, naya, naya, naya."

"Niyo, niyo, niyo..." Bu da Elspeth'in şarkısıydı. "Niyo, niyo, niyo. Niyo, niyo, niyo."

Şarkının sözleri melodiden çok daha güzeldi. Mhairi başıyla John'a işaret etti.

"Susun!" dedi John, üfleyerek bir orman yangınını söndürmeye çalışırcasına. "Biz Mhairi'yle düşündük de, ikimiz bir bara gitsek. Orada gevezelik etsek."

Mhairi gülümsedi ve başıyla onayladı. Onlara minnettardım, yalnızca dışarı çıkma fırsatı vererek konuşmayı olanaklı kıldıkları için değil: Onları sevmiştim ve çocuklarına ateş ettiğim kısa süren hayalimi de artık tekrarlamak istemiyordum.

"Senin için sorun olmayacağına emin misin, aşkım?" dedi John.

---

* 1018-1035 tarihleri arasında hükmeden kudretli Danimarka kralı. (ç.n.)

Bu soruyla ne kastettiğini tahmin edebiliyordum.

"Bugüne kadar dayandım. Çocukları yatıracağım şimdi. Çok geç kalmazsın değil mi?"

"Hayır. Akimbo'ya gideceğiz. Tamam mı?"

John, onu ve çocukları öptü. Mhairi'ye teşekkür ettim, Catriona ve Elspeth'e el salladım.

"Her şey biraz yoluna girince belki seni yine görürüz."

"Umarım" dedim, "benim de hoşuma gider bu."

yedi

John Strachan ile yürürken, Scott'ın derin ölüm düşüncesinden yüzeye hızla çıktığımı, sıradan bir akşam geçirdiğimi fark ettim. Psikolojik bir vurgun yemiş gibi hissettim. Etrafımda olanlarla bir bağ kuramıyordum.

Buralara yabancıydım ama yine de bu kasabayı biraz biliyordum. Gerçekleşmeyecek rüyaların tiryakisi olan babam, gerçeğin acı yüzüyle karşılaşınca her zaman akamete uğrayan yeni başlangıçlarından birini yapmak üzere bizi bu kasabadan alıp götürmeden önce ailemle birlikte burada beş altı yıl yaşamıştık. Ama bu akşam kasaba çok tanıdık gelmiyordu bana. Belki de Scott'ın olmadığı bu yeri daha önce yaşadığım bir yer olarak görmüyordum; okyanusun bir gemi enkazını yutması gibi, devasa bir alanı kaplayan binalar bir çaba harcamaksızın kardeşimi ziyan etmişti.

Ani bir kararla bir nebze aşina olduğum Akimbo'da oturarak kasabanın bilinmezliğiyle kuşatılmak istemediğimi fark ettim. Scott'ı daha güçlü hissedebileceğim bir yere ihtiyacım vardı.

"John" dedim. "Akimbo'ya gitmesek, ne dersin? Arabayı park ettiğim yere yürüyüp Bushfield Oteli'ne gideriz. Zaten geceyi geçirebileceğim bir yere ihtiyacım var."

"Tabii" dedi. "Orada genellikle büyük biralardan içerim ben. Bana uyar."

Bushfield bir evden dönüştürülmüştü. Esasında bir bardı ama yaklaşık on tane konaklama odası vardı. Sahipleri Katie ve Mike Samson, Scott'ı iyi tanırlardı. Bir dönem işten sonra oraya takılmışlığım vardı, orada hep beraber şarkı söylenmesi hoşuma giderdi. Nazik bir insan olan Katie, Scott'a bayılırdı. Belki Mike da onu seviyordu. Ama Mike konusunda emin olamazdınız. Uzun ve inceydi; bazen kafasında ne olduğunu anlamak için bir matkaba ihtiyacınız varmış izlenimi verirdi. Biri melodiyken diğeri yüksek perdeden sesti, Mike'ın kasvetli anaforu Katie'nin neşe kaynağını sönümlüyordu.

Otelin önüne park ettim, valizimi çıkardım. John Strachan ile otele girerken Katie bardan mutfağa geçiyordu.

"Yabancı bir yolcu için odanız var mıydı?" dedim.

"Aa! Jack!" dedi.

Durup bana baktı. Sanırım bu bakışın ne anlama geldiğini biliyordum. Scott'ın ağabeyini görmesi onun ölümünün teyidi oluyordu. Bundan sonra benim şimdi durduğum yerde Scott hiçbir zaman duramayacaktı. Katie, Katie'dir; nefes gibi kendiliğinden bir doğası vardır, bundan dolayı gözleri hemen yaşarıverdi. Kollarını açıp bana yaklaştı, beni çekip öyle bir kucakladı ki zorlukla nefes alıyordum.

Valiz elimden düştü. Ben de üçüncü kez düşecek gibi olunca kucaklamayı bıraktı.

"Bir tırmık gibi zayıflamışsın" dedi.

"Yalnızca kaslı olmaktan kaynaklanan bir zayıflık, Katie."

"Yalan konuşma. Ne yiyorsun sen? Ya da daha doğrusu neler yemiyorsun?"

"Britanya'daki en kötü aşçı benim."

"Ah Jack. Senin diğer sıkıntılarını da duydum." Evliliğimi kastediyordu. "Dert, her zaman kendine bir yoldaş bulur, değil mi?"

John Strachan'ı tanıştırmaya çalıştım ama zaten tanışı-
yorlardı. Öyledir Katie. Sıradan müşteriye de geniş ailesinin
bir parçasıymış gibi davranırdı. John'u bira içmesi için bara
doğru gönderdi, beni de odamı göstermek üzere üst kata
çıkardı. Oda yeni dekore edilmiş, güzelce temizlenmişti.
"Bu en iyisi" dedi. "Diğer odaların birkaç tanesi de restore
ediliyor. İki Danimarkalı adam da burada kalıyor. İrlandalı
bir adam da neredeyse bir haftadır bizde kalıyor."

Valizimi boşaltmadım. Glasgow'u aramak istediğimi söy-
ledim. Ankesörlü telefonu kullanmama izin vermedi. Beni
aşağıya, mutfağa götürdü. Neyse ki köpekleri Buster beni
tanıdı, ama muhtemel tehditkâr hırlamalar için bu durum
her zaman ayrıcalık garantisi anlamına gelmiyordu. O ayrı-
lırken ben de Brian Harkness'ın numarasını çeviriyordum.

"Alo?"

"Alo, Morag" dedim. "Ben..."

"Kim olduğunu biliyorum tamam. Homurdanmanı nerede
olsa tanırım. Sen Black Jack Laidlaw'sın, deli dedektif."

Tanınmak güzel bir duyguydu.

"Neredesin?" dedi.

"Graithnock'ta. Halen buradayım."

"Graithnock'ta nerede?"

"Küçük bir oteldeyim. Yeni geldim."

"Bir delilik yapma" dedi. Morag'ın dosdoğru bir tarzı vardı;
bu tarz onun içtenliği ve yüce gönüllüğüyle el eleydi. İyilik
onda o kadar doğaldı ki, buna resmi bir hava verme gibi
kaygısı yoktu. "Bize kırk dakikalık bir mesafedesin. Kıçını
kaldır da buraya gel."

Bunun uzun bir kırk dakika olacağını açıklamak için vakit
harcamadım. Araba için o kadar sürerdi ama benim zihnim
için değil. Arka fondan, sözlerini unuttuğum ama melodisini
halen hatırladığım eski bir şarkıya benzeyen aile hayatı sesi

duyuluyordu. Hüzün dolu saplantımın o güzel yere bulaşmasını istemiyordum.

"Daha görmem gereken birkaç kişi var, Morag."

"Jack. Kiminle dalga geçtiğini sanıyorsun? Tabut büyüklüğünde bir odada oturup kafayı mı yiyeceksin. Seni, alışkanlıklarını biliyoruz. Buraya gel de düzgün bir yemek ye, tek başına kalma orada. Brian bana senin buzdolabından söz etti. Hiç kullanılmamış, sıfırmış gibi satabileceğini söyledi. Kendine bakamıyorsan bırak da başkaları ara sıra baksın sana."

"Biliyor musun Morag" dedim, "ilk defa viskiyi orada tattım. Sen bazen bir şeyleri doğrudan söylemenin yolunu biliyorsun. Bu hoşuma gidiyor. Onun için yapmayı düşündüğüm şey, o tadı tekrar alabilmek için biraz bekleyip görmek. Araba kullanırken bunu yapmak da biraz uygunsuz olur."

"Umutsuz vakasın. Öyleyse gelmiyorsun?"

"Bu akşam değil, sevimli kadın. Ama oraya gelmek yoğun programımın içinde. Stephanie ve gizemli misafir nasıllar?"

"Steph iyi, diğeri de tekme atıp duruyor, adeta tek kişilik bir futbol takımı. Dinle. Yakında seni adamakıllı besleyeceğiz. Seruma bağlamamız gerekse bile. Kaçış yok. Brian'la konuşacak mısın?"

"Evet, lütfen Morag. Evdeydi değil mi?"

"Evet. Her gün Kriminal Büro zırvalıkları için geç saatlere kadar çalışmasını sineye çekemem. Ulusun kaderi Garthamlock'taki bir hırsızlık olayına bağlıymış gibi. Onu çağırayım. Kendine iyi bak."

"Tamam, kekin içindeki yumurta gibi, teşekkürler Morag."

"Demek ki Morag'ın karşı konulmaz konuşması seni ikna etmedi?" dedi Brian. "Aslına bakarsan benim de üstüme çok geliyor. Ben senin yanına gelsem mahzuru var mı? Bana bir oda ayırır mısın?"

"Her an seninle yer değiştirebilirim" dedim. "Bugün nasıl geçti?"

"Önce sen" dedi.

Brian'a yaptıklarımı özetlerken havada parmağımla resim çiziyormuşum gibi hissettim. Brian'ın sessizliğini anlattıklarıma şüpheyle yaklaştığı şeklinde yorumladığımı fark ettim. Belki takıntılar özünde söylenilemezdir. Ona ne anlatmam gerekiyordu? Boş bir eve gittim. Geride bırakılan bir tablo buldum. Bir öğretmenin eşi ve ailesiyle görüştüm. Bir çocuk kompozisyonu kadar ilgi çekiciydi: Hafta Sonu Yaptığım Şeyler. Bana bile deneyimlerimi marazlarım kadar güçlü iletemiyormuşum gibi göründü. Brian'ın tanısı çok ümit verici değildi.

"Hayret bir şey, Jack" dedi. "Yaptıklarının amacı ne?"

"Sana anlatmıyorum" dedim. "Çünkü sen iyi bir insan değilsin. Her neyse, sende neler var?"

Gerçek hayatla ilgili konulara dönmek Brian'ı rahatlatmıştı sanırım. Olduğu yerden bana bakmaya başlayan Buster sanki Brian'ın benim hakkımdaki düşüncelerini paylaşıyordu.

"Meece Rooney" dedi. "Tanıyor musun?"

"Meece mi? Tanıyorum."

"Şey...Tanıyordun" dedi. "Öldü."

"O mu diyorsun? Atık bölgesindeki?"

"Evet, Meece Rooney. Dinle. Biri onun tıpta okumuş olması gerektiğini söyledi. Bununla ilgili bir şey biliyor musun?"

"Meece üniversiteye bir ay gitmişti." dedim. "Bir şeyler başarmanın daha hızlı yolu olması gerektiğine karar vermeden önce. Meece tıp okuduğunu söylemişse, öksürük şurubu kutusunda yazan ismi okuyabildiğini kastetmiştir."

Omuz silktiğimi fark ettim. Hüzün bencil olabiliyor. Meece'den nefret etmezdim. Bazen takip ettiğiniz sorunlu insanlara genel kabul görmüş kuralları uygulardınız, o en kötüsü değildi. Hatta iyi denilebilirdi. Benim deneyimlerime göre suçludan çok kurbandı. Fantezilerini eroinle yüceltmeyi seçen bir hayalperestti. Ama benim kardeşimin ölümü acı bir şeyse, onun ölümü niye olmasındı ki? Onun ölümü de birilerinin matemi olmalıydı.

"Biliyorsun, torbacıydı" dedi Brian.

Demek ki düşündüğüm kadar iyi biri değilmiş. Kendini ateşe atmak ayrı, başkalarını da oraya yönlendirmek apayrı bir şeydir.

"Onunla bağlantım kopmuştu" dedim. "Torbacı olduğunu bilmiyordum. Bunun şaşırtıcı olduğunu söyleyemem. Peki, başka neler var?"

"Çok bir şey yok. Hyndland'de küçük bir dairede izini bulduk. Orada bir kadınla yaşıyormuş. Bu arada patoloji raporuna göre yakın bir zamanda kolu kırılmış. Komşular çok bir şey söylemiyor. Henüz kadının adını da bilmiyoruz. O da kullanıcı gibi görünüyor. Tek şey var ki artık orada kalmıyor. Elbiseleri de gitmiş. Yıkanmamış fincanların birinde ruj izi var. Ve henüz kurumamış kahve artığı."

"Öyleyse kimin yaptığını biliyordur diyorsun."

"Öyle görünüyor."

"O zaman paçasını kurtarmak için ortadan kayboldu."

"Sen bir dâhisin."

"Sadece sesli düşünüyorum. Ukalalık yapma."

"Bana öyle olmayı öğreten sensin" dedi.

"Hiç de bile. Sen öğrenmiş olabilirsin ama ben öğretmedim. Ama ilginç. En azından odaklanacağın alan daralıyor."

"Ne demek istiyorsun?'

'Burada bir eroinman sorunu var değil mi? Kötü arkadaşlık konusunda iyidirler. Dışarıda bir sürü mal var. Ve dürtüleri mayıs sineği gibidir. Aynı gün doğup aynı gün ölebilir. Bu da izlemesi zor bir durum olabilir."

"Hı-hı."

"Ama Meece'in ölümü planlanmış gibi görünüyor. Parmakların birer birer kırılması o anda karar verilmiş bir iş değil. Yani sorgulanmış olabilir. Veya sadece öldürmeden önceki özel bir ayindir bu. Şöyle ya da böyle, Meece cinayeti planlanmış. Ortadan kaybolan kadın bunu teyit ediyor. Belki bunun olacağını biliyordu veya olduktan sonra haberi oldu. Her kim yaptıysa kadını ölümüne korkuttu. O da kayıplara karıştı."

"Yani?"

"Yani bu bir tahmin. Ama siz onlarla ilgili resmi kaynakları kullanacaksınız. Büyük korku, bir bağımlının en büyük korkusu nedir?"

"Mal bulamamak."

"Doğru. Bu insanlar kime tapar?"

"Mal tedarikçisine."

"Kötü bir ruh hali içinde olan kayıp bir ruh aradığınızı sanmıyorum. Daha önemli birilerini arıyorsunuz."

Brian'ın sessizliği, benim adli zekâm karşısındaki dehşetinden mi, yoksa uyukladığından mıydı bilemedim.

"Tamam" dedi. "Zaten bildiğimiz şeyleri bizimle paylaştığın için teşekkürler."

İkimiz de güldük.

"Bunun için dedektiflik okulundan belki geçer bir not alırsın."

Biraz daha konuştuk ama bu konu için bu kadarı yeterliydi. Brian'ın tepkisi dalgınlığımı dağıttı. Başkalarının sorunları kendi sorunlarımızdan çok daha basit geliyor. Belki de Meece Rooney'in ölümünde dedektiflik oynamak hoşuma gitmişti çünkü Scott'ınkini anlamaya başlayamamıştım henüz. Gerçek bir savaşta satranç oynayarak rahatlayan bir adam gibiydim. Benim için tamamen soyut olan bir davaya müdahil oluyordum. Ama bunu istemiyordum. Kendi kaygılarım vardı. Şu an Meece'in benimle ne ilgisi vardı ki? Bu dava, Brian ile Bob'un sorunuydu. Öyle de kalabilirdi.

"Tamam" dedi. "Ha bu arada Bob Lilley, hastalık nöbetin geçtiğinde seni bu davada görmekten mutluluk duyacağını söylüyor."

"Muhakkak" dedim. "Ona söyle o da nöbet geçirebilseydi, umut verici bir işaret olurdu. En azından yaşıyor olduğunun ispatı olurdu. Ona söyle Madam Tussaud* Müzesi'nde yaşasaydı kimse onu fark etmezdi."

"Kendimi Sevgililer Günü kartpostalı gibi hissettim" dedi, "bütün bu sevgi dolu mesajları aktaran kişi olarak."

"Teşekkürler" dedim.

Ahizeyi biraz sertçe kapatınca Buster hırlamaya başladı ve doberman kulakları dikleşti.

"Kes sesini Buster" dedim. "Bütün dünya beni sınamak için sıraya girmiş sen de sıranın en sonundasın. Sonra görüşürüz."

Birbirimize baktık. Büyük kaygılara sahip olmanın bir avantajı, küçük kaygıların yersiz görülmesidir. Tamamen bakış açısıyla ilgili. Öyle hissediyorum ki, Buster'ın beni ısırmasından daha şiddetli ısırabilirdim onu.

---

* Londra'da bulunan balmumu heykel müzesi. (ç.n.)

sekiz

Hayalimde bir parti canlandırdım. Bu benim için zor bir iş değildi. Parti, her zaman zihnimi El Dorado* gibi efsanevi doğasının peşinden koşturmaya eğilimli bir kelime olmuştur.

Büyük bir partiydi. Graithnock'a uzak olmayan, Troon bölgesinde bir sokakta, Marrenden Drive'deki evlerden birindeydi. Troon ilginç bir şekilde İskoç kasabasıdır. Uzun zamandan beri bir tersanesi vardır. Aynı zamanda uzun yıllar boyunca, varlıklı birkaç insanın yaşamak için seçtiği oldukça popüler bir tatil bölgesidir. Bundan dolayı İskoçlara özgü pek çok şey gibi ikili bir doğası vardır. Hem sert hem de naiftir. Sert kısmını ziyaretçilerin kendileri keşfetmek durumundadır. Ama naiflik daha gözle görülürdür. Oradan geçen birinin martıların tuvalet eğitimi almış olduklarını düşünmesi bile hoş karşılanabilir.

Neden sonra bu yalın naiflik ikiye bölünür, çünkü kasaba sadece imkânların sunduğundan daha zor şartlarda yaşayan insanların değil, bunun yanında çok rahat şartlarda yaşayan insanların varlığı gerçeğini de içinde saklamıştır. Hatırı sayılır bir zenginlik vardır. Marrenden Drive, bu zenginliğin bir kısmının ikamet ettiği yerdir. Mekânın belli belirsiz Kalvinist

---

* Kayıp altın şehir. (ç.n.)

doğruluğunda, ketum zenginlerin taşa dönüştüğü, şaşırtıcı derecede yeşil, gizli bahçe Marrenden Drive, iyi gizlenmiş, naif bir yerdir.

Partinin yapıldığı yer kendi arazisi üzerine kurulmuş büyük evdi. O gece orası küçük bir şehir gibi aydınlatılmıştı. Ev sahibi savurganlığıyla biliniyordu. Adı Dave Lyons'du; birçok farklı alana yayılan işlerinin detaylarını değil yalnızca hangi alanda olduklarını biliyordu. Marrenden Drive'daki evinin yanı sıra işlerini idare ettiği Edinburgh'de de bir yerinin olduğu söyleniyordu.

Partide yaklaşık altmış-yetmiş kişi vardı. Misafir listesine bir çeşitlilik hâkimdi. Dave Lyons kendi kendini yetiştirmiş bir adamdı, birçoğumuz gibi gençliğinde asi takılmış, toplumun farklı sınıflarından geniş bir arkadaş çevresi edinmişti. Parti, sıcak kutlama atmosferinde, görünürde kaynaşmış bütün farklı öğeleriyle Dave Lyons'un sosyal ve seçkin hayatının bir gösterisi olacaktı.

Akşamın ilerleyen saatlerinde evin her tarafı kullanılmaya başlanmıştı. Partilerde genellikle olduğu gibi bu parti de küçük küçük şovlara bölünmüştü. Mutfaktaki misafirler, tartıştıkları konu sanki dünyanın en önemli sorunuymuş gibi içki destekli bir tartışma kapanına kısılmıştı. Kimisi yemek odasında etkileyici açık büfeden artakalanları didikliyordu. Müzik çalınan ferah salonda gelişigüzel dans etmeye başlayanlar vardı. Kim bilir diğer odalarda neler oluyordu. Ama üst katta, Dave Lyons'un televizyon odası dediği yerde, dört beş kişi oturmuş bir program izliyordu. Birinin odaya girip oturdukları koltuğun arkasında dikildiğini, başlarının üstünden ekrandaki görüntüyü izlediğini fark etmemişlerdi. Ama birazdan yapacağını fark etmemeleri imkânsızdı.

Televizyondan yayılan ışık dışında odada ışık yoktu. Bu sakin loşluk içinde, ellerinde bardaklarıyla yayılmış insanlar için adamın yaptığı şey, bir eğlence sahiline düzenlenen hava saldırısı gibi olmalıydı. Büyük kristal bir vazo, ölümcül bir yörüngede adamların başlarının üzerinden geçip, televizyonun ekranıyla buluşmuştu. Süslü dekoratif ince bir ayak üzerine kurulan televizyon seti, arkaya doğru devrilmiş ve dediklerine göre pek de ahenksiz olmayan bir gürültüyle dağılmıştı. Biri elindeki bardağı düşürmüştü. Bir kadın çığlık atmıştı. Bu olay terör saldırısı sonrasını anımsatıyordu; insanlar karanlık odada panik içinde hareket ediyorlardı. Biri ışığın düğmesine bastı. Olayın faili adam kendi şerefine yapılan resmigeçit töreninde kürsüdeymiş gibi yardımsever bir edayla herkesi selamlıyordu. O adam Scott Laidlaw'dı.

Hayal gücü için gerekli malumatı Mhairi Strachan, Anna'dan ve ben de John Strachan'dan almıştım. Ama şüphelerim vardı, olayla ilgili duygularım gerçeklerden çok sapmış değildi. Görünen oydu ki Anna bütün geceyi can alıcı detaylarıyla Mhairi'ye özetlemişti. Anna'nın dediğine göre her şey hafızasına kazınmış. Olay kayda değer bir etki yapmış olmalıydı. Günlük sosyal ortamlardaki konuşmaları bana bir hostesin gülüşü kadar samimi gelen Anna için fazla dramatik sözlerdi bunlar. O gecenin kötü giden ilişkilerinin üstüne tuz biber ektiğini söylemişti. Daha az etkili olan bu cümlede, Anna'nın bildik tarzını fark etmiştim.

Anna, Scott'ın toplumsal duyarsızlığıyla ilgili harıl harıl topladığı detayları sadece Mhairi'ye değil başkalarına da aktarıyordu. Bunun nedeni belki de biteceği öngörülen ilişki bitmeden önce insanlara karşı kendini haklı çıkarma ihtiyacıydı, atlı süvarinin kanatlardan yapılacak saldırıya karşı orduyu uyarması gibi. Anna'nın da bunu yapmak üzere tanıdıklarını dolaştığını hayal edebiliyordum çünkü arkadaşlarım içinde böyle yapanlar vardı. Eski sadakat yeminlerini müzayedeye çıkarıp, birlikte yaşamaları için herhangi bir neden olmadığını göstermiş oluyorlardı.

İtiraf etmeliyim ki haklı gibi görünüyordu. Scott ile birlikte yaşamanın imkânsızlığı ortaya çıkmıştı. John Strachan bana bunları anlattıktan sonra Bushfield'ın salonunda bir süre sessizce oturduk. O birasını yudumluyordu, ben de viskimi. Scott'ın debdebeli ve budala mimikleri hem dikkat çekici hem de anlaşılmazdı. Laidlaw'ın sosyal hayata vedası çılgın bir enstrümantal müzik gibi zihnimde durmadan tekrar ediyordu. Ama bunun için herhangi bir sözcük var mıydı? Varsa ne anlama geliyordu?

"Bu Dave Lyons'u duymuştum. Ama Scott'ın kendisinden değil. Birkaç kez Scott ile Anna'dan birlikte duymuştum. Scott'ın onunla arası açılmış mıydı?"

"Bilmiyorum. Sanırım araları gençliklerinde daha iyiydi. Belki alışkanlık olarak devam eden arkadaşlıklardan biriydi. Her ikisinin de artık nedenini anlamadığı bir geçmiş."

"Anlamadığım Scott'ın neden adamın televizyonuna saldırdığı. Zenginliğine karşı bir nefret mi? Ama bu, saldırmak için çok zavallıca bir hedef gibi görünüyor. Kimin televizyonu yok ki? Rockefeller ile bağdaştıracağınız ilk şey TV değil."

"Hayır" dedi John Strachan. "Bu nedenle barikat kurmazsın. Televizyon sahibi zalimlere ölüm."

"Sen onu tanıyor musun?"

"Dave Lyons'u mu? Görmüşlüğüm var. Ama şahsen tanışmıyoruz."

"Öyleyse telefon numarasını bilmiyorsundur."

John Strachan bana bakıp gülmeye başladı. Başını salladı.

"Çok dolambaçlı bir insansın değil mi? Ne yapacaksın? Telefon açıp, 'Alo, kırılan televizyonunuzla ilgili konuşacaktım' mı diyeceksin?"

"Hayır" dedim. "Bu kadar saçma bir şey yapmam. Telefon açıp, 'Alo, tanıştığımıza memnun oldum. Şimdi kırılan televizyonunuzla ilgili konuşacaktım' derim."

"Ha böyle daha iyi" dedi. "Bu güvenceyi verdiğin için yardımcı olabilirim. Numarayı bilen birini tanıyorum. Onu arayayım bir."

Holdeki ankesörlü telefona doğru yürüdü, ben de içki almaya gittim. Barı toparlamaya başlamışlardı. İnsanların davranışları daha içten olmaya başlamıştı. Üç ayrı grup intizamsız bir şekilde bir araya gelmişti. Danimarkalı misafirlerden biriyle tanıştırıldım. Adının Søren olmasıyla bana kendini hemen sevdirdi. Ama Kierkegaard'ın* aksine hiç kaygı yaşamamış gibiydi. Yüzü, gıdıklanmayı yeni keşfeden bir bebeğinki gibiydi. Başkalarına da bulaşan bir ruh hali vardı. Bushfield'de geç saatlere kadar sürecek bir gece başlamak üzereydi.

John Strachan telefon numarasını ve adresi bulup getirmişti. Masaya yeni bir bira geldiğini görmek onu biraz germiş gibiydi. Mhairi'ye dönmesi gerekiyordu. Yardımı için teşekkür ettim; biraz daha konuştuk, masadaki beş adam tablosunun merakımı ne denli uyandırdığını anlattım.

John ayrıldıktan sonra ankesörlü telefona gidip verdiği numarayı çevirdim. Telefona cevap veren ses güçlü ve kendinden emindi.

"Evet?"

"Merhaba. Bay Lyons ile görüşecektim."

"Benim. Siz kimsiniz?"

"Rahatsızlık verdiğim için özür dilerim. Ben Jack Laidlaw. Scott Laidlaw'ın kardeşi."

"Ha, merhaba. Scott için gerçekten üzgünüm. Çok acı bir kayıp oldu."

"Evet. Bay Lyons, şimdi Ayrshire'dayım. Buna duygusal bir seyahat de diyebilirsiniz sanırım. Sadece Scott'ın ölümüyle

---

* Søren Kierkegaard: Danimarkalı filozof. (ç.n.)

ilgili düşüncelerimi aydınlatmak istiyorum. Bu hafta bir ara sizinle görüşebilir miyiz diye sormak istedim."

Bu kadar uzun süre tereddütte kalacak bir adam gibi gelmiyordu sesi.

"Affedersiniz. Numaramı kimden aldınız?"

Numarasının kimden geldiğini bilmediğim için tereddüt etme sırası şimdi bendeydi. Arkadan gelen zayıf müzik sesi Mozart'tı sanırım.

"Scott'ın belgelerine göz atıyordum, sizin numaranızı gördüm." Durumun bu yönde gelişmesi karşısında mahcup olmuştum. Keyif kaçıran bir duruma neden olmuştum: Sanki hattın bu ucundaki ölümdü. "Yani demek istediğim numaranızı buldum. Scott'ın bir arkadaşı olarak sizinle konuşmamın iyi olacağını düşündüm. Son zamanlarda onunla pek görüşemiyordum. Son zamanlarda nasıl olduğuna dair net bilgiler edinmek istiyorum."

"Belgeler mi?" dedi. "Ne tür belgelerdi bunlar?"

Dave'in bu sorusuna münasebetsiz demeyeceksek, tuhaf bir soru olduğunu kabul etmeliydik. Bu dikkatimi çekti. Dave Lyons'u endişelendirecek türde belgelerin olabileceğini gösteriyordu. Cevap vermemek için yaptığım sıradan manevra sert bir cisme çarpmış olabilirdi. Bunun için daha dikkatli olmaya karar verdim.

"Scott'ın bazı şeyleri işte."

"Şey, bu hafta çok yoğunum. Normalde Edinburgh'de bulunduğum için zaten görüşmek mümkün olmazdı. Ama bu hafta evden çalışıyorum. Özür dilerim ama programım çok yoğun."

"Bay Lyons çok uzun sürmez. Sizinle konuşmak istediğim özel bir şey var."

"Nedir acaba?"

Belgeler, önemli belgeler, sessizliğim ona bu hissi verir diye umuyordum.

"Telefonda konuşmak için biraz karmaşık bir konu."

Sessizliğinin, benimle görüşmesini hemen bitirmenin mi iyi olacağı yoksa bende olduğunu düşündüğü şeyi anlamanın mı daha iyi olacağı arasında bir çekişme anlamına geldiğinden şüpheleniyordum.

"Bakın ne diyeceğim. Bu hafta gerçekten çok yoğunum. Size ayırabileceğim çok zamanım yok. Ama yarın. Bir iş yemeği var. Cranston Castle'da. Saat iki civarında orada olursanız. Belki birkaç dakika görüşebiliriz. Ama sadece birkaç dakika. En fazla bunu yapabilirim."

"Harika" dedim. "Minnettarım."

"Nerede olduğunu biliyor musunuz?"

"Tam olarak değil ama bulurum."

"Tamam, o zaman orada görüşürüz."

Onunla görüşmek için sabırsızlanıyordum. Bara geri döndüğümde gece daha bir hız kazanmaya başladı. Sohbet ederken çok farklı konulara hızlıca değinmiştik. Mutlu Danimarkalı da ben de Kris Kristofferson'dan hoşlanıyorduk. Tanımadığım biri bana taziyede bulundu ve Scott'ın, öldüğü gece Sanny Wilson adında bir adamla görüştüğünü söyledi. Sanny o gece Scott'ın söylediği bir şeyi anlatmış. Scott bir ara "Yeşil palto giyen adam tekrar öldü." demiş. İlgimi çekmişti. Adam ertesi gece halen orada olmam durumunda Sanny'yi getirmeye çalışacağını, böylece olayı kendisinden dinleyebileceğimi söyledi. Ona orada olacağımı söyledim.

Barın kapanış saatinden sonra otel misafirleri oradan ayrılmamışlardı. Bir gitarist bir başka barda sahneye çıktıktan sonra geceyi geçirmek üzere gelmişti. Beraber şarkılar söyledik. Şarkı aralarında Katie ile rastgele ve kendimi açığa vurduğum konularda uzun sohbetler yapıyorduk. Benim ilk şarkı sıram geldiğinde "Cycles"ı söyledim. Daha sonra alkol miktarıyla keyfim tam yerine gelince muhtemelen

Scott'ın favori şarkısı olan "The Learig"i söyledim. Ödül olarak Cranston Castle'ı nasıl bulacağım konusunda bir sürü tavsiye aldım.

Barda daha durabilirdim, çok keyifliydi ama ertesi gün için beyin hücrelerimin bir kısmını muhafaza etmem gerekiyordu. Oradakilerle onları daha önceden de tanıyormuşum gibi vedalaştım. Yukarı odama çıkmadan önce Scott'ın tablosunu ve viski şişesini almak için arabama gittim. Hemen oracıkta yapmam gereken son derece acil bir iş gibi geliyordu. İçeri girince parlak bir fikir geldi aklıma. Bunun, Sezar'ın Capitol'e gitmeye karar verdiğinde aklına gelen fikir kadar parlak olduğunu o an anlayamamıştım. Jan'ı aradım. Neyse ki telefona kimse cevap vermedi.

Odamda Scott'ın tablosunu çıkarıp duvara doğru yasladım. Soyunup yatağın üstüne oturdum, tablodaki İskoç manzarasına baktım. Viski şişesini açtım. Sanatla konuştum, eski zamanları anımsayarak viskimle uzun bir sohbete daldım. Sonra lambayı söndürüp yatağa uzandım.

Kafamda, iki gece lambası gibi birbirine uzak iki düşünceyle aniden uyandım. Bir: Masadaki beş adam tablosundaki adamın üstünde yeşil bir palto vardı. İki: Bir insan nasıl olur da iki defa ölürdü?

ikinci bölüm

dokuz

Sabahları bir mutfak duyguların bahçesi olabiliyordu. Güneş pencereden ışırken sanki günün komisyonu William Blake'e* verilmişti, o da her günün kutsallığını ilan ediyordu. Kahve makinesinin fokurdaması normalliğin nabız sesi gibi geliyordu. Yayılan rayiha amaçsızca bir yerlere doğru süzülürken kendisini takip etmek üzere kim olsa davet ediyordu. Bir kadın güneş ışığı altında sebze doğruyordu. Sebzelerin güzel kokusu odanın birini çimenliğe dönüştürüyordu. Bir adam masada oturmuş kahvesini içiyordu. Elindeki fincanın ısınan kili onu bir kardeş gibi ısıtırken hepimiz aynı sürecin parçasıyız diyordu ona. Bugün ben senin elinde bir fincanım, belki yarın sen de bir başkasının elindeki fincan olacaksın. Adam güzel bir kahvaltı yapmıştı. Güneşin vurduğu zeminde bir köpek pinekliyor, ara sıra uyuşuk gözlerinden birini açıp dünyayı gözetliyordu. Oda kadını ve adamı bağrına basıyordu. Odanın oluşturduğu duygu, umut, toprağa gömülmüş başarısızlıklar, doğacak yeni ihtimallerdi. İki defa ısırılmış elmanın Âdem ile Havva'nın elinden alınması, Tanrı'nın inayetiyle eski haline getirilip yasak ağaca yeniden asılmasından sonra onlara, "Tekrar deneyin" denmesi gibi bir duygu.

---

* İngiliz şair. (ç.n.)

Keşke mekân mekân olarak ve şimdi de şimdi olarak kalsaydı, ama onları geçmişle zaptedip geleceğimizle karmaşık hale getiriyoruz. Düşündüğümüzün aksine anı bireyselleştirerek onu kazanmıyoruz belki kaybediyoruz. Oda halen aynı odaydı ama mutsuz bir kadın ve öfkeli bir adam olarak onun içindeydik. Bir akıntı içine karışmıştık. Dünya yeni kırmızı bir elma olsaydı ben içindeki kurt olurdum sanırım.

Ben sadece kahvesini bitirmek üzere olan, bazı şeyleri anlama ihtiyacını gidermek için bundan sonra ne yapması gerektiğini merak eden Jack Laidlaw'dım. Katie ise gündelik mesaisi oldukça yoğun olan ve şimdi de çorba yapan bir kadındı. Köpek bile ideal bir köpek gibi görünmüyordu. Kendi sıradanlığının pireleri içindeydi. Bu köpek ciddi bir saldırganlık sorunu olan Buster'dı. Hasbelkader bazı mekânları ortak kullanıyorduk. Mike genellikle olduğu gibi gizemli bir yerlerdeydi, sizinle birlikte olduğunda bile durum böyleydi.

Zihnimi hâlâ meşgul eden bir düşünceyle uyanmıştım. Banyo yaptığımda, tıraş olduğumda, giyindiğimde ve Katie'nin diğer misafirlere kahvaltı servis ettiğini duyduğumda bile o düşünce hep beynimin bazı köşelerinde dolanıyordu. Mutfakta kahvaltımı yaparken bu düşünceyle ciddi bir yüzleşme için zihnimi topladım. Saplantım çerçevesinde, Scott'ın son bir aylık gizemli zamanı ile yüzleşmek için yeni ve önemli bir açı gibi görünüyordu bu bana. Birlikte kafa yormak için Katie'yi de çağırmam gerektiğini düşünüyordum. Öyle de yaptım.

"Kadınlar, Katie" dedim.

Kendime yüksek sesle sorduğum bir sorudan ziyade hasret dolu bir arzu ifadesi gibi gelmiş olmalıydı.

"Pardon?"

"Kadınlar. Scott. Son zamanlardaki gidişatına göre oralarda bir yerde bir kadın olması lazım."

"Anna vardı ya."

"Onu tanır mıydın?"

"Kim olduğunu biliyordum. Bir defasında sokakta beni parmağıyla işaret etmişti. Ama onunla konuşmuşluğum yok. Hizmetçilerle çok yüz göz olacak bir kadın olduğunu sanmıyorum."

Haset, yılandilini dışarı çıkarıp sallamış, sonra da geri çekmişti. Katie'nin Scott'ı ne denli önemsediğini biliyordum. Belki de bu önemseme tamamen platonik olmamıştır. Belki bazı kadınlar gibi, harcanan bir erkeği kurtarabileceğini düşünmüştü.

"Yok" dedim. "Kastettiğim bu değildi. Anna ile onun arasında bir şey kalmamıştı. Başka biri. Scott'ın hayatı zorlaşmıştı. Benim bildiğim bu tür zorlu yaşamın bir tek reçetesi vardır. Ve Scott benden o kadar da farklı biri değildi."

Katie için sebze doğramak tam bir konsantrasyon işiydi.

"Ne düşünüyorsun?" dedim.

"Ne bilebilirim ki bu konuda?"

"Katie. Çevrendeki insanlarla ilgili senin bilmediğin bir şey var mı ki, bu senin için küçücük bir konu. Bak senin başını belaya sokacak bir şey yok bunda. Biraz abartıyorsun gibi."

Bıçak neredeyse ekmek kesme tahtasını ikiye bölecek kadar sert indi. Elinde bıçakla bana döndü. Zorlu bir kadındı. Arka planda belli belirsiz "Ride of the Valkyries" duyduğumu düşündüm. Masanın arkasına saklanıyor gibi yaptım.

"Fırlatma onu" dedim.

Her zaman gerçekte olanlar dışında, ilgisiz şeyleri fark eden Buster ince bilenmiş duyarlılığıyla hırlamaya başladı. Şakalar bu hayvanda anlamını yitiriyordu. Buster'ın düşüneceği tek küçük ayrıntı, sağ bacağınızı mı yoksa sol bacağınızı mı ısırmak olurdu.

"Bu arada şapşal bir köpeğin var" dedim. "Beyin nakline ihtiyacı var. Parası benden."

"Buster'ı rahat bırak. Onu anlamıyorsun. Sevgi doludur o."

"Aptal bir it. Kafasını tıraş edip Ulusal Cephe dövmesi yaptırmalısın."

Bıçağı yerine bıraktı. Hemen önündeki duvara bakıyordu. "Jack" dedi. "Neden bu kadar öfkelisin? Sadece bir köpek o. Ve sorduğun şeyler. Onlar özel benim için. Scott ile konuştuğum her şey onunla benim aramda."

"Nedir bu, Katie? Bardaki günah çıkarma kutsiyeti mi? Benim kim olduğumu sanıyorsun? Vergi müfettişi mi? Tanrı aşkına, onun ağabeyiyim ben. Onu severdim."

"Bir fincan kahve daha ister misin?" dedi.

"Ben bazı cevaplar istiyorum." dedim.

İç çekerek elini önlüğüne sildi. Temiz bir fincan ve tabak alarak masada karşıma bıraktı. Kahve makinesini alıp benim fincanımı, sonra da kendi fincanını doldurdu. Makineyi tekrar yerine bıraktı. Gelip masaya oturdu. Sigara paketimden bir sigara alıp yaktı ve bana uzattı. Bir kadının zaman akışını törene dönüştürme şekline bayılırım. Toplum gerçeğin eril çarpıklığı olabilir ama medeniyet dişildir. Küçük zarafetler karşısında savunmasız hissediyordum.

"Sorun nedir Jack?" dedi.

"Katie" dedim. "Dünya başıma yıkılmış ve ben tekrar inşa etmeye çalışıyorum. Bu kadar basit."

"Erkekler ne zaman büyür? Seni halen kısa pantolon içinde görüyorum."

O anda Katie'ye karşı bir kırgınlık oluştu bende.

"Farklı noktalardayız" dedi.

"Anlamadım?"

"Erkekler ve kadınlar. Farklı yerlerdeyiz. Kadınlar daha gerçekçi. Siz erkeklerin çoğu var olmayan bir dramı oynamaya çalışıyorsunuz."

Sade kahvesinden bir yudum aldı. Bakışlarını bana dikmişti. Tıpkı fazla makyajın silinmesi gibi sabahki ruh halinden ve meşgalesinden eser kalmamıştı. Belki ilk defa onu bu kadar net bir şekilde görüyordum. Dalgın, anlayışlı ve biraz da her şeyden usanmış gibiydi. Geçmişi, yaşadıkları yüzüne aksediyor, geçmişi ile geçmişine teslim olmama kararlılığı arasındaki gerilim ona vakar kazandırıyordu.

"Mesela Mike gibi" dedi. "Şöyle ki çocuğumuz olmuyor. Peki, nedir bu? Birlikte yaşamayı öğrenmen gereken üzücü bir şey. Zihnindeki kara bir nokta gibi. Ama o noktanın çevresini aydınlatabilirsin. Ama o öyle yapmıyor. Onun için ilahi bir lanet gibi. Ona göre kendisi özellikle seçilmiş. Hayatının altüst edilmesi için seçilmiş. Yıllar önce evlatlık alabilirdik. Ama kendi koşullarında mücadele etmek zorunda hissediyordu. Kendini ispatlamak için. Artık bizim için çok geç."

Konuşması sonlanırken kapı yavaşça açıldı. Kapının ardında ölmüş hayallerin küfü, hayalet soluyan çatı katı, asla giyilmeyecek çocuk kıyafetleri vardı. Katie'nin acısını ve buna katlanma cesaretini görüyordum. Jan'ı düşündüm ve onu biraz daha anlamaya başladım. Katie'nin şimdiki durumuna gelmemek için uğraşıyordu. Bunda haklıydı.

"Mike" dedi Katie. "Tam bir dram, dram. Farklı oyunlar."

Mike bütün kasvetli gerginliğiyle görüş açıma girdi. Dünya ile sessiz ve öfkeli bir kavga içindeydi, hiddetli bir durgunluktu onunki. Hayata karşı saplantılı bir davacı olan Mike'ı, bir iftirayla yalıtılmış benlik duygusunu geri kazanmak için her şeyi nafile tüketen biri olarak görüyordum.

"Komik" dedim, "ama ben tam aksini düşünüyorum. Kadınlardır genellikle melodram yaşayan. Bana göre melodram sebepten ziyade etkilerin abartılmasıdır. Kıçı tutuştuğu için opera söyleyen kadınlar tanıdım. Kardeşim öldüğü için çıldırmış haldeyim, gömleğimin düğmesi koptuğu için değil."

Sanki masa tarafsız bölgeymiş de, biz de ateşkes için anlaşma yapıyormuşuz gibi birbirimize bakıyorduk.

"Ama yine de kadınları severim" dedim.

Katie güldü, öne doğru eğilerek elime dokundu. "Ben de sana tahammül edebilirim" dedi. "Sor bakalım."

"Herhangi bir kadın var mıydı? Scott'ın hayatında."

"Sana söylemedi mi?"

O gece dairemde bana söylemeye çalıştığı şeyi düşündüm.

"Sanırım bir keresinde neredeyse söyleyecekti. Ama emin değilim. Bağlantımız biraz kopmuştu. Hatta uzun bir süre farklı kıtalardaymışız gibi yaşadık."

"Biri vardı" dedi.

Kelimelerin önemi Scott'ın bilmediğim hayatına açılan somut bir kapı gibi önümde vücut buldu. Kardeşi olarak bile açmaya tereddüt ettiğim bir kapı. Yokluğunda mahremiyetini talan edecektim. İçimdeki bir şeyin o kapıyı açmaya ihtiyacı vardı. Sadece Katie bunu yapabilirdi ama onda da herhangi bir hareket yoktu. Bekliyordum. O da bekliyordu, kahvesini yudumluyordu. Anladığım kadarıyla burada işleyen kurallar vardı. Hataya yer yoktu. Yapılacak bir saygı töreni vardı, bunu yürütecek kişi de Katie'ydi.

"Sanırım anlattığı tek kişi benim" dedi.

Masaya bakıyordu, sırrını açığa vurmadan önce son bir defa onu kucaklıyordu. Bunun onun için ne anlama geldiğini görüyordum sanırım. İnsanlara gerçekten kim olduğunuzu söylemek bir tür aşk mektubudur her zaman. Hayatınızda önemli bir yeri olduğunu düşündürtür onlara. Scott'ın kendisine güvenmesiyle yüceldiğini düşünen Katie, ona ihanet etmek istemiyordu. Bildiklerini benimle paylaşırken, kendisiyle yüzleşmesi gerekiyordu.

"Onu bir şekilde seviyordum, biliyorsun"dedi. "Sanırım birçok insan biraz seviyordu onu. Senin Scott bazen bir baş belası olabiliyordu. Ama öyleyken bile ne kadar hassas olduğunu görebilirdin. Birkaç ay önce çok kötü bozuşmuştuk. O gün kendisi gibi değildi. İki hafta buraya uğramadı. Ne kadar üzüldüğümü tahmin edemezsin. Hayatımın bir parçasını yitirmiş gibiydim. Şu kapıdan girince o gün Noel'miş gibi hissettim. Alabileceğim en güzel hediye de oydu. Ah, günü aydınlatabilirdi."

Kahvesini bitirmişti.

"Adı Ellie'ydi" dedi aniden. "Bir öğretmen. Çocukları yok. Bütün bildiğim bu."

"Aynı yerde mi çalışıyorlardı?"

"Jaaack."

Adımı uzun ve ağır söyleyişinde bir suçlama vardı. Beni içeri buyur ettiği özel odanın her bir yanını ayaklarımla çiğnememi istemiyordu.

"Scott'ın ne yaptığını sanıyorsun, Jack? Bana kadının resmini mi gösterdi? İlk zamanlar burada üç dört defa kadının adı geçti. Her defasında sadece 'Ellie' olarak. Soyadı bile yok. Ben de sormadım. Onun için çok şey ifade ettiğini biliyordum. Suçluluk duygusunun ona zarar verdiğini de biliyordum. Son zamanlarda aralarının açıldığını da biliyordum. Acısını paylaşıyordum. Önemli olan detaylar değildi. Biri için kan ağlıyordu. Kızın telefon numarasını mı soracaktım? Gönül yarası için bandaja ihtiyacı vardı. Ben de onun için bir bandajdım."

"Ama kim bu kadın? Nerede yaşıyor?"

Soruyu sorar sormaz kapıların benim için kapandığını anladım. Mikroskop merceğine odaklanmış gibi bakıyordu bana. Bakışları ne tuhaf bir yaratık var önümde der gibiydi. İtinalı ve sessiz bir öfkeyle konuşuyordu.

"Neden krematoryuma gidip küllerini elekten geçirmiyorsun?"

"İşe yarayacağını bilsem yapardım" dedim.

Mercekten ona bakma sırası bendeydi. Benim tuhaf bir yaratık olduğumu düşünen bu tuhaf yaratık da kimdi?

Ayağa kalktı, kendi fincanını ve henüz bitirmememe rağmen benimkini aldıktan sonra lavaboya götürüp yıkadı. Yaptığı çorbanın başına döndü. Aklım Katie'ye takıldı. Meçhul Ellie hakkında konuşmak istememesinin ardındaki güdü belki de sergilediği kadar asilce değildi. Belki de kıskançlık o güdülerden biriydi. Ben her şeyi bilirim anlayışına her zaman şüpheyle yaklaşmışımdır. İnsanın kendi gerçekliğini örtmesinin bir yolu olarak düşünürüm, bit dolu bir kafanın pudralı bir perukla örtülmesi gibi.

Katie çorbayı kaynaması için kısık ateşe bıraktı.

"Buster" dedi.

Buster, kendisine seslenildiğini fark etti. Düşündüğüm kadar aptal değilmiş. Katie, mutfak kapısındaki kancaya yuvarlanıp asılan tasma kayışını aldı.

"Eğer taşmaya başlarsa" dedi, "ateşi biraz daha kıs, olur mu? Ben Buster'ı arınması için dışarı çıkaracağım."

Çıktıklarında Katie'nin Buster için kullandığı kibar "arınma" ifadesini düşündüm. Babamın da kullandığı bir ifadeydi. "Bacchus'u arınması için dışarı çıkar" dediğini anımsıyorum. Veya Judie'yi. Veya Rusty'yi. Veya Tara'yı. Bir sürü köpeğimiz vardı; büyüklük yanılsamasına kapılıp, kendini ev sahibi görmediği sürece köpekleri hep sevmişimdir. Bu tabir bana ailemi hatırlattı, dördümüzün beraber yaşadığı zamanı. Bushfield Oteli'nin mutfağında tek başıma otururken geçmişteki olasılıkları düşünmek çok garip hissettirdi. Diğer üçü ölmüştü. Ebeveynlerimin Scott'ın ölümünü görmemesinden memnundum. Üçüne karşı bir şekilde sorumluluk hissediyordum. Dünyayla dürüst bir anlaşma yapmaya çalışmıştık ama dünyanın bizi aldattığını görüyordum. Beklentimiz en azından geçmişe yönelik anlayıştı. Bu beklentiyi yerine getirecek kişi bendim.

Telefon ahizesini elime alıp Glebe Akademisi'ni aradım. Dün telefona cevap veren aynı kibar kadındı. John Strachan dersteydi. Ona haber vermesi gerekiyormuş. Beklerken, Katie'nin bir an için bakmamı sağladığı, Scott'ın hayatıyla ilgili o kapalı oda hakkında daha çok bilgi edinmem gerektiğini düşünüyordum. Kapıdan giremezsem belki camdan girebilirdim. Ama John Strachan ile konuşurken dikkatli olmam gerekiyordu. John'un neler bildiği konusunda emin değildim. Henüz kendi bildiklerimden de emin değildim. Dolaylı yollardan yaklaşmak durumundaydım.

"Alo?"

"Alo, John. Benim Jack Laidlaw."

"Merhaba Jack."

Barda birlikte geçirilen bir seansın samimiyetin ilerlemesinde büyük katkısı vardır.

"Seni tekrar bu kadar erken rahatsız ettiğim için özür dilerim. Özellikle dersinden alıkoyduğum için."

"Sorun yok. Şimdiki sınıfım biraz daha medeni olanlardan. Döndüğümde halen yerinde olacaktır."

"Aramamın nedeni..." Kendimi hazırlamam gereken bir şey. Öyleyse bıraktığım izleri kaybetmeliyim, onun için dedim ki: "Scott'ın okulda kalan bir şeyleri var mı diye merak ediyordum. Demek istediğim Scott arkasında bir şey bıraktığından tam olarak emin olmazdı. Belgeler veya onun gibi şeyleri kastediyorum. Son zamanlarında yaşadığı süreci anlamamda yardımcı olacak bir şeyler."

"Olabilir."

"Senin için muhtemelen büyük bir baş ağrısı olduğunu biliyorum. Ama benim için kontrol edebilir misin? Odasına bir baksan. Herhangi bir şey var mı? Bu bize bir ipucu verir."

Takip eden sessizliği anlamaya çalışıyordum. Kabul etmeyecek mi diye düşünüyordum.

"İşin aslı" dedi, "odası başkasına devredildi. Bilirsin işte. Şimdi odada bir başkası var. Gıpta ile bakılan bir odaydı. Bir sanat odası için harika pencereleri vardı."

Tereddüdünü anladım. Scott'ın ölümünün bu denli hızlı idari prosedüre dönüşmesini bana aksettirmek istemiyordu. Birinin ölümü bir başkasının güneş ışığıdır.

"Onun için temizlenmiştir sanırım." dedi. "Ama bugün oraya gidip bir bakacağım. Bir şey bulabileceğimi zannediyorum."

"Teşekkürler John. Ha, bir şey daha vardı." Aslında arama nedenim bu "bir şey"di ama o anda aklıma gelmiş gibi sormuştum. "Ellie bir şey? Konuşsam iyi olur diye düşündüğüm biri. Ama soyadını bulamadım. Sana tanıdık geldi mi bu isim?"

Bu defaki sessizliği çözmek zordu. Scott ile bu kadının ilişkisini biliyor muydu? İçgüdüsel olarak benim bunu henüz öğrendiğim sonucuna mı varıyordu? Yoksa bu isim kafasını mı karıştırmıştı? Geç gelen cevap düşüncesine takılan konunun yabancısı olduğunu gösteriyordu, sürtünme sonucu mekanizmanın duraksaması gibi.

"Şey" dedi. "Bilmiyorum. Duyulmamış bir isim değil. Bir ara burada çalışan bir kadın vardı. Ellie. Kastettiğin kişi o mu bilmiyorum. Buradan ayrıldı. Ellie Mabon. Aradığın o mu?"

Ben de bilmiyordum. Karanlığa kurşun sıkıyorsanız, aradığınız şeyi isabet ettirip ettiremediğinizi kontrol etmekte fayda vardır.

"Bilmiyorum" dedim. "Olabilir. Neyse teşekkürler."

"Tamam" dedi sonunda, muhtemelen ne için teşekkür ettiğimi bilmiyordu. "Scott'ın odasına bakacağım. Bir şey bulursam seni ararım."

"Bugün dışarıda olacağım, John."

"Peki. Sana telefonla ulaşamazsam, akşam saatlerinde Bushfield'e uğramaya çalışırım olur mu? Şimdi gidip ergenler rahat duruyor mu diye bakmam lazım. Görüşürüz."

"Görüşürüz."

Telefonu kapatıp Katie'nin rehberini aramaya gittim. Üst katta birinin yürüdüğünü duyuyordum, kendisine inşa ettiği psikolojik hapishanede volta atan Mike'tır diye düşündüm. Rehber, ekmek kutusunun arkasındaydı. Eğer bu Katie'nin rehberiyse o numara burada olacaktır. Düşündüğü kadar farklı değildik.

Bir Ellie ismi bulmadan önce üçüncü Mabon'daydım. İlki cevap vermedi. İkincisi bana ısrarla evdeki tesisatın bozulduğunu anlatan, şaşırtıcı ölçüde yaşlı bir kadın sesi gibiydi. Gidip tesisata bakacağıma söz verdim. Üçüncüsü Graithnock'ta güzel bir yerin adresiydi. Takım elbise içinde duygusal birinin aceleci ama şaşılacak derecede alçak ses tonuydu.

"Alo."

"Alo. Rahatsız ettiğim için özür dilerim. Belki de yanlış bir numara aradım. Ellie Mabon ile görüşecektim."

"Benim."

Bu numara olduğunu biliyordum. O olduğunu anlamak bir an için dilimi felç etmişti. Ne denli yakın bir bağlantımız olduğundan, onunla ilgili bildiklerimden habersizdi.

"Alo?"

"Affedersiniz" dedim. "Ben Jack Laidlaw. Scott'ın kardeşi." Biraz soluklandı.

"Tanrım" dedi, "sesiniz o kadar benziyor ki."

"Scott'ı tanıyordunuz" dedim. Bilgi vermek için söylememiştin bunu.

"Şey, sadece telefonla görüştüğüm biri değildi." Sonra kendisini çok çabuk ele verdiğini anladığını hissettim. Tekrar konuşmaya başladığında sesi elbisesine çekidüzen veren bir kadının sesi gibiydi. "Aynı yerde öğretmenlik yapmıştık, biliyorsunuz."

"Evet, biliyorum. Sizinle buluşup bu konuda konuşabilir miyiz?"

"Anlamadım?"

"Affedersiniz. Size tuhaf gelebilir. Ama Scott'ın ölümünü içime sindiremedim. Sadece bu durumu kabullenmeye çalışıyorum. Onu tanıyan insanlarla konuşarak. Biliyorsunuz? Belki sizinle de konuşabiliriz diye düşündüm."

"Haklısınız" dedi. "Gerçekten de tuhaf geldi."

"Ben olabilir diye düşünmüştüm."

"Size ne söylemem gerekiyor ki?"

"Bilmiyorum."

"İyi, siz bilmiyorsanız, ben de bilmiyorum. Tamam mı?"

"Değil aslında" dedim. "Hadi ama lütfen. O kadar yabani bir rica değil."

"Yabani mi? Dinle. Bana kalırsa doğrudan Amazon Ormanları'ndan gelen bir rica. Neden gerisin geri oraya gitmiyorsun?"

Konuşmanın gidişatı iyi değildi. Bu fırsatı bir anda kaybettiğimi hissediyordum. Ama birkaç şey aklıma gelince jetonum düştü: Scott ile sadece telefonda görüşmediği ifadesi bir itiraftı; bunu o da biliyordu. Göründüğü kadar öfkeliyse neden telefonu yüzüme kapatmıyordu? Bütün taktiği beni kendi yaşantısından uzak tutmak üzerineydi. Bu belliydi. Durumunu anlıyordum. Ama vazgeçecek lüksüm yoktu. Bana söyleyeceği bir şeyler işime yarayabilirdi. Zayıf noktası beni sindirdiğinden emin oluncaya kadar telefonu kapatmamasıydı. Oynayabileceğim tek kartım olduğunu biliyordum.

Rehberden bakıp "Sycamore Caddesi 28 numarada yaşıyorsun" dedim. "Orayı bulabileceğimden eminim."

"Ne? Bana bak. Ben evli bir kadınım" dediğini düşündü ve düzelterek; "Mutlu bir evliliği olan bir kadın. Hayatımı altüst etmeni istemiyorum. Kocam ne der?"

"Eve kaçta geliyor?" dedim.

"6.30." Sorunun densizliğini fark etmeden önce cevaplamıştı. Daha da öfkelendi. "Sana ne bundan?"

"Bayan Mabon" dedim. "Hayatınızı altüst etme gibi bir derdim yok. Hem bunun bana ne faydası olacak ki? Sadece konuşmak istiyorum. Öğleden sonra gelebilirim. Kimsenin bilmesine gerek yok."

"Komşular var."

"Kapı eşiğinde konuşuruz."

"Çocuklar ne olacak?"

"Bayan Mabon, çocuğunuz yok."

Bir sessizlik oldu.

"Bugün öğleden sonra. Olur mu?" dedim.

"Sana güvenebileceğimi sanmıyorum."

"Bence güvenmek zorundasın."

"Hiç de bile. Cehenneme kadar yolun var!" dedi ve ahizeyi kulağıma bir yumruk atarcasına hızla çarptı.

Elimde ahize oturdum ve kendimden utandım. Ahizeyi yerine bırakırken kadını zorladığım yöntemle hareket edemeyeceğime karar verdim. Buna hakkım yoktu. Katie haklıydı. Külleri elekten geçiriyordum. Bırak olduğu yerde kalsın.

Katie, Buster ile geri döndü. Haklı olduğunu biliyormuş gibi bakıyordu. Yokluğunda yaptığım şeyden suçluluk duymaktaydım, böylesine ısrarcı olarak onun haklılığını kanıtladığımı hissediyordum. İşin kötü yanı çorbanın biraz taşmasına da engel olamamıştım. Katie'nin bana bir şey demeyip yalnızca gazın altını kısmakla yetinmesi kendimi daha da kötü hissettirdi. Odadaki sevimli görünen tek şey Buster'dı.

Ceketimi almak üzere üst kata çıktım. Aşağı inince mutfağa baktım, Katie eti dövüyordu, benim kafamı dövüyormuş gibi.

"Ben çıkıyorum, Katie" dedim. "Kahvaltı için teşekkürler. Sonra görüşürüz."

Yüzünü bana döndü.

"Bütün gün dışarıda mı olacaksın?" dedi.

"Bu bir soru mu rica mı?"

Gülümsemesini tuttu, ben çıkarken el salladı.

on

"Gus. Öyle mi? Muhtemelen gerçek adımın Angus olduğunu sanıyorsun. Bu ancak senin kültürel dar görüşlülüğünü gösterir. Hadi tahmin et. Sana yüz tahmin hakkı veriyorum. Yanına bile yaklaşamazsın."

Bu meydan okumayı çok da ciddiye almadan kabul edenler vardı (tahminlerden biri de "Angustura"ydı) ama ben tahmin edenlerden biri değildim. Böylesi esprilerin yapıldığı bu ortamda ne işim var diye düşünüyordum. Graithnock'ta ne işim vardı. Ve kafamda neler vardı. Halen Katie Samson'ın tesirindeydim.

Busfield'dan ayrılınca arabayı kasaba merkezine park edip, saplantımı yürüyüşe çıkarmıştım. Kasaba bana ilgisiz görünmüştü. Günün olağan seyrinde etrafta bir süre dolanmış, sonra kendimi, üstüne geçirdiği levhadaki mesajı kendisinden başka kimsenin anlamadığı dini bir fanatik gibi marjinal hissetmiştim.

Buraya gelmek kendimi daha kötü hissettirdi. Belki de Katie, yaşadığımız farklı oyunlar konusunda haklıydı. Herkesten farklı bir dram içinde olduğum kesindi. Hüzünlü bir intikam trajedisi senaryosunu saplantılı bir şekilde takip ederken kendimi bir vodvil gösterisinde bulmuştum. Burada rolüm yoktu, yalnızca seyircinin bir parçası olabilirdim.

"Bilemediniz. Yine yanlış. Durun da sizin kara cahilliğinizi aydınlatayım. Doğrusu... Neyse biraz daha bekleyin..."

Görünüşe bakılırsa Gustavus'tu. "Adolhus'ta olduğu gibi." Ama aslında ismi "Gustave"dı, çünkü ataları İsveç'ten Fransa'ya göçmüştü, vatandaşlığa kabul edilince isim de o doğrultuda değişmişti. Ama ismin orijinali Gustavus'tu. İlginç kökenini anlatan iriyarı adam sakatat yahnisi kadar İskoç görünüyordu. Gerçeği yalanlarla süsleme becerisi ve insanlarda uyandırdığı takdir duygusu tepki umutsuz bir arayış içinde olduğum hissini teyit ediyordu.

Hepimiz gizleme konusunda uzmanız, eski dostlarmışız gibi birimiz bir diğerinin gerçek yüzünü saklamasını alkışlıyoruz. Birçoğu bana ait olan bu kalabalık maske itiş kakışı içinde, kardeşime aslında ne olduğunu bulmayı beklemiyordum. Burada biz yalancılar dışında kimse yoktu.

Kabare sona erince küçük bir keşif ümidimi tazeledi. Ayna üstündeki buğu kadar belirsiz olsa da gerçeği bulma konusundaki inancımın tamamen ölmediği anlamına geliyordu. Konuşanın kim olduğunu fark etmiştim.

Scott birkaç defa ondan söz etmişti; yaşlılığın ondaki etkileri beni şüpheye düşürse de gençliğimde onu kasabada gördüğüm kanaatindeydim. Adı Gus McPhater'dı. Muhtemelen Gus, Angus'un kısaltmasıydı. Birkaç dakika boyunca üzerinde durarak adının Angus olmadığındaki ısrarı, büyük olasılıkla öyle olduğunu gösteriyordu.

Akimbo Arms Barı'nın Baron Münchhausen'i* oydu. Yalanları birer yerel efsaneydi. Scott'ın ara sıra bana verdiği rapora göre, Gus McPhater, *Queen Mary* gemisini dizayn etmiş ("Ama alçak herifin teki planımı değiştirmiş. Gemi asla öyle olmamalıydı"), James Bond kitaplarının asıl yazarı oymuş ("Ian Fleming bana toplu para ödedi. Şöhreti al başına çal dedim") ve ilk mini eteği dizayn etmiş, kendi röntgenci

---

* Hayal ürünü hikâyeler anlatan bir karakter. (ç.n.)

amaçları deşifre olmasın diye bunu saf bir kitleye kakalamış ("Benim yaşımda, bulabildiğin şeyden zevk alacaksın"). Eskiden tüccar bir gemiciymiş.

Bar bankosunun önünde duruyordum. Salonun yanındaki bardak askılığına bitişik, kemerli kapıdan bakınca salonun neredeyse boş olduğunu görebiliyordum. Yanlarında plastik poşetler olan iki yaşlıca kadın, konforlu koltuklarda kafalarını sallayarak karşılıklı olarak birbirlerini onaylıyorlar, bir yandan da sessizce içiyorlardı. Bar çok kalabalık değildi. Şov sanatçısı ve benimle birlikte, at yarışı çalışan iki adam, transandantal meditasyona girecek kadar uzakta oturan bir genç, duruşu işsiz olduğunu haykıran ve üstündeki işçi tulumuyla her an inşa edilecek bir şey için çağrılacak gibi bekleyen bir duvarcı vardı. Scott'ın söylemiş olduklarına binaen uzun boylu barmeni de hemen fark ettim. Adı Harry'ydi ve şarap tadımı yapılan yerdeki bir Rechabite kadar mutlu görünüyordu. Scott'ın Gus McPhater'den yaptığı bir alıntıyı hatırladım: "Harry'nin sohbeti bel ağrısı çeken birinin dansı gibidir."

Bir barın açıldıktan sonra daha yeni canlanmaya başladığı saatlerdi, eski günün içinden yeni bir gün doğuyordu. Ama gün, başlama konusunda halen tereddütteydi. Kova ağzına kadar buz doluydu. Muşamba zemin henüz sigara izmaritleriyle dolmamıştı. Pencereden gelen güneş ışığı etrafı görmek için yeterliydi.

Ama Scott'ın burada geçirdiği geceyi anımsayınca, hayalimde burayı kalabalık bir yer olarak düşledim. Burası onun takıldığı yerlerden biriydi, ruhunun bir parçası buralardaydı. Hayalim kardeşimle ilgili kısa bir ruh çağırma seansına dönüşünce canlı yüzler ve gürültülü geceler gözümde canlandı. Anlattığınız bir şeyden hoşlandığında güneş ışını gibi aniden parıldayan gülüşünü gördüm. Onunla aynı görüşü paylaşmanız gerektiğini düşündüğünde ve bunu başaramadığında yüzünde oluşan gergin ifadeyi gördüm. Gergin yüz ifadesini yok etmek için gözlerinde oluşan parıltılı gülüşünü yakaladım. Kahkaha atışını duydum. Burada güzel geceleri olmuştur. Yoğun yaşayan biriydi. Bu düşüncelerim onun için bir cenaze töreni gibiydi. Para, kariyer ve resmi başarılar isteyen de kim? Hayatın özünü yaşamak lazım. Asıl mesele nasıl yaptığın, kim olduğun, ne yaptığın ve nasıl olduğundu. Bunların da sonu yoktu. Ama bu dünyadayken ışığın kaynağı onlardı, mum saatinin içindeki fitil gibi. Scott'ın ışığı sönmüştü ama burada neredeyse burnundan çıkan dumanın kokusunu alabiliyordum.

Karşıya, Gus McPhater'in absürdlüğüne bakıyordum. O da sıra dışı tarzıyla lambanın yörüngesine dahil olmuştu. Elindeki büyük bira şişesinin neredeyse üçte biri ölçeğinde küçük, yuvarlak, formika bir masada oturuyordu. Gözlerini zemine dikmişti. Kısa gösterisi son bulmuştu. Rolünden yoksun kalan bir aktör gibi boştaydı. Gürültülü haline başkaları gülse de onun böyle sessiz duruşu bana daha inandırıcı geliyordu.

Onu izlerken bir vodvil oyuncusundan fazlasını görüyordum. Belki bana Scott hakkında bir şeyler söyleyebilirdi. Ama profesyonel bir yalancı ile konuşmanın bir anlamı var mıydı? Sonra Scott'ın onun hakkında bana söylediği başka bir şey geldi aklıma. Genç yaşta ölen bir kızı varmış ve bu üzücü olay yıllarca münzevi bir yaşam sürmesine neden olmuş. Münzeviliği bırakıp yeniden ortaya çıktığında yanında zırh kaplı yalanları varmış. Çelişkili cümleler kurmaktan hoşlanan Scott'ın şöyle dediğini hatırladım: "Onun yeteneği alçakgönüllü olmasıdır." Sanırım Scott'ın demek istediği, Gus'ın kendisi olmak dışında bir dizi insan olmayı seçtiğiydi. "Onun ayak sesleri bir deniz serçesi gibidir" demişti Scott. "Seni kendisinin olmadığı yere sürükler. Çünkü kendisinin olduğu yer savunmasız bir yerdir."

Oturduğu yere doğru yürüdüm.

"Affedersiniz" dedim. "Siz Gus McPhater misiniz?"

Başını yavaşça yukarı kaldırdı, gözleri gözlerimle buluştuğunda ne diyeceğini hatırladı.

"Bu doğru genç adam" dedi.

Bir yabancının adıyla hitap etmesine hiç şaşırmadı. Muhtemelen alışık olduğu bir şeydi. Belki de benim imza peşinde koşan biri olduğumu sanmıştı.

"Size bir içki ısmarlayabilir miyim?"

"Bu müsaade edilebilir bir davranış olur."

"İçtiğiniz büyük boy McEwan sanırım?"

"Doğru."

Bardağında kalan içkiyi içip boş bardağı bana uzattı. Bara doğru gittim. Harry siparişimi sanki kıçında yeni bir çıban çıkmışçasına bir rahatsızlıkla aldı. Ağır bira şişesini getirip Gus McPhater'a verdim, limonlu sodamı masaya bıraktım. Ben otururken bardağımı incelediğini gördüm.

"Evlat, sen alkolik misin?" dedi.

İleri sürdüğü varsayımın masumiyeti karşısında gülmeden edemedim.

"Henüz değil ama olmam için bana iki hafta verseniz yeter. Ama değilim, araba kullanıyorum."

"Böyle düşünmen güzel" dedi. "Bar ve araba birlikte olmaz. Hem içki hem avlanma olmaz. Asla."

Kelimelerin ezberden söylendiği çok açıktı; o kadar kurnaz ve çekici bir edayla söylemişti ki bir an için içki konusundaki deyim listesinin henüz bitmediği korkusuna kapıldım. Bir an McPhater İçki ve Araba Kullanma Sözlüğü'ne katlanmak zorunda kalacağım düşüncesiyle panikledim; kaçak viski ve motorlu araç, içki âlemi ve tampon bir arada olmaz şeklinde devam eder diye.

"Ben Jack Laidlaw" dedim. "Scott'ın ağabeyi."

Ani tepkisi, Scott konusunda beklentimin doğru olduğunu

gösterdi, ümitlenmekte haklıydım. İnsanları özel yaşantılarıyla bilen bir insandı. Ama yabancılara sadece kendisini gösteriyordu. Ben bir yabancı olarak orada değildim. Yüzünü buruşturdu ve ben bir yabancı olsaydım bana söyleyeceği muhtemel şeyleri içinden boşaltırcasına birkaç saniye sokuklandı. Bana bakınca gözlerinde orada olmamın neden olduğu mahcubiyeti gördüm.

"Tabii ki" dedi. "Seni Scott'tan tanımalıydım. Aslında yıllar önce seni birkaç defa görmüştüm. O zaman sadece bir çocuktun, gerçekten. Ama biraz havalıydın, ah o günler."

Biraz şamatalı bir gençliğim vardı.

"Sen polissin değil mi?"

"Bugün değilim" dedim.

"Ah! Scott" dedi. "Duyduğumda çok üzüldüm. Duyduğumda ne düşündüğümü biliyor musun? Bu öyle basit bir şey değildi. Düşündüm de, al işte ben. Demek istediğim Jeanie ile mutlu bir şekilde geçinip geldik bugünlere. Arada tekrarlayan Waterloo savaşlarını saymazsak tabii. Ama ben yapacağımı yaptım. Demek istediğimi anlıyor musun? Ama Scott'ın daha yapacak çok şeyi vardı. Sanırım onun yerine ölmeye gönüllü olurdum. Öyle bir şansım olsaydı eğer. Aslında belki de olmazdım. Ama belki de olurdum. Uğruna böyle bir şeyi yapmayı düşünebileceğim tek kişi oydu. Arabanın altına itmeyi düşünmeyeceğim çok az insan var. Ama senin Scott farklıydı."

"Evet, bu konuda tartışacak değilim."

"İçki için teşekkürler, evlat. Bu bir Laidlaw geleneği gibi görünüyor. Scott da bana çok ısmarlardı."

Birasından bir yudum aldı.

"Bu kötü bir kazaydı. Hepsi kötüdür. Ama bu, feciydi."

"Ölmeden önce çok görüşür müydünüz?"

Barın etrafına bakındı, sanki hafızasında Scott'ın oturduğu yeri saptamaya çalışıyordu.

"Şey" dedi, "Jack, bu söyleyeceğim şeyin senin için sakıncası yoktur umarım. Ama ölmeden önceki kişi ile Scott aynı değildi. Demek istediğim, yani bir kaza olduğunu biliyorum. Ama sanki kendisi zaten bir kazaydı. Ama kazanın adresini henüz bulamamıştı. Ne derler biliyorsun. Çatacak yer arıyordu."

Bu ana fikir üzerinde devam ediyordu ama yeteri kadar dinlemiştim, bilmediğim şeyler değildi. En azından Scott'ı tanıyan biriyle konuşuyordum ve bu, kendimi kasabaya daha az yabancı hissettiriyordu. Ama her şey çok geneldi, sanki kardeşimin yaşadığı karmaşa bir ay içinde olmuştu ve bu süreç plastik klişelere dönmüştü: "mutsuz evliliği", "kendini içkiye vermesi", "iyi bir insanın kendini harcaması." Ben Scott'ı arıyordum, hayal kırıklığına uğramış Batı İskoçyalı bir adamın robot resmini değil.

Sonra Gus McPhather, Scott'a özgü ve araştırmak isteyeceğim bir şey söyledi; sebze bahçesini kazıp bir insan kemiği bulmuş gibiydim.

"O gece onu gördüm."

"Anlamadım?"

"Scott'ı. O gece onu gördüm."

"Nerede?"

"Başka nerede olabilirim ki?" dedi. "Burada. Onu burada gördüm. Öldüğü gece."

"Ölmeden çok önce mi?"

"Birkaç saat önce sanırım."

"Nasıl görünüyordu?"

"Çok içiyordu. İşte öyle görünüyordu. Müthiş bir şekilde cini toniğe katıyordu. İnsanlarla papaz olması şaşılacak bir şey değildi. Buraya gelmeden önce birkaç yere uğramıştı galiba. Tahmin edeceğin gibi sarhoştu. Burası meyhane, kendisi de Billy The Kid'miş gibi bir girişi vardı."

Saldırgan bir görüntüyü Scott'a yakıştıramıyordum. Mert kişiliğini, birlikte son defa içtiğimizi anımsadım. Ona karşı hislerimin merkezi bu doğrultudaydı. Ama Katie Samson birkaç ay önceki alışılmadık kavgasından söz etmişti. Partide de bir olay olmuştu. Ve şimdi Gus McPather ondan sanki başkasıymış gibi söz ediyordu. Akimbo Arms Barı'nın gözü peklerinden biri olan Gus'ın da fırtınalı bir gençliği olmuştu. Bu yüzden Scott'ın davranışlarındaki azgınlığı değerlendirirken bir uzman otoritesiyle konuşuyordu. Zihninde zamanı tutuşunu, tartarak değerlendirdiğini izleyebiliyordum.

"Tanrım" dedi. "Burada hepsini görebilirsin. Yeterince beklersen tabii. Sadece harcayacak bir yüz arayanlar. Şişenin dibine gelince nerede olduklarını anlamaya çalışanlar. Bileklerini kesme eylemiyle aralarında yalnızca büyük boy bir bira olanlar. Ve sana söylüyorum. Scott da o gece biraz tuhaftı. Kafasında kötü şeyler olan bir insan gibi."

Kötü şeylerin ne olduğunu merak ediyordum. Bir parçam bunların muhtemelen hayatındaki genel mutsuzluklar olduğunu savunuyordu. Son zamanlarında, varlığını zehirleyen acıya son bir ıstırap mayasının eklenmesi gibi artan bir umutsuzluk içine girdiğinden şüpheleniyordum. Benim arıtmaya çalıştığım eklenen son içerikti. Bunun, mucizevi bir şekilde yeniden ölen yeşil paltolu adam olup olmadığını merak ediyordum.

"İnsanlarla papaz olduğunu söyledin" dedim. "Belli biri var mıydı?"

"Ah, evet. Vardı."

"Kimdi?"

"Scott'ın içeri girişinden, herhangi bir kimse olabileceğini düşünürdün. Ama Scott köpürdüğünde, arayıp durduğu kişinin kim olduğunu hatırlıyorum."

"Kim?" Odaklanacak yeni bir isme açtım, şüphelerime daha net bir bakış açısı sağlayacak belli bir isme. "Kimdi o?"

"Hızlı Frankie White."

Tamam, bir isim buldum ama bu işleri daha da bulandırdı. Bundaki ironi o ismi zaten bilmem ve bunun olayları aydınlatması gerektiğiydi. Hızlı Frankie White ("kadın düşkünü") önemsiz bir suçluydu. Benim dünyama ait biriydi, Scott'ınkine değil. Scott'ın onunla sürtüşmesi için aklıma hiçbir neden gelmiyordu. Belli ki o anda ortaya çıkan bir sebeple olmuştu.

"Bir kavga oldu mu?" dedim.

"Sadece sözlü. Küfürlü."

"Kavga ne ile ilgiliydi?"

"Bunu bilmiyorum."

"Bir fikrin olmalı."

"Şey!"

Birasını bitirdi. Hafızasına destek için ona bir tane daha aldım.

"İşte, önce Scott buradaydı. Frankie'den önce yani. Duble içiyordu. O an tam olarak kavga etmiyordu. Ama emniyet mandalının açık olduğunu görebilirdin. Gözleri fır dönüyordu. Bir şey arıyor gibi bir hali vardı. Frankie içeri girince, aradığını bulmuştu. Scott doğruca onun yanına gitti. Frankie White benim öyle sempati duyduğum biri değil. Onu tanıyor musun?"

"Tanıyorum."

"O zaman ne demek istediğimi biliyorsun. İnsanların en kötüsü değil ama kızını tanıştırabileceğin biri de değil. Ama kavgayı başlatan Scott'tı. Frankie henüz bir içki bile ısmarlamamıştı. Scott doğrudan saldırıya geçti. Öfkeli ve şiddetli bir tartışmaydı. Sonra Frankie ayrılırken şöyle dediğini duydum: 'Canı cehenneme. Buna ihtiyacım yok. Ben bunun dışındayım.' Sonra ayrıldı buradan. Scott arkasından bağırıyordu: 'Hayhay' dedi. 'Kendini her şeyden dışlamalısın. Kendini insan ırkından dışlamalısın. Ne yaptığını biliyorum.' İşte böyle oldu. Bazıları Scott'a bütün bu olanların ne demek olduğunu sordular. Ama bir şey söylemedi. Daha sonra da çok durmadı. Ben Frankie'yi aramaya mı gitti diye merak ettim. O gün orada ne olduysa Scott için henüz bitmemişti."

Şimdi bitecekti ama arkasında deşifre edemediğim tuhaf davranış hiyeroglifleri bırakmıştı. Hızlı Frankie White ile kavgası en tuhaf olanlardan biriydi. Kavga bir yana, birbirlerine selam bile verecek kadar ortak yönlerinin olmaması gerekirdi. Scott'ın Frankie'ye küfredecek kadar hiddetli olması anlaşılmazdı. Sonra bildiğime göre Frankie şu sıralar Londra'da bir yerlerde yaşıyor olmalıydı.

Gus McPather'ı biraz daha sorguladım ama sis perdesi aralanmadı. Bir pizza siparişi verdim (Gus McPhater "Pizzalar burada bir klasiktir" dedi). Ağzım pizzayla haşir neşir olduğunda, zihnim bu yeni bilginin beni getirdiği noktayı anlamaya çalışıyordu. Ama bu olay, Scott'ın ölümünde bir kazadan daha fazlasının olduğunda ısrar eden sezgimi geri çağırmaya yetecek kadar garipti. Artık Dave Lyons ile randevuma gitmeye değeceğini düşünüyordum. Daha şimdiden ileriyi görmeye başlamıştım.

"Hızlı Frankie'nin aslen nereli olduğunu biliyor musun?" diye sordum Gus McPhater'a.

"Bilen var mı?" dedi. "Bu civarda bir yerlerden olması lazım. Ama Frankie gerçek bilgi konusunda hiçbir zaman çok inandırıcı olmamıştır. Esasen onun kendi hayal gücünden geldiğini sanıyorum."

Gus McPhater'e olan saygım biraz daha arttı. Frankie White'ı parmak izine kadar tanıyordu. Ona bir bira daha aldım ve bardan çıktım. Ama şunu unutmamalı ki Gus'ın insanlar hakkındaki değerlendirmesi yiyecek konusundaki görüşlerinden çok daha iyiydi. Yemeğimi tam olarak bitiremedim bile. Klasik pizzaymış, tamam ama milattan sonra birinci yüzyıl.

on bir

Vaiz hayatın bir yolculuk gibi olduğunu söylerdi. Bu klişe ifadeyi çok uzun zamandan beri kullanıyordu ama vermek istediği mesaj açıktı. Cranston Castle'a yaklaşırken bunu düşünüyordum. Anne tarafından İrlandalı damarım nedeniyle bu ifadeyi tersine çevirdim. Düşündüm de bir yolculuk hayat gibi olabilir. Bir de böyle düşünün.

Kuzey tarafında Graithnock'un gittikçe zayıflayan sanayi bölgesini geride bırakıp yeşil tarlaların içinden geçiyordum. Şimdilerde Graithnock vahanın ortasındaki çöl gibi yeşillikle çevrelenmiş çorak bir yere dönmüştü. Klimaurs'a varmadan önce babamın Old Stewarton yol-sonu dediği yeri anımsadım oraya girmeden sağa dönüş yaptım. Kararsız, telaşsız ve dalgın bir halde Stewarton'a doğru ilerliyordum. Asla bir grup insandan yol tarifi almayın, aksi takdirde yalnızca soyut dünyada olan bir yer ararsınız. Bushfield'ın kolektif bilgeliğinin tarif ettiği namevcut yol işaretlerini arıyordum ve gitgide anladım ki Cranston Castle'ın yerini ancak kendim bulunca bileceğim.

Hava güzeldi; nerede olduğumu bilemememe rağmen çevredeki kırlarda daha önce geçtiğim yerleri tanıyordum. Çünkü geçmişime doğru yapılan bir yolculuktu bu. Tam olarak Scott ile birlikte oynadığımız yerler olmayabilirdi ama çocukluğun hayali mekân anlayışı çerçevesinden bakıldığında pekâlâ oynadığımız yerler olabilirdi. Kasabadan çıkıp, sokakların bize vereceğinden daha fazlasını hayal edebildiğimiz, duygularımızın tazelendiği böylesi yerlere gelirdik. O zamanki hayallerimizin nihayetsiz masumiyeti şimdi çevremi kuşatıyordu.

Dünyanın herkesin malı olarak göründüğü, imkânların herkese açık olduğu o zamanları hatırladım; neden sonra ağaçlar ardında gizlendiği için tam seçemediğim, yaklaştıkça belirginleşen Cranston Castle'ın mazgallı duvarını gördüm. Giriş yolunu buldum, yaklaştıkça muhkem yapısı gözümde büyüyordu; tıpkı kırların gizlenmiş anlamı gibi bir adresi tanımlayan ibare de kolaylıkla gözden kaçabilirdi. İşte bunun için bir yolculuğun hayat gibi olabileceğini düşünüyordum, Scott ile benim hayatım. Burası yürümeyi umut ettiğimiz bütün patikaların buluştuğu yerdi, köklü bir mülk, statü ve servet. Üzerinde dolaştığımız toprağın sahibi vardı ve bu ben değildim. Gençliğin hülyaları buharlaşırken, beni bu gerçekle karşı karşıya getirdi. Binanın önündeki diğer arabaların yanına park ettim. Brian'ın Vauxhall marka arabası şampiyon atların içindeki midilli gibiydi.

Burası, feodalizmi taklit eden kapitalist anlayışla, on dokuzuncu yüzyılda geçmişe yeniden şekil verme girişimleri sonucu yapılmış büyük bir binaydı. Büyük ahşap kapıyı açıp ahşap lambriyle kaplanmış küçük lobiye girdim; Lilliput* Adası baronluğuydu sanki. Büyük boş şöminenin yanında bir çift çiçek desenli koltuk ve pirinç kaplı bir masa uyumlu bir biçimde yerleştirilmişti. Yani burası Akimbo Arms gibi değildi. Solumdaki kemerli açık kapıdan yemek salonunu

---

* *Gulliver'ın Seyahatleri*'ndeki cüceler ülkesi. (ç.n.)

görebiliyordum. Yemeğini bitirmek üzere olan üç adamın çevresinde bir sürü yeni dizilmiş boş masa vardı. Sağımdaki kemerli kapı bara açılıyordu. Her taraf ahşaptı. Burada kullanılan ağaçları tekrar yeşertebilseydiniz bir orman ortaya çıkabilirdi.

Bara girince bir an şaşkınlık yaşadım. Bu bana sık sık olan bir şeydir. Çocukluğum boyunca donuk sessizliğim ve oldukça kızaran yüzümle diğer insanların canını sıkacak derecede utangaçtım. Muhtemelen büyüdüğümüzde de çocukluğumuzdan tümüyle sıyrılamıyoruz. Şüphesiz erişkinlik dönemim beni tamamen kaplamayan bir cila gibiydi. Umulmadık noktalardan cilasız ahşap benekler görünmeye devam ediyordu. Bir partiye ağırbaşlı bir kıyafetle gidip insanlara güleryüzle selam verirken, aniden ne halt konuşacağımı bilmediğimi fark ederim. İçimde panik duygusu kabarcıklar halinde patlamaya başlar. Şu an burada o anlardan birini yaşıyordum.

Her zamanki çözüm yoluna müracaat ettim. İçki almak için bara yöneldim, benimki defansif bir refleksti ama boşa kürek sallamaktı aslında. Limonlu soda aldım. Bardaki kız yardımcı oldu. Üstündeki siyah etek, beyaz gömlek, küçük şal ve sarkık papyon sanırım personel üniformasıydı. Kızın doğal tarzı beni rahatlatmıştı; ortamdaki sözde karmaşaya karşı kendime bir müttefik bulmuş gibi hissettim. Sodamı yudumlarken yönümü tayin etmeye çalışıyordum.

Bulunduğum yer yemek yiyenlerin kahve ve likör aldıkları yerdi. Çok yoğun bir gün değildi. İki masada ikişer kişi oturuyordu. Diğerleri ise dördü bir masada beşi de başka bir masada oturan iki grup işadamıydı. Dave Lyons'un nerede olduğunu bilmiyordum. Ben gelince bana bir işaret verir diye ümit etmiştim. Ama kimsede bir hareket yoktu, bana doğru bakan birileri de yoktu. Bardak askılığının üstündeki ahşaba oyulan sülün resmiyle aynı ölçüde dikkat çekiyordum.

Sabırsızlık yavaş yavaş ergenlik mahcubiyetimin sınırlarını aşıp beni yeniden erkeklik olarak addettiğim eski halime döndürdü. Neredeyse sakal uzatacak kadar beklemiştim zaten. Beş kişilik grubu gözüme kestirip masalarına doğru yürüdüm. Ben yaklaştıkça içlerinden birinin sessizleştiği dikkatimi çekti. Bana bakmıyordu. Arkadaşlarından birini dinliyormuş gibi davranıyordu ama ben rol yaptığını düşünüyordum. Aradığım kişinin o olduğu sonucuna vardım. Öte yandan benimle görüşmeye pek hevesli olmadığını da görüyordum.

Yanlarında dikilince konuşan kişi nihayet bana baktı. Şüpheyle bakıyordu, gelişimden biraz rahatsız olmuş gibiydi. Muhtemelen benim garson olduğumu düşündü.

"Affedersiniz" dedim. "Dave Lyons'a bakmıştım."

Dinliyormuş rolü yapan kişi birden şaşırmış gibi yaptı. Parmağını şaklatıp beni işaret etti. Çatıdan düşsem yüzündeki şaşkınlık ifadesi ancak bu kadar olurdu.

"Scott'ın kardeşi" dedi. "Değil mi? Tabii ya, o sensin tabii ya."

Bu konuda onun teyidini almak güzeldi. Ayağı kalkıp benimle tokalaştı.

"Ben Dave Lyons. Tanıştığımıza çok memnun oldum. Acı bir nedenle olsa bile. Beyler bu..."

"Jack Laidlaw."

"Jack. Doğru. Jack Laidlaw. Benim bir arkadaşımın ağabeyi. Maalesef yakınlarda kaybettiğim bir arkadaş. Jack. Bunlar..."

Arkadaşlarını tanıttı. Arkadaşlarının isimlerini tekrarlamak durumunda kalmadığım için memnundum. Onlarla ilgili farkında olduğum şey önlerindeki kırmızı et, semirmiş yanaklar ve ağır elleriydi.

"Beyler bana az müsaade ederseniz, Jack'e biraz vakit ayırmam gerekiyor. Lütfen istediğiniz kadar brendi alın."

Kendi brendi bardağıyla beraber, diğer bardakların, kahve fincanlarının ve en üsttekinde gizemli figürlerin olduğu bir tomar kâğıdın da içinde olduğu tepsiyi aldı. Aramis marka tıraş losyonu kokusunu aldım. Bu kokuyu her yerde tanırım çünkü bir defasında Jan bana bir şişe hediye etmişti. Bu kokuya alışmak iki haftamı almıştı. Şişenin mantarı düştükten sonra bu kokudan kurtulmuştum. Eminim ki güzel bir kokudur ama şunu kabul etmem gerek sonunda kokuya alerjik olmuştum. Ama Jan bu durumdan pek hoşlanmamıştı. Belki de ilişkimiz bundan sonra tökezlemeye başladı: Onun istediği gibi olamamıştım. Belki de onu Dave Lyons ile tanıştırmalıydım. Jan'ın idealindeki erkek tipi böyle miydi acaba?

"Şurada oturalım" dedi bana. "Bir şey içer misin?"

"İçkim barda."

İçkimi alıp köşedeki masada ona katıldım, masa herkesten yeterince uzaktı. Bardağıma baktı.

"Limonlu soda mı?" dedi. "Ben de arada bir içerim. Tat alıcılarımı gerçek bir şey içmek için güdülemek istediğim zaman. İçkiden uzak durmak kalbin daha sevgi dolu olmasını sağlar."

Dave Lyons kısa ve kiloluydu. Yüz hatları kalınlaşmıştı ama albenisini eksiltmemişti. Elli metreden ayırt edebileceğiniz çok pozitif bir yüzü vardı. Koyu renk gözlerinde bir titreme yoktu. Ne kısa boyunu ne de seyrelen saçlarını umursamıyordu. Ayağa kalkıp elimi sıktığında sanki özgüven platformunun tepesindeydi ve üzerinde yükseldiği şey de muhtemelen cüzdanıydı.

"Scott'ın ölümüne üzüldüm" dedi.

Scott'ın ölümüyle ilgili biraz konuştuk. Scott'ın tanıdığı insanların canını sıkma ihtiyacımı kolay anlaşılır bir durum olarak kabullenmişti. Ama bana sezgisel olarak verebileceği çok bir şey yoktu. Çünkü Scott ile bağlantısı yıllar önce kopmuştu. Esas olarak öğrenciyken arkadaşlarmış. O zamandan bu yana herkes çok değişmişti. Birkaç yıldır işlerin Scott açısından nasıl kötüye gittiğini duyuyormuş. Ama son olay onun için bir şoke olmuş. Her zaman öyle olmaz mı zaten?

Sakin ses tonunun uyutucu bir özelliği vardı. Neredeyse şüphelerim uykuya dalacaktı. Yine kendimi şapşal hissettim. Bir insanın iş yemeğini zaman ve şartlardan ötürü bizim için zaten az çok ölmüş kişilerin ölümleri karşısındaki tepkimize malzeme olacak basmakalıp sözler söyletmek için bölmüştüm. Bu adamdan başka ne bekleyebilirdim ki?

Sesinin beni soktuğu bitkinlik halinde kafama sadece iki şey takıldı. Biri söylediği, diğeri de söylemediği bir şey. "Üzgünüm törene katılamadım" dedi. Bunun anlaşılması mümkün. Ama durup dururken bunu söylemesindeki kasıt, dikkatimi çekti. Özür dilemesindeki amacı, törene kasti olarak katılmamasını gizlemek için miydi merak ediyordum. Söylemediği şey ise Scott'ın sorun çıkardığı partiydi.

"Bir parti vermişsiniz, çok zaman önce değil" dedim. "Scott da oradaymış."

"Bunu biliyor muydun?" dedi.

"Duydum."

"Bundan bahsetmeyecektim. Senin için çok üzücü olur diye düşündüm."

"Yok, sorun değil" dedim, "ölümü kadar üzücü değil."

"Ne demek istediğini anlıyorum. O zaman anlatayım. Gerçekten önemli bir şey değildi. Scott istikrarlı bir şekilde sarhoş oluyordu. Birkaç kişiyle tartıştı. Sonunda televizyon odasına geçmiş. Misafirlerden bazıları televizyon izliyorlarmış. Ve bir sebepten dolayı Scott kristal bir vazoyu televizyona fırlatmış. Partide belli bir heyecana neden oldu diyebiliriz.

Televizyonun hali de çok iyi değildi. Vazonun da. Yine de yeri doldurulabilir şeylerdi. Ama televizyonun yerinde birinin kafası da olabilirdi. Anna, Scott'ı zorla çıkardı. Bir dahaki sefer perdeleri de ateşe verir diye endişeleniyordu sanırım. O gece çok hiddetliydi. Ama son zamanlarda genellikle öyleydi sanırım."

"Televizyonda. O gün televizyonda hangi programı izlediklerini bilmiyorsun?"

Bana baktı, yüzüne vuran ifadenin soruyla ilgisi yoktu. Deli gömleği için ölçülerimi alıyor gibi görünüyordu. İtiraf etmeliyim ki sorduğum soru kulağa komik geliyordu ve onun gözlerindeki pırıltı bu duygumu teyit ediyordu.

"Biliyorsun" dedi. "Bu benim üstünde durmadığım noktalardan biri. Biraz benim ihmalkârlığım. Belki de neden oydu. Sence de olabilir mi? Scott televizyon eleştirmeni olmak için çalışıyordu."

Görünüşündeki rahatlatıcı sıcaklık aniden değişmişti. Birkaç cümleyle sohbetin sıcak havası yerini soğuk bir havaya bıraktı. Bana karşı nefretini görebiliyordum. Tevazu içinde bunun nedenini anlamaya çalışıyordum. Ben de kendimden hoşlanmam genellikle. Ama bu kadar çabuk iğrenilecek biri olmak için de bir sebep göremiyordum, tabii eğer kurcalamamam gereken bir şeyi kurcalamıyorsam. Onun için daha fazla kurcalamaya başladım.

"Sorumdaki kastı anlamadın mı?"

"Şey..." dedi. İçkisinden bir yudum aldı. "Taktığı kravatın rengini sormak gibi görünmüyor."

"Tam olarak değil. Tanıdığım insanlar genellikle partilere televizyon izlemek için gitmezler."

"Benim partilerim büyük olur. Hem de çok büyük. Evim bir köy nüfusu kadar kalabalık olur. Misafirler bir sürü değişik şey yaparlar. Belki de aynı türden partilere katılmıyoruzdur."

"Ben sadece televizyon izlemek için herhangi bir özel neden var mıydı merak ediyorum. Belki izledikleri programın partidekiler ile bir bağlantısı vardı. Scott da dahil olmak üzere."

"Bunu gerçekten bilemeyeceğim. Kargaşadan sonra kimse televizyon yayın akışını kontrol etmeyi düşünmedi."

Derin bir nefes aldı. İçkisinden biraz içti. Arkadaşlarının oturduğu tarafa göz attı. Çaba harcamadan bir aptal gibi görünmemi sağlıyordu. Bu konuda ona yardımcı olmuştum. Ona gerekli malzemeyi vermiştim. Son sorumun tuhaf olduğunu düşünüyorsa, bu soruyu duysun da görelim:

"Hızlı Frankie White'ı tanıyor musun?"

"Pardon?"

"Hızlı Frankie White. Tanıyor musun?"

Elini başına götürdü.

"Nedir bu? 'Mükemmel Zekâ' yarışmasına mı çıktım? Damon Runyon* kitapları uzmanı olarak."

Bekliyordum.

"O şahısla tanışma şerefine nail olduğumu sanmıyorum" dedi.

"Anna nerede?" dedim.

"Şimdi Graithnock'ta."

"Değil. Evi satılığa çıkarmış."

"Belki de senin sorularına cevap vermekten kaçıyordur."

"Belki de."

"Gerçekten bilmiyorum. Belki evine gitmiştir. O da sınır kasabasında yaşıyordu, değil mi?"

"Evet."

"Neden oraya gitmeyi denemiyorsun?"

"Yeşil paltolu adamın kim olduğunu biliyor musun?" dedim.

---

* Amerikalı bir gazeteci ve öykü yazarı. (ç.n.)

Kafasını sol eline dayamış, masaya doğru konuşuyordu, anlaşılan o ki masa benden daha makul görünüyordu.

"Sanırım birçok insan olabilir" dedi. "Bu şekilde konuşmaya devam edersen seni bulmak için her an buraya gelebileceğini de düşünüyorum. Büyük bir şebekeyle."

"O beni bulmadan önce" dedim, "daha önce sakalın var mıydı?"

Elini burnuna götürdü ve bana baktı, gerçekten paniğe kapılmış gibiydi. Güldü ve ayağa kalktı. Tokalaşmak için elini uzatmadı. Konuşmamız bitmişti.

"Bay Laidlaw" dedi. "Seninle tanışmak ilginçti. Umarım ilaçlar yakında etkisini gösterir."

Ben de ayağa kalktım.

"Zaman ayırdığın için teşekkürler" dedim.

"Sana vakit ayırdığımı kimseye söyleme" dedi. "Lütfen. Hiç kimseye. İtiraf etmeliyim bu zamanı çok daha faydalı işler için kullanabilirdim. Kendine iyi bak. Belki de bunu yapması için başka birini bulmalısın."

Beni iyice çiğneyip yere tükürdü. Beni geride bırakıp arkadaşlarına doğru yürürken göbeğinin matruşka bebeği gibi şiş olduğunu fark ettim. Dış görünüşünün cilalanmış küstahlığı altında kaç tane küçük adam vardı merak ediyordum. Bunu bulmaya kararlıydım.

on iki

Arabayı Sycamore Caddesi 28 numaraya sürdüm. Rotam biraz dolambaçlıydı. Bir süre kırsal bölgede seyrettim. Bringan'ın üst tarafında bir köprünün yanında bir süre mola verdim, çocukluğumuzda buralar ormanlık ve tarlaydı. Korkuluğa yaslanıp akan suyu izledim. Köprünün altında cam eriyor gibi görünüyordu. Akıntı aşağıda kayalara çarpınca su sanki buzlu cama dönüşüyordu, cam kırılınca olduğu gibi. Arkadaş grubumuzla saklambaç oynadığımız ağaçlara baktım. İçimden sen yine saklanıyorsun ama geriye kalan herkes evine gitti dedim. Ama ben hâlâ seni arıyorum.

Arabaya atladım ve biraz daha sürdüm. Dave Lyons'un önemsemez tavrı ters bir etki yapmıştı. Çok basmakalıp, çok eksiksizdi. Bu denli özgüveni, kimse haklı çıkaramazdı. Beni çok hızlı paketlemişti. Bu da şüphelenmeme neden olmuştu. Uzun zaman önce Scott ile bağlantısı kesilmişse Anna'nın aslen nereli olduğunu nasıl bilebiliyordu. Mademki araları eskisi gibi değildi neden onu partisine davet etmişti?

Onunla tekrar konuşacağımı biliyordum ama bu defa alakasız sorularla değil daha hazırlıklı olarak. Bunun için daha çok şey öğrenmem gerekiyordu. Ellia Mabon bunu sağlayabilirdi. Özel hayatını ihlal edeceğim için üzgündüm. Ama henüz akşam olmamıştı. Kocası daha gelmemiştir. Kapıda arabamı durdurunca bir yandan da zihnimde kadından özür diliyordum.

Mavi bir Peugeot'nun arkasına park edip arabadan indim. Ahşap ve taş bileşiminden oluşan eski ve büyük bir ev. Orijinal bir konseptti. Daha önce böylesini görmemiştim, gördüğüm için de memnundum. Zilin çetrefilli sesi, kapı açılınca senfoniyi çalmaya henüz başlamıştı. Zil amaçsızca çalmaya devam ederken biz orada dikilip birbirimize bakıyorduk.

Scott'ın zevkini takdir ettim. Eğer pusulanı şaşıracaksan bu kadın pusulanın şaşması için güzel bir yerdi. Uzun boylu, kızıl saçlı kadının o andaki yüz ifadesinin bile bozamayacağı kadar güzel dudakları vardı. Gözleri bir akvaryum gibi yeşildi ve akvaryum gibi insanı kendine çekiyordu. Dışarı çıkmak üzere giyinmişti, üstüne oturan siyah takımın yakası göğsünde çekici bir şekilde birleşiyordu.

"Merhaba" diyebildim ancak.

"Ne cüretle!" dedi.

"Üzgünüm. Ama ben..."

Yola bakıyordu.

"Hemen şimdi arkanı dön ve arabana bin."

"Dur bekle."

"Git dedim!"

Tatlı tatlı gülmeye başladı. Sanki söylediğim bir şeyi onaylıyormuş gibi başını sallıyordu.

"Hemen şimdi. Arabana bin. Park ettiğin yöne doğru sür." Hâlâ gülümsüyor, yardımsever bir edayla yolu işaret ediyordu. "Şu an yaptığım şey komşulara sana yol tarif ettiğimi göstermek. Yolun sonunda ilk sağa dön. Sonra ilk sola. Sonra yolun kenarına çek. Ben arabayla gelip seni geçinceye kadar bekle. Sonra beni takip et. Şuradaki mavi Peugeot. Hadi yürü." Arabaya doğru yürümeye başladım.

"Aradığınız yer orası" diye arkamdan seslendi. "Eminim bulursunuz. Gözünüzden kaçmaz."

Kapıyı gürültüyle kapattı.

Dikiz aynasından mavi Peugeot'yu görünceye kadar on dakika bekledim. Dikkatli bir kadındı. Kasaba dışına kadar onu takip ettim. Epey gittik. Tam ülke dışına çıkıyoruz diye düşünürken virajlı bir yola saptı, sonra bir başka yola döndü ve bir tarla girişindeki çimenlik alanda durdu. Arkasında benim de park edebileceğim kadar bir boşluk vardı.

Arabadan indik; orada dikilmiş birbirimize bakıyorduk. Bana kalırsa zaman harcamak için hiç de kötü bir yol değildi.

"Merhaba" dedim. "Ben Jack Laidlaw."

Uzanmış elimi umursamadı.

"Evet, biliyorum" dedi. "Scott bana senden bahsetmişti. Ama abarttığını düşünmüştüm. Birçok şeyi abartıyordu. Ama sen, onun hafife almak konusunda mastır yaptığı alansın. Sen kafayı üşütmüşsün."

Bugün benim övgü toplama günümdü.

"Sence birbirimizle ilgili böyle samimi ifadeler kullanmak için çok erken değil mi?"

Bana baktı ve insanların televizyonda felaket görüntülerini izlerken yaptıkları gibi başını salladı. Peugeot'nun kaputuna oturdu. Üstüne fanteziler kurulacak bacakları vardı. Ben yapmamaya çalıştım. Ama kolay değildi. Yaşama güdüsü kahrolası bir şeydir. Sonunda kendisinden başka bir şey düşünmez. Bağlam duygusu yoktur. Bütün iyi niyetiyle cenaze törenine katılır ama törenin sonunda dul kalan kadınla aşk yaşamayı arzulayabilir.

Ellie Mabon ağaçlara doğru bakıyordu ve ben gerçeğin saplantılı takipçisi, önümdeki kişiyi bir bilgi kaynağı olarak değil muhteşem bir kadın olarak görüyordum. İçimde fısıldayan manyak iyimserlik kendi cinselliğimin bilincine varmış ve tekrar konuşmaya başlamıştı: Belki de aradığım kadın buydu. Belki mekânı onunla olmak istediğim yere dönüştürebilirdim.

"Scott ile buraya gelirdik" dedi. "Neden önce aramadın?"

"Sanırım aramıştım."

"Bir kere daha demek istiyorum. Gelmeden önce. Yanımda birileri olabilirdi."

"Beni yeniden reddetme fırsatını vermek istemedim."

Halen dalgındı, muhtemelen geçmişi düşünüyordu. Buluşmak için güzel bir yerdi. Yol ağaçlarla kuşatılmış, yüksekçe ama kuytu bir yerdi, görünmeden etrafı gözetlemek mümkündü. Aşağıda biraz uzakta küçük vadide bir ev vardı. Etrafında küçük bir arazi parçasıyla modern bir evdi. Çiftlik evi değildi yani. Şehre özgü imkânlarla donatılmış ev belki de bir kasabalının hayalindeki kır eviydi.

"Şu aşağıdaki evin bizim olduğunu farz ederdik" dedi. "Herhalde çok acınası bir hayal."

Kendisi ve Scott ile ilgili söyledikleri durumun gerçekliğini aydınlatmaya başladı benim için. Sadece hayal kuran bir kadın değildi. Kardeşimle ilişkisi olan, kendisini tedirgin eden bir kocaya sahip Ellie Mabon'du. Benimki gibi endişeleri olduğunu görünce önümdeki canlı idolün de sıradan bir insan olduğunu anlamaya başladım. Ayakkabıları dikkatimi çekti. Uzun topukları çimene batıyordu. Ama burayı kendisi seçmişti. Görüşmek istemediği biriyle geldiğine göre nereye geldiğini biliyor olmalıydı. Bir defileye gider gibi giyinmişti ve ayakkabıları açık bir şekilde mekâna uymuyordu. Bunun nedeni gösteriş merakı olabilirdi, bir yabancıya en güzel şekilde görünme duygusu. Veya teatral bir duygudan kaynaklanabilirdi: Kocasını aldatan diğer kadın kimliğiyle giydiği kostüm. Her hâlükârda bu durum onu bizden biri yapıyordu. Söz sırası bana geldi.

"Her neyse" dedim. "Geldiğin için memnun oldum. Seninle konuşmam gerekiyordu."

"Affedemediğim şey" dedi. "Affetmeyeceğim şey Scott'ın sana bizi anlatması."

"Ama anlatmadı ki."

"O zaman nasıl öğrendin?"

"Bugün öğrendim. Adını ilk defa bugün duydum."

"O zaman birine anlatmış olmalı."

"Bu, anlattığı şeylerin kötü olduğu anlamına gelmez. Zaten yalnızca adını söylemiş."

"Aman ne güzel! Ketumluk dedikleri bu sanırım. Ben hiç kimseye anlatmadım."

"Şey, anlatamazdın zaten, değil mi?"

Bana ters bir bakış attı.

"Sadece adımı biliyordun da beni nasıl buldun?"

"Ben bir dedektifim."

"Duymuştum" dedi.

Bana doğru döndü, kollarını kenetledi. Kafasını toplamıştı.

"Hadi bitirelim şu işi. Bana sormak istediğin ne? Zaten yeteri kadar biliyor gibisin?"

"Hayır, yeteri kadar değil."

"Başlamadan önce. Sana Scott ile ilgili anlatabileceğim her şeyi söylerim. Ama bana ilişkimizle ilgili soru sorma. Görüşmeyi bırakalı birkaç aydan fazla oldu. Bizim için bitmişti."

"Neden?"

Sorduğum sorunun, koyduğu kuralı ihlal edip etmediğini düşünüyor gibiydi. Bir ayrıcalık tanıdı.

"Ben bitirdim. Scott her şeyi çok ciddiye alıyordu. Bir ilişki ona yetmiyordu. Büyük bir tutku olmasını istiyordu. Her şeyi çok yoğun yaşıyordu. Elimize yüzümüze bulaşacağını görebiliyordum. Bir gün kapıma dayanır diye ödüm kopuyordu."

Hiçbir zaman onların olamayacak eve bakmayı bırakıp bana döndü. "Belki aileden gelen bir şey. Demek istediğim çok da yanılmamışım, değil mi? Bir şekilde korktuğum şey oldu."

İmayla dile getirdiği itham beni pek etkilemedi. İtham edeni suçlamakla meşguldüm ben. Kocasıyla akşam yemeklerini bölmeyecek veya komşuları önünde onu mahcup etmeyecek bir ilişki istemişti. Bana göre Scott onu çok fazla sevmek gibi bir hata yapmıştı.

"Onunla okulda görüşüyor muydun?"

"Okuldan ayrıldım. Şimdi vekil öğretmenlik yapıyorum. Uzaklaşmam gerekiyordu. Yakın olmak çok acı veriyordu. Yıllardır Charlie fazla yorulmamamı söylüyordu. İyi para kazanıyor. Scott, öğretmenler odasında nişanlanacağımızı duyuracak korkusunu her gün yaşıyordum. Veya koridorda beni öpecek diye. Son zamanlarda ne yapacağı öngörülemez olmuştu, biliyorsun."

Başı patlayacak gibi olan herkes genellikle öyle olur.

"Öyleyse uzun zamandır hiçbir bağlantınız yoktu."

Çamurdan sıyırdığı topukları için yeni bir pozisyon buldu. "Telefon açıyordu" dedi.

"Ne zaman?"

"Birçok defa. Ama gün içerisinde. Son telefonu hariç."

"Ne zamandı?"

İlk defa söyleyeceklerini unuttuğunu gördüm. Bana karşı oynadığı oyunda bocaladı, rolünü devam ettiremedi. Bir gösterinin ortasında gerçekte kim olduğunu anımsayan bir aktris gibi dondu. Onda gerçek acıyı görebiliyordum. Bu halini görünce onu kucaklamak istedim. Ama soğukkanlı duruşunu yeniden sağladı.

"O geceydi" dedi. "Öldüğü gece."

Bekledim. Kendi âlemindeydi. O an müdahale etmemek gerekiyordu. Büzülen dudaklarını düzeltti, ağlamamak için kendini zor tutuyordu.

"Akşam erken saatlerde aradı. Charlie dışarıdaydı. Sesinde korkunç bir keder vardı. O an anladım. Ne kadar kötü durumda olduğunu. Uzun uzun konuştuk. Jetonları bitinceye kadar. Ama ona gidebilirdim. Ona yardım edebilirdim. Gitseydim öyle olmayacaktı belki de."

Önce bana, sonra uzaklara baktı, sanki benimle yüzleşmeye dayanacak gücü yoktu.

"Ellie, hayır" dedim. O an ismi ağzımdan doğallıkla çıkıverdi. "Hayır. Böyle düşünme. Muhtemelen çok uzaklardaydı."

"Ama ben, neden? Tanrım, bu kadar hassas olmaktan bazen nefret ediyorum. Charlie'ye durumun uygunsuzluğunu anlatmanın ne önemi vardı ki? Veya insanların bizi görmesinin? Scott ölüyordu."

"Bunu bilemezdin."

"Belki de. Ama o son görüşmeyi çok düşündüm. Sanırım benim hayatım işte böyle. Yaptığım şeylerin sıradanlığı. Scott benim başıma gelen en gerçek şeydi. Uyum sağlaması kolay biri değildi. Ama gerçekti. Düşünüyorum da belki beni rahatsız eden de buydu. Onu istiyordum ama beraberindeki kargaşayı değil. O telefon görüşmesi bazen her şeyin bir özeti gibi geliyor. Ona, akşamdan sonraki hayatımı bozamayacağı kadar bir alan vermiştim. İşte benim yaptığım bu. Benim derdim ne bilmiyorum?"

Düşünüyorum da belki de korkularımızı kendimiz belirliyoruz. Küçük şeylerle kendimizi korkutuyoruz, böylece büyük şeyler canımızı sıkacak kadar bile bize yaklaşamıyor. Ellie Mabon hayat düzeninin bozulma ihtimali korkusunu seçmişti, böylece en büyük korkuyla yüzleşmeyi engellemişti: hissetme korkusu. Bakalım bu minvalde devam edip neler öğrenecektim.

"O gece neler söyledi? Hatırlıyor musun?"

"Hani unutulacak bir görüşme değildi. Havadan sudan konuşmuyordu. Ama çok tutarlı bir konuşma da değildi. Asıl olarak hatırladığım şey çektiği acıydı. Konuşmasının çoğunu yarım yamalak anlıyordum. Ah, korkunçtu."

"Hatırladığın herhangi bir şey var mı?"

Düşünüyordu, önündeki çimene bakıyordu.

"Nereden başlasam? Karmakarışıktı. Bir şey olmuş son zamanlarda. Bu kadarını biliyorum. Yani sadece ayrılmamızı kastetmiyorum. Bu onu yeterince üzmüştü. Ama başka bir olay vardı. Son zamanlarda olan bir olay. Bu, onu neredeyse kahretmişti. Bana her zaman inandığı tek şeyin insanlar olduğunu söylerdi. Ve sanırım bu inancını yitirmişti."

"Dediğin olay burada mı olmuş? Graithnock'ta?"

"Bilmiyorum. Ama son zamanlarda olmuş. Tanıdığı birine olmuş. Bu durumda burada olmuş olabilir. Çok takdir ettiği biri. Çünkü sürekli, 'En iyimizdi. O bizim en iyimizdi' diyordu. Bahsettiği kişi ölmüş olmalıydı."

"Yeşil paltolu adam senin için bir anlam ifade ediyor mu?"

"O da kim?"

"Ben de öğrenmek istiyorum."

"Bu ifadeyi kullanırdı."

"Hangi bağlamda?"

"Sanırım yine yeşil paltolu adam demişti."

"Ama kim olduğunu bilmiyorsun?"

"Hiçbir fikrim yok. Ama sana bir şey söyleyeyim. Her ne olduysa Dave Lyons'tan nefret etmesine neden olmuştu. Oldum olası onu çok sevmezdi. Ama o gece ona karşı çok öfkeliydi."

Ve Hızlı Frankie White'a da çok öfkeliydi. Daha yeni görüştüğüm Dave Lyons ile Frankie White arasında bir bağlantı kurmakta zorlanıyordum. Frankie diye birini duyup duymadığını sordum. Duymamıştı.

"Dave Lyons" dedim. "Onu tanıyor musun?"

"Hayır. Adını duymuştum. Scott ondan söz ederdi."

"Scott onunla hâlâ görüşüyor muydu?"

"Bildiğim kadarıyla evet. O gece onunla birlikte iki kişiyi daha bir araya toplamış gibiydi. Hepsi bir aradaydı sanki. Sanırım öğrenciyken olan bir şeyle ilgili. Bir tanesinin adını daha önce hiç söylememişti. Sanırım Blake'ti. Andy Blake miydi? Onunla ilgili garip bir şey söyledi. 'Doktor, sen kendini iyileştir' dedi. Diğer adamın adını söylemedi. Onu gördüğümü ama tanımadığımı söyledi. Onu mutlaka görmüş olduğumu söyledi. Ama bunun için endişelenmene gerek yok dedi. Aynen böyle konuştu. Bana bir şey söylüyor ama aynı zamanda söylemiyordu da. Tuhaftı."

"Ama niçin onları bir araya toplamıştı? Bu her zaman yaptıkları bir şey miydi?"

"Bilemeyeceğim. Gerçekten bütün söyleyebileceğim bu. İnan bana, o telefon görüşmesini yüzlerce kez düşündüm. Bak. Artık gitsem iyi olacak. Bu akşam dışarı çıkacağız. Gidip hazırlanmam lazım."

Daha iyi görünmek için başka ne yapabilirdi hayal edemiyordum. Sigaramı çıkardım. O içmiyormuş. Bu aralar pek kimse içmiyor. Yakında beni karantinaya alabilirler.

"Anna'nın şimdi nerede olduğunu biliyor musun?"

Kafasını salladı, başını kaldırıp ağaçlara baktı.

"O kadar yakın değildik."

"Dinle. Bunun için sana minnettarım. Benim için çok önemliydi. Senin için ne kadar zor olduğunu tahmin edebiliyorum."

"Bundan şüpheliyim" dedi. "Onu gerçekten önemsiyordum, biliyorsun. Ayrılırken ona ne dediğimi biliyor musun? 'İkimizin de hayatını kurtarıyorum.' İşte söylediğim buydu. Sen istersen ironi diyebilirsin."

Rüzgâr esmeye başladı. Sigaramı içerken, yaprakların çıkardığı sesi dinliyor, tarladaki inekleri izliyordum. Scott burada bulunmuştu ve artık buraya dönmeyecekti, onun yokluğunu bir kere daha öğrenmiş oluyordum. Ezber yöntemini kullanan kötü bir öğretmenin dersiydi bu, ne kadar anladığını önemseyen bir öğretmenin değil. Anlamaya gerek yoktu, bilmek yeterliydi. Ellie Mabon ellerini omuzlarında kenetledi, soğuktan titriyordu.

"Evet" dedi. "Ben artık gideyim."

Ona baktım ve başımı salladım. Güldü, arabaların arkasındaki yeri işaret etti. Çimenlerin üstündeki tekerlek izlerini gösteriyordu.

"Bunlar" dedi. "Bana her zaman Scott'ı hatırlatacak. Onunla buraya gelirdik. İzler daha ne kadar kalır merak ediyorum. Bütün bunlar senin için gerçekten ne anlam ifade ediyor? Demek istediğim tam olarak ne yapmaya çalışıyorsun?"

"Tam olarak ben de bilmiyorum. Scott'ın ölümünü kabullenmeye çalışıyorum. Sanırım yaptığım bu."

"Ben nasıl yapayım?"

Birden ağlamaya başladı.

"Lanet olsun" dedi. "Onun için bana bir defa sarılır mısın?"

Yanına geçip sarıldım. Kaybımız için küçük, nezih bir törendi. Yüzüme gelen saçları hüzünlü tatlı bir koku yayıyordu. Ona sarıldığımda vücudunun titrediğini hissediyordum, güzel bir bünye derin kaygılarla nasıl da sarsılıyormuş. Bu kucaklamada ortak doğamızı gördüm: İnkâr edilemez ölçüde telaş barındıran şüpheci güven duygumuzu. Ben de öyleydim. Bazı iş arkadaşlarım ve amirlerim benim katıksız bir küstah olduğumu söylerlerdi. Benim yaşam tarzımı yanlış değerlendiriyorlardı. Küstahlık görecelidir. Ama tevazu bütünseldir. Hayatımı kendilerine uydurma çabalarındaki basitlik karşısında küstah biriydim. Onlarla her gün karşılaşıyordum ve düşündüklerinden daha fazlası olduğumu biliyordum. Ama gece karanlığında kendimle baş başa kalınca bildiğim tek şey küçüklüğümdü. Şimdi de hissettiğim bu duyguyu onunkilerle paylaşıyordum.

Yavaş yavaş duruldu, iç çekti ve kenara çekildi. Rimeli gözyaşlarına karışmıştı.

"Nerede kalıyorsun bu arada?" dedi titrek sesiyle, gözyaşları boğazında düğümlenmişti.

"Bu akşam Bushfield Oteli'ndeyim. Yarın akşam da orada olabilirim. Emin değilim."

"Aklıma başka bir şey gelirse seni oradan ararım. Sana yardımcı olmak isterim." Sesi kısılıyordu. "Ah! Tanrım."

Arabanın arka kapısını beceriksiz bir şekilde açıp içeri uzandı. El çantasını çıkarıp arabanın üstüne koydu. Arabadan bir paket ıslak mendil aldı, içinden bir avuç mendil çıkardı. Paketi de arabanın üstüne bıraktı. Ayakta dikilip derin derin nefes alıp verdi, gözyaşlarının durduğundan emin olmak istiyordu. Yüzünü, özellikle gözünün etrafını itinayla sildi. Çantasından pudra kutusunu çıkarıp yüzünü kontrol etti. Yüzünü temizlemeyi bitirip lekelenmiş mendili fırlatıp attı. Makyajını özenle yeniledi. Biraz daha mendil alıp ayakkabı topuklarını sildi. Malzemeyi tekrar arabaya yerleştirdi, kapıyı kapatıp parmak uçlarında yürüyerek sürücü kapısına gitti. Bana baktı. Tekrar Bayan Mabon olmuştu.

"Arabamı çekeyim mi?" dedim.

"Hayır" dedi. "Daha önce de yaptım. Son bir kez daha yapabilirim."

Arabayı yola sürdü, tarlanın kapısına doğru geri geldi ve sonra el sallamadan çekip gitti. Sigaramla bir sigara daha yaktım, yere attığım izmaritin üstüne bastım. Arabaya bindim, camı açtım, sigaramı içtim ve etrafa bakınmaya başladım. Geçen süre zarfında Ellie ve Scott'a ait bir iz bırakmayan mekânın kayıtsız kalıcılığı, bir bakıma çabalarımın da hiçbir şeyi değiştirmeyeceğini bana söylüyordu. Ama ben arabayı çalıştırdım. Arabayı sanki ilerleme azmim hareket ettiriyordu, tıpkı bir yaşam ünitesi gibi. Mekanik bir amaç bir diğerini tetikliyordu. Brian Harkness'ı arayacaktım.

On üç

"Meece torbacıymış, doğru. Ama gülünç bir torbacı. Malın çoğunu elbisesinin koluna zulalıyormuş. Abartmıyorum. Malın çoğunu kendisi kullanıp, az bir kısmını satıyormuş. Görünüşe göre kadınla birlikte malın çoğunu damarlarına zula yapıyorlarmış. Veya yağmurlu bir güne saklıyorlarmış. Gizli bir banka hesabı var. Mesele şu ki tedarikçilere ödeme yapacağı zaman hesaplar tutmamış. Onu uyarmışlar."

"Kırık kolun sebebi bu olabilir."

"Doğru. Görünüşe göre kolunda bıraktıkları hatırlatma düğümü işe yaramamış. Bu yüzden icabına bakmışlar. Borcuna sadık olmayanlara bir uyarı olsun diye."

"Bu bilgilere nasıl ulaştın?"

"Etraftan sorarak. Macey'i tanıyorsun? Ernie Milligan'ın torbacısı."

"Oldukça iyi tanırım. Hiç güvenilmeyecek biri olduğunu iyi bilirim. Ama bu söyledikleri doğru gibi. Gerçi tahmin edilmeyecek şeyler de değildi. Henüz bir isim yok mu?"

"Daha değil. Macey bizim için dinleme yapıyor."

Buster kulaklarını kabarttı, ben Brian'ı dinlerken görsel bir katkı sağlıyormuş gibiydi. Dinleme mi? Anladın mı? Teşekkürler Buster. Telefonda duyduklarımla gördüklerim arasında bir tezat vardı, Buster, gergefe nakşedilen bir köpek deseni gibi ev yaşantısının simgesiydi: Ah Buster, Güzel Buster. Mutfak sıcaktı ve pişen yemeklerin kokusuyla iç açıcıydı. Sabahki hırçınlığımı affeden Katie ikimizi de iyi besliyordu.

Geç vakitte otele geldiğimde bana sarılmış ve oturmamı söylemişti. "İhtiyacın olan, midene indireceğin bir yemek" demişti. Güzel de yapmıştı. Bulaşıkları yıkamak, tasaların bir kenara konduğu, iyiliğin ortalığı aydınlattığı bu mekânın tatlı ve karmaşık düzeni içinde, kendimi bir süreliğine buranın bir parçası hissetmemi sağlamıştı.

Odanın aydınlığı kafamdaki karanlığı unutmama neden olmuştu. Ama Brian'la konuşmam beni tekrar eski halime döndürdü. Şimdi, kendi amacına hizmet etmeyen hayatların çöpe dönüştürüldüğü, yapılan işe yoğunlaşmayı teşvik için kolların kırıldığı kötü yerlerden, bana doğru ürpertici rüzgârlar esiyordu. Bir parçamın halen o soğuk yerde bir şeyler aradığını, çöpte bir şeyler topladığını fark ettim.

"Kadınla ilgili bir bilgiye ulaşamadınız mı hâlâ?"

"Daha değil."

"Kadınla ilgili biraz düşündüm de" dedim.

"Yani nasıl kaçtığını mı diyorsun?" dedi Brian.

"Eğer kaçtıysa tabii."

"Eğer ölmüş olsaydı şimdiye dek bulurduk."

"Onu demek istemiyorum. Yani biraz düşününce. Diyelim ki ona bir şey yapmadılar. Bu yarım yamalak bir iş olurdu onlar için, değil mi?"

"Belki onun ilgisiz biri olduğunu düşündüler. Belki ötmeyecek kadar korktuğuna karar verdiler."

"Olabilir. Ama ben öyle olmadığına bahse girerim."

"Tamam, patron" dedi. "Peki, üstadımızın fikri ne acaba?"

Güldüğünü zihnimde canlandırabiliyordum. Bana biçtiği rol zaten aşina olduğu bir roldü. Eski zamanlardaki gibi benimle dalga geçiyor olmalıydı. Ben de eski halime dönmüş gibi yapmaktan büyük bir keyif alıyordum.

"Bu işi yaptıran kişi kızı rahat bırakmalarını söylediyse? Demek istediğim mesleğin erbabı biri işini tam yapardı. Çünkü düşünmesi gereken bir şöhreti vardır. Bu işte böyle tutunabilirsin. Ardında şikâyetçi olacak birini bırakarak değil."

"O zaman?"

"O zaman neden bu açıdan düşünmüyorsun? Baştaki adamın kadına bir zaafı vardır. Ya da öyle bir şey. Bağlantı kurman için yeni bir olasılık verir sana. Her zaman takip etmen gereken yer çelişkili olan noktadır. Burada açık bir şekilde eksik bir parça var. Niye var? Olmaması lazım. Eğer para için birini öldürüyorsan, iki kişi olmuş ne fark eder? Sadece alacağın para. Tabii verilen emirde özellikle yapmaman söylenmemişse."

"Hayretler içinde dinliyorum" dedi. "Ücretini postalıyorum."

"Bu sadece çıkarımlar yaparak karaladığım küçük bir taslak" dedim. "Leonardo'nun karalamaları gibi. Kimseye faydası olmadığı açık. Sana da faydası yok. Ve kesinlikle bana da."

"Homeopatiye* ne dersin?" dedi Brian. "Ayrshire'da bildiğim çok iyi bir homeopatik doktoru var. Belki de ihtiyacın olan tedavi budur."

"Önce geleneksel tedaviyi deneyelim. Postalayacağın ücretin yerine geçebilecek bir şey var. Hızlı Frankie White."

"Ne olmuş ona?"

"Onunla ilgili son durumu öğrenmek istiyorum."

"Londra'da olduğunu sanıyordum."

"Ben de öyle. Ama şimdi o kadar da emin değilim. Bir bakabilir misin? Ve nereli olduğunu da öğrenmek istiyorum.

---

* "Benzer benzeri iyileştirir" ilkesine dayanan bir tedavi yöntemi. (ç.n.)

Aslen nereli olduğu. Bu önemli. Ayrshire'lı. Ama Ayrshire'ın neresinden?"

"Burada olsaydın sorunun cevabını kendin bulabilirdin. Orada vaktini boşuna harcayacağına. Şimdiye kadar cevabı çoktan öğrenirdin."

Buna ne zaman vakit ayıracağını merak ediyordum. Karşılaşacağın şeyi bilmenin, kontörlü telefon göstergesinde sürenin dolduğunu görmek gibi bir etkisi vardı. Artık telefonu kapatmam gerekiyordu.

"Brian, saksını çalıştır" dedim. "Orada olsaydım cevap bir yana sorudan bile habersiz olacaktım. Telefon faturası buradakilere bir servete mal olmadan kapatsam iyi olacak. Morag'a iyi dileklerimi ilet. Ve Bob Lilley'e dilemediğimi."

Ena'yı aradım, kısa, resmi bir selamlaşmadan sonra çocuklarla konuşmama izin verdi. Moya dışarıdaydı (Bu aralar ben arayınca genellikle dışarıda oluyordu, evde olsa bile.) ama Sandra kedinin son rahatsızlığıyla ilgili detaylı bir açıklama yaptı ve Jackie her zamanki gibi nerede olduğumu sordu. Bir defasında Ena'ya oğlumun odasına bir harita koyup gittiğim yerleri işaretlemesine dair bir şaka yapmıştım ama Ena, bunun büyük berbat bir harita olacağını söyleyince bir daha o konuya değinmedim.

Jan'ı çalıştığı restorandan aradım. İş arkadaşı Betsy cevapladı. Benim olduğumu anlayınca her zaman mesafeli olan sesi neredeyse kısıldı. Betsy ile tek ortak yanımız karşılıklı nefretimizdi. Jan'ın benimle zamanını boşa harcadığını düşünüyordu, ben de herkesin onunla zamanını boşa harcadığını düşünüyordum. Konuşması, diksiyon dersinde ıvır zıvır, bir konunun yavanlığını üstüne basa basa telaffuz etme şeklindeydi. Şehrin tiyatro ve şarap barı arasında bir taksi yolculuğundan ibaret olduğunu düşünen Glasgowlu yeni bir türe aitti. Bana Jan'ın akşam yemeği için dışarı çıktığını söylemenin tadını çıkarıyordu. Bunun çalıştıkları yer için iyi bir reklam olmadığını söyledim. Bana "Pardon?" dedi. Jan'ın kiminle yemeğe çıktığını sordum. Bir fikrim yok, dedi. Barry Murdoch mu, diye sordum. Bir fikrim yok, dedi. Ne zaman döneceğini sordum. Bir fikrim yok, dedi. Ona cevaplaması zor olmayan bir soru soracağımı söyledim, saatin kaç olduğunu sordum. Telefonu yüzüme kapattı. Belki onun için de bir fikri yoktu.

Ama benim bir tahminim vardı: Adeta bir Porsche'nin içinde yaşamak için doğmuş büyük, nazik şarlatan Barry Murdoch. Büyük bir olasılıkla her hafta Betsy onu, Jan'ın benimle yaşadığı sağlıksız travma rejimine karşı pastırmalı yumurta için müsli gibi bir alternatif diyet olarak Jan'la tanıştırmıştı. Onunla bir defasında restoranda karşılaşmıştım ve sonrasında Jan'a onunla ilgili "Elbise Gucci'den, kafa katalogdan posta siparişi" demiştim. Bana maksimum artı puan kazandıran bir şaka olmamıştı.

Biri salonun kapısını açmış olmalıydı, çünkü konuşma ve gülüşme sesleri duyuldu ve aniden kesildi. Önünden geçerken gitmek istediğiniz, tanımadığınız bir evdeki partiden yayılan sesler gibiydi. Bir teneffüse ihtiyacım vardı. Jan'ın yemekte olduğunu düşününce yabancı bir yerlere gidip belki daha önce hiç görmediğim bir kadınla tanışmak, olayların tuhaflığını birileriyle tartışmak istedim. Eğlenme ihtiyacım vardı.

"Buster" dedim. "Bu gece içmeye ne dersin?"

Pek ilgili görünmüyordu. Dışarı çıkmaya karar verdim. Şimdilik Scott için yapabileceğimi yapmıştım. John Strachan'ın Bushfield'a gelmesine daha vardı. Gündüz iki defa aramıştı. Sanny Wilson da gelebilirdi. Ama daha zamanım vardı.

Kalktım, ceketimi giydim. Graithnock'ta beni bekleyen yeni ve egzotik deneyimler için sıvışmadan Katie mutfağın kapısını açtı.

"Sanny Wilson burada, seni görmeye gelmiş" dedi. Yine tüneldeydim ve bir ışık görme ihtimali karşısında heyecanlıydım. Heyecanım uzun sürmedi. Salonu girdiğimde Sanny'yi içkiyle öyle ciddi bir yakınlaşma içinde buldum ki adeta alkol dolu akvaryumdaki bir balık gibiydi. Gevelemesinden bir şey anlaşılmıyordu.

Yetmişli yaşlarında, dünyayı kucaklamaya hazır, tatlı, kibar hareketleriyle fevkalade mülayim biriydi. Scott'ı sevdiği besbelliydi ve kardeşi olmam hatırına beni de bu sevgi çemberine katacak kadar âlicenaptı. Onunla görüşmek dokunaklıydı ama bir faydası yoktu bana. Birlikte içip biraz sohbet ettik, anlaşılması güç "Yeşil paltolu adam tekrar öldü" ifadesini sık sık tekrar etmesi dışında elde ettiğim bir şey olmadı.

Ama zamanın birlikte keyifli geçtiği biriydi. Avuç içi dışa dönük, başparmağıyla işaretparmağı arasında tuttuğu sigarayı havalı bir içişi vardı. İçtiği her yeni sigara, gitgide üstündeki yeleğin külden yapıldığı izlenimini veriyordu. Yumuşak şapkasını havalı bir açıyla kel kafasına geçirmişti. Görünüşe bakılırsa Sanny'nin Fransız aksanı diye addettiği ama daha çok Dickens tarzına benzeyen üslubuna "yolculuk" (*peregrination*), farmasötikal ve –favorim olan– müşteri (*clientele*) gibi çok heceli kelimeleri dahil etme eğilimindeydi. Sadece cahil bir insan onun bu dolaylı anlatım tarzına kızabilirdi. Bir bilgi kaynağımı kaybetmiştim ama keyif alacağım birini bulmuştum. Brahms'tan* size haberleri sunmasını beklemezsiniz.

Ben Sanny'yi zevkle dinlerken John Strachan çıkageldi. Elinde ambalajladığı bir tablo vardı. Masadaki beş kişi tablosunu getirmişti. Mhairi ile birlikte Scott'ın anısına tabloyu bana vermeye karar vermişlerdi. Bu düşünceleri hoşuma

---

* Johannes Brahms: Alman besteci, piyanist ve orkestra şefi. (ç.n.)

gitti. Bununla beraber John, Scott'ın eski odasındaki çöp tenekesinde bir kâğıt parçası bulmuş. Odada geriye kalan her şey temizlenmiş. Odanın yeni sahibi son bir çekmecede artakalanları bugün bir torbaya boşaltmış. John'un dediğine göre belgelerin çoğu okul yönetimine aitmiş. John yazılanlara bir anlam verememiş ama bu kâğıt parçası ona kişisel görünmüş. Şöyle bir göz gezdirince neden anlam veremediğini anladım. Tuhaf bir yazıydı. Okunmasını zor kılan şey sadece buruşuk olması değildi.

John ve Sanny'ye birer içki aldım ve ben hazine koleksiyonumu üst kata çıkarırken onları baş başa bıraktım. Tablonun ambalajını açıp resme baktım, kâğıtta yazılanları okudum. Şimdilik bir şey ifade etmiyordu. Üzerinde daha dikkatli çalışmam gerekiyordu. Aşağı indiğimde John Strachan gitmeye hazırlanıyordu. Ona ve Mhairi'ye teşekkür ettim, tekrar görüşebiliriz diye gözünü korkuttum. Sanny Wilson çok uzun dayanacağa benzemiyordu. Kendini kaybetmek üzereydi ve hâlâ çok heceli sözcükler geveliyordu, vazife başında cesurca ölmekte olan bir ukala gibi.

Onu evine kadar götürmeyi teklif ettim. Neyse ki yakınlarda yaşıyordu. Eski bir binanın üst katıydı. İçerisi hüzünlü ve tenhaydı. Yatak odasının lambası yanmıyordu.

"Belki yarın tamir ederim" dedi Sanny.

Ayakta uyukluyordu. Ama iç dünyasını karıştıran itibar içgüdüsü yanlış bir izlenimle beni göndermemeye kararlıydı.

"Ben" dedi aniden, "arkadaşlarla süslenmiş biriyim."

Ayakkabılarını ve ceketini çıkarabildim. Geri kalan giysilerin öylece kalabileceğinde ısrar etti. Onu yatağa yasladım; artık oradan ayrılmaya hazırdım.

"Jack" dedi. "Jack."

Kapıda arkamı döndüm, sokak lambasının içeri sızan ışığında onu gördüm. Şapkası hâlâ başındaydı. Muhteşem, fakat yıkılmaya yüz tutmuş bir vakarı vardı, yarı karanlıkta eliyle belli belirsiz bir papa hareketi yapıyordu, sanki bütün dünyanın günahlarını bağışlar gibi.

"Sen bir beyefendisin" dedi.

"Öyle diyorsan öyleyimdir Sanny. Çünkü sen bu konuda kesinlikle eminsindir. Görüşürüz."

Tekrar konuştuğunda hâlâ kapıdaydım. Sesi çok yorgundu.

"Jack."

Arkamı dönüp baktığımda başını yastığa koydu ve usulca uykuya daldı, nefesi hırıltılıydı. Kapıyı sessizce kapattım. Bushfield'a dönünce salonu pas geçtim. Kimseyle konuşacak havamda değildim.

on dört

Ve şeytan kral mezar odasında oturuyordu. Aşağıda haykıran içkili eğlencenin ona bir etkisi yoktu. Hileci nedimlerden ve aptallık heyetinden vazgeçmişti. Karanlıktı amacı ve düşünceleri derindi. İnsanların sihirli iksir olarak adlandırdığı Antiquary viskisinden yudumlayıp sıvı simyanın, varlığının sınırlarına ulaştığını hissetti, özgürlükle dolan benliği ona bir anlık bilgelik kazandırdı. Ama yeterli değildi.

Kendimi gerçeği bulmaya adamış bir araştırmacı rolünde canlandırabilirdim ama elimde malzeme yoktu. Bushfield salonunun eğlencesinden vazgeçebilirdim. Yukarıda yalnız başıma oturabilirdim. Zihin açıcı olarak viskimi itinayla içebilirdim. Ama hangi tavrı takınırsam takınayım bir otel odasında inatla oturup iki tabloya ve bir kâğıt parçasına bakan şaşkın ve orta yaşlı bir adamdım. John Strachan'ın verdiği kâğıdın en güzel yönü Scott'ın tanıdık el yazısıydı. Üstündeki mesaj oldukça gizemliydi.

"Neye benzediği, gerçekten neye benzediği konusunu düşünmeye zorluyorum kendimi. Demek istediğim küçük şeylerde bile. En basit bir şeyi anlamanın bana ne yapacağını Tanrı bilir. Yaşlandıkça, emin olduğum konular azalıyor.

Demek istediğim, bira içer miydi, güvercin besler miydi, sevdiği bir renk var mıydı, çok küfreder miydi, çok kadın tanır mıydı, bir şeylere inanır mıydı?

Sosyal araştırma yönüm bir süre önce çalışmayı bıraktı. Birçok arkadaşı gücendirdim. Hijyenik bir sohbetin tam ortasında ağzımı açıyorum ve halılarının üstünü lağım pisliği kaplıyor. Bunun onunla çok ilgisi var. Eksantrik bir hobiye dönüştü. Kibrit kutularındaki markaların uzmanı olan banka memuru. El arabası üzerine monografi yazan öğretmen.

O artık sadece kendisi değil, tabii ki. Belki de hiçbir zaman olmadı. Belki her zaman kendinden daha fazlasıydı. Belki o herkestir."

Bu notlar başkasının anlaması için yazılmamıştı. Bir günlüğün giriş kısmıydı ve sadece yazan kişinin anlayacağı bir şifreyle yazılmıştı. Tasalı bir zihnin kendine fısıldaması gibi gizli bir amaçla yazılmıştı. Scott'ın bunları ne zaman yazdığını merak ediyordum. Buruşuk olsa da kâğıt çok eski değildi. Eskimeye bağlı olarak kâğıtta bir renk solması yoktu. "Artık sadece kendisi" ifadesiyle ne demek istediğini düşünüyordum. Bu iki defa ölmeyi mi işaret ediyordu? Her halü kârda yeşil paltolu adamın bir çeşit minimalist biyografisini okuduğuma ikna olmuştum. Eğer Scott onun hakkında hiçbir şey bilmiyorsa, kuşkusuz ben çok daha da azını bilebilirdim.

Tekrar tabloya baktım. Ortadaki adamın yüzü kendine ait olmasa da, o yüz dördünün tabağında yemeğe dönüşmüştü. Sakallar muhtemelen kendini gizlemek için bir metafordu. Diğer dördünün gerçek kimlikleri nereye firar etmişti? Eğer içlerinden birisi Scott ise, diğerleri kimdi? Scott'ın bildiklerini büyük bir ihtimalle onlar da biliyordu, bana hiç anlatmadığı şeyi, belki de hiç kimseye anlatmadığı şeyi, onu ölüme yenik düşüren şeyi... Anlamanın yolu onları bulmaktı.

Tamam, bazı ipuçları vardı ama bunların ne anlama geldiklerini bilmiyordum. Scott olarak değerlendirdiğim figür taçyapraklarında küçük, sade bir yılan kafası olan bir çiçeği sapından tutuyordu. Bir başkasının elindeki dikkat çekici yüzükte oyulmuş bir şekil vardı. Etrafında bir yılanın dolandığı bir sopayı ayırt edebiliyordum. Tıpçıların sembolü olan Asklepios'un asası mıydı? "Doktor, sen kendini iyileştir." Tablodaki adam doktor muydu? Ama yılanın sanki iki başı vardı. Yılanın neden iki başı vardı? Üçüncü adamın elinde ısırılmış bir elma vardı. Dördüncü adamın yakasında bir nişan vardı. Nişan, iki yüzün bir arada olduğu trajedikomedi maskesiydi.

Yılan ve elma Hıristiyan, asa ve maske ise putperestlik öğeleriydi. Bu önemli miydi? Scott ile bir saat geçirmek için neler vermezdim, yalnızca tabloyla ilgili konuşmak için de değil. Onun yokluğunda bir bardak viski daha aldım ve Scott'ın zor doğasının şerefine içtim.

Bana tablodaki diğer adamların kim olduğunu söyleyemeyecekti; ben de kim olduklarını bilmediğime göre takip edebileceğim bir tek yol vardı. Scott'ın sır olarak sakladığı şeylere erişebilecek, bildiğim tek kişi Anna'ydı. Onu bulmak zorundaydım. Nerede olduğunu bilmiyordum ama anne babasının nerede yaşadığını biliyordum. Babasıyla konuşmak kartondan bir siluetle görüşmek gibi olacaktı. Tek ümidim annesiydi. Annesiyle ilgili kimi zaman, gençliklerimiz eşzamanlı olsaydı birbirimiz için çok anlam ifade edeceğimizi düşünürdüm.

Sabah erkenden Kelso'ya hareket edeceğim. Bir şeyi yapmaya karar vermek, sorunun ara çözümünü bulmak gibi hissettiriyordu. Biraz rahatlamıştım. Elbiselerimi çıkardım. İçkimi bitirdim, bardağı yıkadım. Lambayı söndürüp yatağa doğru gittim. Uyku da bastırınca karanlıkta yatağa uzandım, denize açılan birinin uzaklaştıkça sahildeki ışıkların solması gibi aşağıdan gelen şarkı sesleri yavaşça zayıflamaya başladı.

üçüncü bölüm

on beş

Graithnock'tan ayrılırken ani bir yağmur başladı. Uzun sürmedi. Yağmur durduğunda sileceklerin nörotik ısrarı da durağanlaştı, yanımda üzerinde durulmamış bir anıyla iki güzergâhta yolculuk yapıyordum: Arabayla mekân boyutunda, kendimle zaman boyutundaki bir yolculuk.

Başka bir zamanda farklı bir arabayı ve farklı yağmurlu bir günü hatırladım. Yanımda Maddie Harris vardı. Ön ve yan camlar görüşü kapatacak kadar buğulanmıştı, sanki yalnızca paylaştığımız nefesin var olduğu bir dünyaydı. Ben gözlerimi öne doğru dikmiştim. Maddie konuşuyordu. Konuşmamız ona acı veriyordu. Ağzından bizim için ümit ettiği şeyler dökülüyordu, her biri benim öksüz bıraktığım ümitler. Camı silerek küçük bir gözetleme deliği açtım hiçliğe bakmak için. Dışarıda yalnızca yağmur vardı.

"Hayır. Hayır Maddie. Üzgünüm" dedim.

Belleğimdeki kendi sesimden ürperdim. Sert ve acımasız bir sesti, çok ağır çalan bir ses bandı gibi. İçimdeki bir şey, sinemadaki bir çocuk gibi, arabadaki kaygılı adama öğüt vermek, haykırmak istiyordu. Ama sinema filmi duyamazdı ki.

Elini kapıya koyuşunu izledim, onu genellikle izlediğim gibi. Dışarı çıktı ve bana döndü, eli hâlâ kapıdaydı. Arabayı durdurduğum yerin yanındaki parkın ağaçlarındaki ilkbahar yaprakları Maddie'nin arka tarafından görünüyordu. Dünyanın geri kalanı da arka tarafındaydı neticede. Ben ona dünyayı vermekte ısrarlıydım, hayallerini gerçekleştirebilmesi için. Orada durup bana bakıyordu. Islanıyordu. Şemsiyesini açmamıştı. Kapıyı kapatıp yavaş yavaş yürümeye başladı, uzaklaşırken gidişini izlemek için camın buğusunu sildim.

Şemsiyesini açmadı. Doğal gidişattaki bu tekleme, bu alışılmadık durum hiç aklımdan çıkmadı. Onu göndermek değil, gidişindeki vakardı beni utandıran. Ukalalığımın aşağılık bir şey olduğunu bana öğretmişti. Onu sevebilirdim ama hayatımı bu sevgiye adayamazdım. Çocuklarımı riske atamıyorsam, onu neden riske atacaktım ki? Çocuklarımla ilgilenebilirdim. Ama ya Maddie'nin çocukları? Babasız ortalıkta dolaşıp, onun kafasında da reddedilmiş olabilirlerdi. Maddie'nin arkası dönük gidişinden, ilgisiz kalmanın sevmekten veya iyice sevmekten daya iyi olduğunu okuyabiliyordum.

Şimdi gittiğim yere geçmişimin etkisi vardı. Yanımda Maddie'ye, Ena'ya, çocuklarıma ve her zaman olmayı umduğum doğru insana karşı suçluluk duygularım vardı. Bir tür gerçeği bulma teşebbüsüyle yeşil kırlarda ilerliyordum. Ama yolun masumiyetinin, içinden geçen yolcudan dolayı kirlendiğini fark edince bu yeşilliğin vaat ettiği şeyleri boşa çıkardığımı düşündüm. Belki aradığımız bir parça bilgi, sonunda hataya düşmüş insanlığın eline geçince lekelenip gidiyordu. Bir yanlış, gerçeğe nasıl ulaşabilirdi ki? Ben kesinlikle adaleti kovalayan garip bir araştırmacıydım; kirlenmiş intikamcı, paslı kılıcın şövalyesi.

Ama hâlâ dikkatsizce hız yapıyordum, değersizliğimden kaçar gibi. Kendi suçluluk duyguma doğru gidiyordum. Bir başka araba gezintimi hatırladım, Scott'ın ve benim içinde olduğumuz bir araba. Birlikte oynadığımız amatör bir futbol maçından sonra onu evine götürüyordum. Scott'ın takımında bir kişi eksik olduğu için ben Glasgow'dayken oynamak ister miyim diye aramıştı. Gençliğimde iyi futbol oynardım ama o an aradan geçen zamanı unutmuştum. Maçı Ayr'da yaptık; 3'e 2 yenmiştik, benim sayemde değil tabii. Benim tek katkım ikinci yarıda yorgunluktan ölmemeyi başarmaktı. Oyuncuların birkaçıyla kaybettiğimiz teri telafi için Troon'a bira içmeye gittik. Sonra Scott'la akşam yemeği yemek üzere balık alıp, Barassie sahil yoluna gittik. Arabanın camları açık halde oturmuş, yağ bulaşmış kâğıtlardaki balıkları yerken birden kendi sıradanlığıyla çelişen o anlardan biri oldu. Onun nasıl göründüğünü değil aslında nasıl biri olduğunu gördüm.

Görünen yönü, stajyer bir resim öğretmeni olmakla birlikte orta saha oyunculuğu fena olmayan, az önce gösterdiği efordan dolayı yanakları kırmızı, cips ve balık parçalarını parmaklarıyla ağzına atan biri olmasıydı. Gerçekte olduğuysa şaşırtıcı bir şekilde zinde bir genç olması, ne denli yakışıklı olduğunun farkında bile olmaması, gözlerinin, henüz bulamadığı ufukların arayışı içinde parıldamasıydı. Arabanın onu kısıtlayan bir kafes olduğunu görebiliyordum. Bütün istediği ise aslında her şeydi.

Muhtemelen onu etkileyen şey önümüzde uçsuz bucaksız enginliğiyle bizi hafife alan denizdi. O anda esinlendiği olasılıkları, yapmak istediği şeyleri büyük bir tutkuyla anlatıyordu ve onları asla yapamayacağı kaygısını da yaşıyordu.

O zaman henüz yirmi iki yaşında ve Anna ile evliliğinin arifesindeydi. Resim yapmak istiyordu. Yurtdışında yaşama planları vardı. Bu konuyu Anna'yla tartışmış, önce biraz para biriktirip ondan sonra gitmeyi kararlaştırmışlardı. Her nereye giderlerse orada öğretmenlik yapacak ve resim sehpasını koyacak bir alan edinecekti. Anna da her yerde İngilizce öğretebilirdi. Çocukları dünya vatandaşı İskoçlar olacaktı. Anna'nın hamile kalması durumunda bir süreliğine İskoçya'ya döneceklerini anlattığını net bir şekilde anımsıyordum. Nerede yaşarlarsa yaşasınlar çocukları burada doğmalıydı. Henüz keşfedilmemiş bir ütopyadaki evlerinin telefon numarasını veren masum bir hayalperest gibi görünüyordu. Bana anlatırken gözlerinde uzak bir endişe vardı, sanki gelecekte yalnız yaşamaya mahkûm olmaktan korkuyordu. Kendisine eşlik edecek biri, olması gereken bir hayaldi. Korkusunda haklıydı. Evlendikten sonra Anna'nın gelecekleri hakkında düşüncesi zamanla değişti. Anna'nın durumlarından emin olmak için gitgide daha çok zamana ihtiyacı olunca gelecek için plan yapacak zamanları kalmamıştı. Bütün bildiğim bu konuda Anna'nın haklı olduğuydu. Scott'ın planlarındaki cazibe, herkesin planlarında olduğu gibi, idealizmin imkânsızlık simetrisinde kurulmuştu. Belki aralarındaki şeyler o kadar değişti ki öngördükleri geleceğin gerçekleşmesi mümkün değildi, çünkü o planları yapan kişiler değillerdi artık. Ama bilemiyordum. Anna'yı suçlayamazdım.

Ama kendimi suçlayabilirdim. Arabada yanımda oturuşunu hatırlıyorum, arkasındaki gri sular sonu olmayan serap gücüyle hareket ediyordu, sanırım onu yüzüstü bırakan bendim. Onun için yapabileceğim bir şey yoktu tabii ki, ama orada apaçık görünen gerginliğine daha az kayıtsız kalabilirdim. Son derece sahte bir bilge olan büyük kardeşin verdiği tepki, neredeyse "Her şey kendiliğinden çözülür evlat" gibi kendine özgüydü. Sanırım genellikle olduğu gibi, o zaman da kendi sorunlarımla dopdoluydum.

İlişkimizi kuşatan o zamana geri döndüm: Neredeyse tamamen kırılgan olan idealizmimizin, bazı hayatta kalma kurallarını öğrenen idealizmle bağlantı kurmaya çalıştığı zamanlar. Ben de onun gibi masumane yola koyulmuştum. İkimizin büyüdüğü evde, insanlarla ilgili en iyi şeylere inanma öğretildi bize. Sen elindekini dünyaya verirsin, dünya da onu sana geri verir. Ama çevrende, verebileceğini verince, cebine elini sokup bir şey kaldı mı diye bakacak çok insan olduğunu çabuk öğrenmem gerekmişti. Büyük bir öfkeyle nefret etmiştim bu durumdan. Başkalarının sevgisi insana bir armağandı, çalınacak bir şey değil. Sadece zorla alınmayanı verebilirdiniz.

Onun için cömertlik duyguma hayata küsmeden yaşamayı öğretmeye çalıştım. Eğer ben veriyorsam alabilirsin. Ama benden habersiz alma. Verme hakkımı benden önce kullanma. Scott o zaman daha öğrenememişti. Hiçbir zaman öğrendiğini de sanmıyorum. O gün Barassie'de kırılganlığını ortada bırakmıştım. Kendisini korumayı öğretmemiştim. Belki de değişmesini istemiyordum, kendimi beğenmekten daha çok onu beğeniyordum. Benim bir zamanlar olduğum gibiydi, öyle kalmayı dilerdim. Hayatının katışıksız aleniyetini severdim. Ama bu hayranlık sevdiklerimizin bedel ödeyeceği bir lüks olabilir. Biz bir sığınakta oturup onları alkışlarken, onlar deneyim rüzgârlarına katlanmak için açıkta kalabilir. Muhtemelen ben de onu böyle bir durumda bıraktım.

Selkirk yolunda Moffat'a doğru geliyordum. Ne zaman sınıra yaklaşsam Selkirk'ten geçmek isterim. Genellikle orada kalmam ama içinden geçmek hoşuma gider. Orası doğduğum yer. Annenizi ziyaret etmeniz gerekir. Nereden geldiğinizi unutursanız, nereye gideceğinizi bilemezsiniz.

O küçük ve zorlu yere, Etrick'ten aşağı esen rüzgârın sizi ölesiye iliklerinize kadar dondurduğu yere yaklaşırken Scott'la paylaştığımız idealizmin kaynağına yaklaşıyordum. Babamı, annemi düşündüm.

Babam iriyarı, esmer, düşünceli ve ilkeli bir adamdı. Çok az şey onu hoşnut ederdi. Doğasının sınırlarında büyük bir nezaket vardı ama merkezi çok kasvetliydi. Girişin çevresi çiçeklerle kaplı bir mağaraydı. Sınırların kendisinden hoşnut olmadığı bir sınır sakiniydi. İskoçluğun en zayıfladığı ve artık İngilizliğin başladığı yerde hissediyordu, kendi olma duygusunu kaybedip bilinmezliğe bulanmıştı. Bir keresinde bana, "Silahların yapamadığını, ticaret ve para yaptı" demişti.

Kelso kasabası babamın özel nefretine maruz kalmıştı. Orası için "Kek ve çay kadar İskoç bir yer" derdi.

Fabrikalarda çalışan babam, evimizi Selkirk'ten Hawick'e oradan da Graithnock'a taşımıştı. Belki işi gereğiydi. Belki İskoçya'yı arıyordu. Ama kesinlikle asla bulamayacağı bir şeyin, insanların birbirlerine karşı davranışlarının kendisinin inandığı gibi olduğu bir yerin peşindeydi. Cimri insanlar onu ölünceye kadar öfkelendirmişti. Dünya onun için şartnamesine uymayan, rahat bir şekilde yerleşemediği kiralık bir oda gibiydi.

Annem ondan daha sıcak bir insandı. Gençliğinde güzelliği dillere destan olan annemin bu özelliği ölümüne yakın bir zamana kadar değişmemişti. Yabancıları iyi niyetli olmaya hazırlayan bir haberci gibi, çekicilik de insanın eş dost edinmesini kolaylaştıran bir özelliktir, benim annem de tadını çıkardığı masum bir kendini beğenmişliği erken yaşlarda edinmişti. İnsanların ona karşı kibarlığı onun da babam gibi kendine özgü bir idealist olmasına neden olmuştu. İnsanların herkese kendisine davrandıkları gibi davrandığı düşüncesindeydi. Herkesin insanların en iyileri gibi olduğunu düşünürdü.

Annem ve babam, Scott ile beni normal dünyaya çok da iyi hazırlamamışlardı. Hayatının sonlarına doğru Scott için endişelenen annemin bana şöyle dediğini anımsıyorum, "Belki ben ve baban siz ikinize bazı insanların nasıl olabileceklerini söylemeliydik. Ama doğrusu ben de bilmiyordum." Sanırım daha önceden varlığından habersiz olduğu insanlardaki kötülük duygusunu esas olarak Scott'ın karşılaştığı sorunlar penceresinden fark etmeye başlamıştı.

Uzun bir mesafede olmayan Selkirk'e doğru arabayı sürerken bize bıraktıkları bu miras için ikisini suçluyordum. Duygusal çocukları zorlu ideallerle donatmak onları büyük bir suçluluk duygusu fabrikasına dönüştürür. Scott'a ne olduğuna bakın, başarısızlık duygusunun acısı ona neler yaptı. Ne yaptıklarının farkında değiller miydi? Babamın on dört yaşındayken Scott'ı bir kenara çekip sert biri olması gerektiğini, aksi takdirde hayatın onu yaralayacağı konusunda ders verdiğini düşündüm. Ne demek istediğini anlamıştım. Bir ergen olan Scott, herkesin acısını hisseden biriydi. Ama babamın beklentisi neydi? Vicdanımızı yumuşatmak için yıllarını harcamış, sonra da hayatın neden bizi incittiğini merak etmeye başlamıştı.

Kelso yoluna girince iyilikle dolup pişmanlık duyarak ebeveynlerimi affettim. İnandıkları değerlere ve birbirlerine dürüst kalmışlardı; hatta bazen babamın durumunu düşününce belki de tehlikeli derecede dürüst yaşadığı sonucuna varıyordum. Annem iki göğüs ameliyatından sonra kanserden ölmüştü, kadınlığını kaybettiğini hissettiren ameliyatlar onu hayata karşı yormuştu. Ondan sonra babam dört yıl daha yaşadı. Şeker hastası olmuş, pankreası kronik hasar görmüştü. Ölü bulunduğunda, son dört yıl yaşam tarzına dikkat etmemesi sonucu biriken rahatsızlıklardan dolayı, ölümünün bir tür gizli intihar olup olmadığını merak ediyordum. Scott'ın ölüm şeklini düşününce bu düşüncem biraz daha güçlendi. Ruh harakirisi belki de ailede olan bir şeydi.

Bize verdikleri şeyin o kadar da kötü olmadığında karar kıldım. Suçluluk hissetmeyen kimse var mı ki? Bizim suçluluğumuzda insanlığımız vardı. Aile vicdanının yaşayan tek varisi olarak suçumuzu kabul etmenin başkalarını aklamak olmaması gerektiğine kanaat getirdim. Öyle tek bir günah keçisi olmaz. Herkes paylaşmalı.

Kelso'ya vardığımda suçu paylaşacak birilerini arıyordum. Kasabanın etkileyici güzelliği amacım açısından pek ümit vermiyordu. Parıldayan masum güneş ışığının tadını çıkarmakla meşguldü. Ama bu durum beni çok rahatsız etmedi. Çünkü masumiyet genellikle saklanan suçun kendisidir.

on altı

Martin ve Alice Kerr evde değillerdi. Oturdukları bungalov iyi beslenmiş bir kedi gibi, halinden memnun, öylece duruyordu. Çimenler sanki yeni kırpılmış gibi görünüyordu. Pencereden bakan bir komşu beni onların olduğu yere yönlendirdi.

Dokuz kuka oynanan çim saha insan doluydu. Sahanın çevresindeki tahta oturaklardan birine oturdum. Günün bu saatinde gençler oyuna katılmamıştı. Oyun oynayan yaşlıları izliyordum. Güzel bir görüntüydü. Eğer yaşlılık buysa yaşlanmak için elimi çabuk tutmalıydım. Sigara içmedim.

Bakımı iyi yapılmış yeşil sahada, düzenli ve bakımlı insanlar hareket halindeydi. Renkler çoğunlukla pastel tonlardı; pembe, mavi ve gri. Hareketleri aceleci değildi. Her atıştan sonra, yüzlerinde dalgın bir tatminkârlık veya şaşkınlık ifadesi beliriyordu, aynaya yansıyacak kadar yoğun olmayan bir duygu ifadesi. Herkes sessizdi. Güldüklerinde sesleri başka bir zamandan yankılanıyor gibiydi. Labutların rastgele birbirine çarparak devrilmesi huzur veriyordu. Erkekler ve kadınlar bir uçtan diğerine gidip geliyorlardı, bir sabahı ölçercesine, kum saatindeki kumlar gibi bir tarafta yığılıyorlardı.

Grubun içinde Martin ve Alice'i görünce bir an oradan ayrılmayı arzuladım. Kel, esmer ve güler yüzlü bir adam ile sanki dişiliği mahzende yıllanarak henüz olgunlaşmış, çekici yuvarlak hatlara sahip gri saçlı kadından oluşan bir başka çift ile birlikte oynuyorlardı. Kendi oyunlarıyla o kadar mutlu bir meşguliyet içindeydiler ki onları rahatsız ederim endişesine kapıldım. Bugün bu berrak, aydın havada oynuyor olmaları, Martin ve Alice'in kendi yaşantılarıyla hak ettikleri bir güzellikti. Benim şahsi bulutumu kendileriyle güneşin arasına sokmak gibi bir zorunlulukları yoktu.

Bununla birlikte, yaşlılar da çocuklar gibi bizi savunmasız bırakırken kendi kullanışlı saldırı donanımlarını muhafaza ederler. Ben yaşın bir insanda farklı bir karakter oluşturduğuna şahit olmadım. Yaşlılar genellikle eskiden oldukları kişilerdir, bir farkla: Bunu ifade edecek daha az enerjileri vardır. Yaşlılığın doğruluğu, çoğunlukla kifayetsizliğin giymekten hoşlandığı süslü elbisedir.

Martin ve Alice'i izliyordum. Birliktelikleri bir sigorta poliçesi reklamındaki kadar sıcacık görünüyordu. Ama geçmişte onlara bugünün rahatlığını kazandıran sigorta poliçesinin şartlarıyla ilgili bildiğim bir şey vardı. Martin eskiden inşaat müteahhitliği yapmış ve birçok belediye meclis üyesi arkadaşı varmış. Dediklerine göre hayatının bu iki yönü birbirinden çok da ayrı değilmiş. İhalelerin verilen tekliflere göre değil de politik nüfuz ile kazanıldığına dair söylentiler vardı. Söylentilerin aslını bilmiyordum ama Martin'i tanıyan biri olarak eğer söylentiler kurguysa çok gerçekçi bir tarzda kurgulanmış olmalıydı, zira çok ikna ediciydiler.

Martin güler yüzlü acımasızlardan biriydi. Bencillik ve vurdumduymazlık onun doğasını öyle etkili bir şekilde kaplamıştı ki bu özellikler bir tür kibarlık olarak kendini gösteriyordu. Sesini asla yükseltmezdi çünkü buna ihtiyaç duyacak kadar kendinden şüphe duymazdı. Kendi görüşlerinin aksini şiddetle savunan birini çok sakin bir tavırla dinleyebilirdi çünkü onları ciddiye almazdı. Geleneksel sevgi görüntüsünü çok rahat sergileyebilirdi çünkü bu görüntünün altında görüntünün kendisiyle çelişecek kişisel bir içerik yoktu. Deneyimlerime dayanarak onun, davranışlarını ciddi insan ilişkilerini kolaylaştırmak için değil engellemek için kullanan üzüntü verecek derecede büyük bir türe ait olduğunu görebiliyordum. Hayatla haşir neşir oldukları takdirde kontrol edemeyecekleri bir şey peydahlanır endişesiyle, hayatlarını duygusal bir kondom içinde yaşıyorlardı. En önemlisi, çevrelerindeki insanların hayatlarını sterilize edebilme yöntemlerinden nefret ederdim.

Alice'e de böyle davrandığına dair bir hissiyatım vardı. Onu çok severdim. Onların ilişkisiyle ilgili sezgilerim Scott ve Anna'nın düğünü, birkaç aile buluşması ve Scott ile Anna'dan duyduklarıma dayanıyordu. Dayanağım çok kapsamlı değildi ama sağlamdı. Bir vakumu analiz etmek ne kadar sürer ki?

Martin'in irdelenmemiş davranışlarındaki soğuk katılığı, Alice'in, su hendeğiyle çevrilmiş kalede kapana kısılmış bir kız gibi özlem içindeki halini görmüş, bunları aşamayışını fark etmiştim. Onun yanında bulunmaktan hep hoşlanmışımdır. Sıcak ve içten bir insandı. Ama Martin'in varlığı onun doğallığının üstüne çöken bir karabasan gibiydi. Onun durumunu daha iyi fark etmeme neden olan şey Scott ile ilgili olarak endişelenmemdi. Anna'nın ebeveynlerinin ilişkisinin ters bir görüntüsünün Anna'nın kardeşimle evliliğine yansıma potansiyelini görmüştüm. Scott, Alice gibi içtense Anna da babasının kızıydı. Bencillik, gidilecek hangi yerin güvenli olduğunu söyleyen bir muhafız gibi onu her yerde takip ediyordu. Onun hesaplarının Scott'ın tez canlılığına her zaman üstünlük sağlayacağından korkardım.

Oturduğum yerden onları izlerken pazartesi Glasgow'dan ayrılmadan önce Jan'a söylediğim bir şeyi hatırladım. Neden en iyilerimiz kendilerini harcarken en kötülerimizin yıldızı parlar? Bu soru için bir ipucu buldum sanırım. Alice ve Scott gibi büyük bir potansiyele sahip insanların neden daha geçimsiz oldukları ve açık bir şekilde Martin ve Anna gibilerden daha az başarılı olduğu konusunda bir sebep aklıma geldi. Hayatı sevenler risk alırken, sevmeyenler sigorta yapar. Ama bunun kabul edilebilir olduğunu düşündüm. Çünkü hayat kendini sevenlere, kendilerini onu yaşayarak harcamaları imkânını vererek karşılık verir. Onu sevmekte başarısız olanların ise gereksiz şeyleri itinayla biriktirip büyümelerine kurnazca izin verir. Yaşamda çok kaybederek kazanır, az kazanarak kaybedersiniz.

Ama görkemin gözle görülür olması zorunlu değildir. Scott'ta gördüğüm büyük bir ruh, Alice'te gördüğüm ise endamıydı. Kocası başarının görünen yüzü olabilir ama cevherin sahibi oydu. Kırılganlığı, hayatın halen onu şaşırtabileceği anlamına geliyor, unutulmayacak anlar yaşatabilecek, gerçekleştirilememiş rüyaların büyüyebileceği bir alan sağlıyordu. Birinin insaniyetinin ölçüsü kişiliği ölçüsündedir. Martin'i bu mesafeden ayırt edebildiğim için şaşkındım.

Karşıya baktığını gördüm ve sonra bir daha baktı. Diğerlerine bir şey söylemedi gibi görünüyordu. Oynamaya devam ediyordu. Birkaç dakika sonra Alice beni fark etti. Yeşil sahayı öylece geçip bana doğru yürürken yana dönüp diğerlerine bir şeyler söyledi. O iki içgüdüsel davranıştaki fark, iki farklı karakterle ilgili düşüncemi tanımlanıyordu.

"Jack, Jack" dedi ben ayağa kalkarken. Kucaklaştık. "Seni orada görünce bir hayalet görüyorum sandım. Bana o kadar Scott'ı hatırlatıyorsun ki. Zavallı Scott. Dinle. Cenaze töreni için özür dilerim."

Martin ile beraber törene katılmışlardı ama Anna ile birlikte ayrılmışlardı, etraflıca konuşacak bir fırsatımız olmamıştı.

"O gün Anna'nın istediği gibi hareket etmek durumundaydık. Sanırım o gün başa çıkamayacaktı."

Yerime oturdum, o da yanıma oturdu.

"Oyununu bitirsen iyi olacak" dedim.

"Oyunun canı cehenneme" dedi. "Zaten son oyundu. Bensiz de bitirebilirler. Üstün kabiliyetimin eksikliğini hissedeceklerini zannetmiyorum. Zavallı Scott. Olanlara inanamıyorum. Onu sık sık düşünüyorum. Sen nasıl baş edebiliyorsun?"

"Eh işte" dedim. "Seni görmek güzel, Alice. İyi görünüyorsun."

Diğerleri de oyunu bıraktılar. Martin bize doğru geliyordu.

"Peki, ama burada ne yapıyorsun?" dedi. "Seni orada görünce inanamadım."

"Anna'ya bakıyordum." dedim.

"Anna burada değil." dedi Martin.

Tokalaşması bir hoş geldin değildi. Resmi bir muhalefet beyanıydı. Selamlaşmayı uzun sürecek bir psikolojik karşılaşma takip edecekti. Bana herhangi bir bilgi vermese o kazanacaktı. Anna'nın nerede olduğunu bulursam ben kazanacaktım. Görünüşe göre diğer çift onun tarafını tutuyordu.

"Kusura bakma ama zamanımız yok" dedi Martin. "Bert ve Jenny ile öğle yemeğine çıkacağız."

Görünüşe göre Alice benim tarafımdaydı.

"Jack bizimle gelebilir" dedi. "Değil mi, Jack?"

Tabii ki gidebilirdim. Bu hareketi hoşuma gitmişti. Martin'e karşı ağırlığını koymuştu. Martin'in tek ağırlığı ise kibarlığıydı. Ednam'da yer ayırtmışlardı. Onlar ceketlerini alıp ayakkabılarını değiştirmek için kulüp binasına gidince ben arabaya binip yemek yiyeceğimiz restorana doğru sürdüm.

Ednam bir restorandı: Babamın Kelso'ya karşı hislerinin bir abidesi. Ben onları holde beklerken, bizim ihtiyarın hayaleti benimle oturmuş, "Ne demek istediğimi anladın mı?" diyordu. Görüyordum, görüyordum. Limonlu sodamı yudumlarken eski okul kravatları gibi İngiltere'ye özgü sesler ve şaşırtıcı ölçüde zengin İskoçyalılık çorbasının sesli harflerinden süzülerek incecik un çorbasına dönüşen yerel sesler duyuyordum. Konuşmaların çoğu atlarla ilgiliydi. Bugün Floors Castle'da bir şeyler oluyordu, belki de bir at yarışı. Nereden geldiğim konusunda hep başımı ağrıtan bir şey hatırladım. Sınırları atların yeri olarak düşünmeye meyilliydim. Atları severim, özellikle üzerlerinde Pat Eddery veya Steve Cauthen varken. Ama onları putlaştırmayı daha doğmadan önce bırakmıştım. Onların yüceltilmesi fikri hoşuma gitmiyordu. Belki kabile geçmişinden kalan bir hafızadır. Eminim atalarım yayan bir halde süvarilerle savaşmak zorunda kalmıştır. Ve belki ben yüreğimde halen onlarla savaşıyordum.

Yakınımda oturan dört kişi bildik bir tarzda kraliyet ailesini tartışıyorlardı. İnsanlar bunu nasıl yapar? Kim olduklarını kim biliyor ki? Onlar kendilerinin kim olduğunu biliyorlar mı? Bu Kral Lear sendromu. Nasıl olur da karşınızda eğilen veya reverans yapan insanların ne düşündüklerini anlamaya çalışırsınız? Diğer insanların gözü olan varlık aynasını sis kaplar.

Birlikte yemek yiyeceğim kişiler de geldi; Alice dışındakiler ortama mükemmel bir şekilde uyuyorlardı. Bert boşanmıştı, Jenny dul kalmıştı. Tanışalı sadece altı ay olmuştu ve yazın evleneceklerdi. Yeterince iyi insanlardı ama balayına biraz erken başlamış gibiydiler. Dünyanın geri kalanının biraz tuhaf ve ilgisiz bulunduğu, bastırılmış kıkırdama ve gizli gülüşmelerin ortaya çıktığı, ilişkinin komplocu olduğu aşamadaydılar. Eğer Martin böylesine aleni olarak onları tiye almasaydı hayatlarının bu ikinci baharında sevimli görünebilirlerdi.

"Peki ya bu ikisine ne demeli?" diye sorup duruyordu. "Var bunlarda bir şey!"

Alice ve ben Martin'le aynı fikirdeydik. Bert ve Jenny birbirlerine bakıp gülüyorlardı. Martin de kendi kendisiyle aynı fikirdeydi. Ama kimse onlarda olan şeyi belirtmedi. Yemek ilerledikçe onlarda var olan şeyle ilgili teorilerim bulanmaya meyletti. Martin, ziyaretimin üzücü nedeni ve Scott'ın ölümüyle ilgili konuşmama fırsat vermemek için elinden geleni yapıyordu. Bu konuları o anda konuşmam, cenaze arabasıyla gelip, gelini düğüne götürmek gibi hissettirirdi. Alice ile ne zaman ciddi bir konuya girecek olsak, Martin hemen bizi, Jenny'nin bir çatal dolusu somon balığını Bert'e vermesini veya Bert'in Jenny'ye kuzu etinden tattırmasını takdir etmeye davet ediyordu.

Uzun süre dışlandığımı hissedince ben de etraftaki masalarda konuşulanlara yoğunlaştım. Pek bir işe yaramadı. Konuşmaların çoğu aynı temanın değişik varyasyonları gibi geliyordu. Bert ve Jenny almak istedikleri muhteşem ev hakkında konuşuyorlardı, biz de kulak misafiri oluyorduk, yakınlarda oturan bir genç ise üç yıl daha aynı şekilde tasarruf yapmaya devam ederse bir Porsche alabileceğini anlatıyordu. Farklı diyalogların temelinde de tıpkı bir orkestranın aynı müziği, muhtemelen "Ümit ve Görkem Ülkesi", çalmak üzere ayarlanmasına benzer bir uyum vardı.

Kahve gel sen de, artık canıma tak etmişti. Yanıma gerekli bilgiyi alarak buradan çıkmak için nazik bir yol bulmak istiyordum.

"Evet" dedim. Bert ve Jenny'ye bakarak, "Sizinle tanıştığıma memnun oldum. Şimdi gitmem lazım. Ama bakın. Hesabı ben ödeyeceğim. Bir tür nişan hediyesi olarak kabul edin."

Nezaketli bir tereddüt yaşadılar. Ama Martin bu fikrimi beğenmişti. Muhtemelen bu arkadaşlarına benim tamamen yontulmamış bir tip olmadığımı gösteriyordu. Onları zaten çok cezp etmediğim kesindi. Martin artık gardını düşürdüğü için ben söyleyeceğimi söyledim.

"Bugün Anna ile görüşmek istiyordum. Yakınlarda mı yaşıyor?"

Martin Alice'e baktı.

"Jack" dedi. "Anna kendini toparlamaya çalışıyor."

"Martin" dedim, "ben de öyle."

"Peki, amacın ne?"

"Olanları anlamaya çalışmam gerekiyor."

"Anna'nın bildiğinden süpheliyim."

"Benden daha çok şey bildiği kesin."

"Belki de eski defterleri kapatmalıyız."

"Martin eğer bir yol uyarı tabelasına ihtiyacım olsaydı, buraya kadar sürmeme gerek kalmadan bir tane bulurdum" dedim.

"Edingburgh'te" dedi Alice. "O, Jack'in kardeşiydi. Bir ay oldu öleli. Bu konuda konuşmaya ihtiyacı var."

Bana adresi verdi.

"Bir apartman dairesi" dedi.

"Teşekkürler" dedim.

Diğerleriyle tokalaştım, Alice ile öpüştük. Ben garsonla hesabı konuşurken Alice masadan ayrılıp yanıma geldi.

"Jack" dedi. "Bir şey daha var. David Ewart denen adamı tanıyor musun?"

Neredeyse her ismi daha önce duyduğunu belli belirsiz hissedenlerden biriydim. Zihnimdeki bilgisayarı gözden geçirdim ama bir şey bulamadım.

"Burada yaşıyor. Kelso'da. Çömlekçilik yapıyor."

"Kelso Çömlekçilik mi?"

"Hayır. O eskiden beri olan bir yer. Bu başka bir yer. Çok yeni."

Bana nerede olduğunu anlattı.

"Bir hafta önce sokakta karşılaştık onunla. Gençliklerinde Anna'yla çok yakından tanışıyorlarmış. Ona Scott'ın ölümünü anlattım. Öğrenciyken Scott ile tanıştıklarını söyledi. Sanırım ikisi de öğrenciyken. Çok etkilenmişe benziyordu. Senin tam olarak ne yaptığını bilmiyorum. Ama galiba Scott'ın sendeki imajını açığa çıkarmak istiyorsun. Böylece olanlara katlanabileceksin. Sanırım benim yaptığım da bu. David Ewart'la konuşmanın yardımı dokunabilir."

"Alice" dedim. "Sana her zaman inanmışımdır."

"Ben de öyle. Bazen."

O masaya geri döndü ben de garsona hesabı ödedim. Masaya bir şişe şampanya götürmesini söyledim. Başkalarının mutluluğunu yeterince takdir etmediğim için suçluluk hissediyordum sanırım. Ama onları neyi kutlamaya davet ettiğimden de emin olmadığımı itiraf etmeliyim.

Çünkü orada olmaktan hoşlanmamıştım. Çömlekçiyi ararken, aklıma gelen bir cümle bunu anlamama yardımcı oldu: Görgüsüz çokbilmişler, diğer insanların varlıklarını hayatlarından çöp gibi fırlatıp atarlar. Davranışları o kadar üstünkörü, kendinden emin ve otomatik oluyor ki yaşam için gerekli saflığı kaybediyorlar. Böylece her şeyi yiyor ama hiçbir tat alamıyorlar.

Çömlekçi dükkânı bu tür duygulara karşı bir sığınak gibiydi benim için. Loş mekân, üstünde el yapımı eşyalar bulunan raflarla donatılmıştı: Çanaklar, kâseler, süs eşyaları ve küllükler. Burada her kim çalışıyorsa, hayat ile basit, günlük bir sözleşme imzalamıştır. Etrafta dolandım. Arka taraftan bir kadın çıkageldi. Üstünde önlük, ayaklarında terlik vardı. Saçları dağınıktı. Bana gülümsedi, kasanın arkasına geçip beklemeye başladı. Yeşil bir küllük seçip yanına gittim. Tekrar gülümsedi.

"Tatilde misiniz?" dedi.

"Hayır. Birilerini ziyaret ettim. Ve bana burayı tarif ettiler." Para üstünü verdi.

"İnsanların bizden söz etmeye başladıklarını bilmek güzel."

"Aslına bakarsan David Ewart'ı soracaktım. Burada mı çalışıyor?"

"Kocam oluyor kendisi."

"Kendisiyle konuşmam mümkün mü?"

"David!"

Bazen sıradan şeylerden ilginç gerçekler ortaya çıkar. Öylesine sıradan bir konuşma yaparsınız ve bu konuşma anlaşılmaz bir biçimde, hayatınızın sonuna kadar sizin için önemini koruyacak bir mesajı açığa çıkaran bir parolaya dönüşür. Mesajı getiren habercinin özenle giyinmiş olmasına da gerek yoktur.

David Ewart'ın üstünde kot pantolon, süveter ve ayaklarında sandallar vardı. Uzun boyluydu, saçları sakallarıyla birleşmeye karar vermişti. Göz çevresi mordu ve gözleri bu mor rengin içinden mağara adamı gibi bakıyordu. Kendimi tanıttım ve o da eşi Marion'u benimle tanıştırdıktan sonra beni atölyesine götürdü. Üç fincan kahve hazırladı. Kahvelerin bir tanesini dükkânın ön tarafında duran eşine götürdü. İkimiz taburelerin üstüne oturup konuşmaya başladık.

Bana bir hikâye anlattı, ben de ona teşekkür ettim, her ikisiyle vedalaştım ve küllüğümü alıp oradan ayrıldım. Edinburgh'e doğru arabayı sürerken, Anna'nın nerede yaşadığını öğrenmek için Kelso'ya yaptığım gezinin bana tamamen farklı ve çok daha değerli bir kazanım sağladığını düşünüyordum. Bu, Ednam'daki sıkıcı yemeğe değmişti. Sabrın sonu selamettir.

Çünkü bir şekilde yeşil paltolu adamın bulunduğu yerin giriş salonuna girdiğime inanıyordum.

on yedi

David Ewart on sekiz yaşındayken Glasgow'a bir seyahat yapmış. Muhtemelen şehre üçüncü gidişiymiş. Ama bir başına olarak kesinlikle ilk gidişiymiş. Her şeye hayran kalmış. "On sekizinde olabilirdim ama önümde büyük umutlar bağladığım yıllarım vardı. Benim için Kelso'dan Glasgow'a yapılan yolculuk Semerkant'a giden altın yol gibiydi. Orada beni neler bekliyordu?"

Park Road'daki bir evin adresi vardı yanında. Cebindeki adres yeni hayatının vizesi gibiydi. Adresi büyükçe bir kâğıda Anna Kerr yazmış, o da dikkatle katlamıştı. Anna, onun geleceğini haber vermek için önceden telefon da açmıştı. Scott Laidlaw adında biriyle konuşmuştu. Anna telefon açtığında David Ewart yanındaymış. Scott Laidlaw'ı iyi tanıyormuş gibi davranan Anna'nın telefondaki konuşma tarzı onu çok da iyi tanımadığının ama onu tanımaya hevesli olduğunun göstergesiymiş. Zoraki bir samimiyet varmış tutumunda.

Elindeki kâğıt Scott Laidlaw ve diğer üç arkadaşının birlikte yaşadığı yerin adresiymiş. Dairede yaz boyunca da kalmışlar; şimdi yeni akademik yıl başlayacağından taşınıyorlarmış. David Ewart'ın yeni başladığı yolculuğu onlar bitirmek üzereymiş. Glasgow Sanat Okulu'na gideceğinden, daireye kendisi ve diğer üç arkadaşı için bakmaya gelmiş. Dördü adına karar verecek kişi olması kendisini önemli hissettirmiş. Tren istasyonundan yürümeye karar vermiş. Park Road'un nerede olduğunu bilmiyormuş ama aydınlık bir eylül günüymüş ve taksinin ne kadar tutacağından veya taksi şoförünün Park Road'ı bilip bilemeyeceğinden emin olamamış. Ayrıca şehirde yürümek de bir maceraymış.

"Üç şeyi çabuk öğrendim. İlki, bir mimarın ne denli özgüvenli olabileceğiydi. Yani yaşlı Glasgow'un yüzünü gerdirmesinden öncesini kastediyorum. Ama büyük, koyu renkli o binaları severdim. 'Hikâyeleri bilen biziz' diyorlardı sanki. Kuşkusuz o binaları inşa edenler kim olduklarını biliyorlardı. İkincisi oranın enerjisiydi. Nabzım hızlanıyordu. Bir jeneratöre bağlanmış gibi. Üçüncüsü ise insanlardı. Şehirlerin anonim olacağını düşünüyordum ama yönümü bulmak için durdurduğum herkes anında benimle bağlantı kuruyordu. Kimse umursamaz bir tavırla konuşmuyordu. Bir kısmı bir uzay gemisinden inmişim gibi bakmış da olabilir. Ama sonuçta bana bakıyorlardı. "Tanrım, gideceğin yerden oldukça uzaktasın evlat." "Park Road mu? Dostum yürüme mesafesi değil orası. Oraya bir uçak rezervasyonu yapman lazım." İlk konuşmada sevgiydi bu. Üç farklı kişi benim için gittikleri yolu değiştirdiler. Kendi bölgelerinde yabancılara eşlik eden yerli izciler gibiydiler. Ben emekli olunca görürsün. Süreci tersine döndürmeyi umuyorum. Çalıştığım yer burası. Ama bir düşüncem var. Eğer Marion'u benimle gelmeye ikna edebilirsem. Son nefesimi Glasgow'da vermek. İnsani gürültü içinde ölmek."

Gideceği adresi bulunca yorgunluk ve heyecandan hafif terlemiştir, yeni yerler ve canlı yüzlerle kendinden geçmiştir. Kendini bir kâşif gibi hisseder. Binanın en üst katına çıkar. Baktığı kapının ardında daha ne gibi keşifler bekliyordur?

Tuhaflıkları konusunda bir gözdağı verirler sanki. Kapının üstündeki levhaya raptiye kullanarak güzel bir yazıyla bir not düşmüşler: "Acı Gerçekler Burada Sınırsız. Kapıyı Çal ve Yaylan." Tereddütte kalmış. Kapıyı çalıp beklemiş. Kapı aralıkmış.

Boğuk bir sesin "İçeri gel!" dediğini duyduğunu zannetmiş ama emin olamamış. Tekrar kapıyı çalmış. Bu defa sesin sahibi kükremiş.

"Entrez. Avanti. Kommen sie in. Entrada. Anla artık. Lanet olası gir içeri artık."

O da girmiş. İlk izlenimi bir koku olmuş. Yağlıboya kokusuymuş. Loş salonda bir sürü tuval istifliymiş. Tuval istiflerini yavaşça aşıp oturma odasının kapısından bakmış. Gördüğü manzaranın etkisinde kalmış: "Yaşamak istediğim yerin bir resmi gibiydi. Bir şekilde olmak istediğim yere bakıyordum."

Güneş ışığı pencereden zemine yansıyordu. Oda pejmürdeydi ve pek de zevkli döşenmemişti ama etkisi hüzünlüydü. Ona göre içinden geçen bilinmeyen hayatların eve kazandırdığı romantik bir asalet vardı. Odada duvara yaslanmış tablo yığınları, zeminde de kitap yığınları vardı. Sırtı oturma odasına dönük genç bir adam oturuyordu, yana doğru yaslanmış camdan, profili görünüyordu. Çarpıcı bir görüntüydü. Bir kitabın sayfalarını karıştırıyordu. Karşısında çekici bir kız oturmuş, tavana doğru bakıyordu. Gözleri kapalıydı. David Ewart'ın varlığından ikisi de habersiz görünüyormuş. Bundan da etkilenmişti.

"Demek istediğim, henüz kapıyı tıklatmıştım. Hemen unutmuşlar gibi görünüyorlardı. Evi soyuyor da olabilirdim. Bir tür evcil hayvan meşgalesi içindeydiler. Size bakması için dikkatini çekmeye çalıştığınız bir kedi gibi. Ona ciddi bir rahatsızlık vermeyeceğinizi bilir. Konsantre olduğu şeye geri döner. Bilemiyorum. Bulundukları yer, yaptıkları şey doğal haklarıydı sadece. Bu güven duygusu içinde yaşamak isterdim."

Adam sayfaları çevirmeyi durdurmuş. Bir an dikkatle yazılanları okumuş. Parmağını kaldırmış ama kızın gözleri halen kapalıymış.

"İşte bu parça" demiş.

Kitaptan kısa bir pasajı yüksek sesle okumuş. O günden sonra David Ewart okunan şeyleri hiçbir zaman hatırlamamış. Pasajın olduğu kitabı hiçbir zaman bulamamış. Bunun için üzgündü. Duyduğu şey bulundukları yerin şifresiydi sanki; hiçbir zaman öğrenemeyeceği bir şifre. Kız henüz gözlerini açmamıştı.

"Olabilir" demiş kız.

"Olabilir mi? Doğru olmayacağını kimse böyle söyleyemezdi."

David Ewart oturma odasına girmiş. Adam yukarı doğru bakmış.

"Hey" demiş. "Birinci sınıfların hayaleti geçti."

Kız gözlerini açmış. Göz kamaştırıcı ölçüde maviymiş.

"David Ewart" demiş adam, işaret ederek. "Affedersin. Ben Scott Laidlaw. Güzel bir hoş geldin olmadı. Üzgünüm." Tokalaşmışlar. "Seni buradaki olağan gidişgeliş yapanlardan biri sandık. Bu Hester."

Kızın soyadını da söylemiş ama David Ewart hatırlayamıyordu. Ondan sonra konuşulanları da çok net hatırlayamıyordu. Aklında kalan şey heyecanlı olduğuydu. Detayları bir araya getiren hafızası bölük pörçüktü. Hester ona daireyi göstermiş. Scott onlara kahve yapmış. Hester'ın Sanat Okulu'nda olduğunu, daha bir yılı kaldığını öğrenmiş.

"Bulduğu her yüzeyi boyar" demiş Scott. "Dilini uzat, onu da boyar."

"Senin diline de bir duvar resmi yapayım o zaman."

Sandy adında biri gelmiş. Tıpta okuyormuş. Onun da okulu daha bitmemiş, o da Hester ile aynı yere taşınacak-mış. Scott Laidlaw onu da tanıştırmış. Dave adında başka biri de gelmiş. ("Onu hatırlıyorum çünkü adaşımdı") Ama soyadlarını hatırlayamıyordu. Evi onlarla paylaşan dördün-cü kişi ise İngiliz Filolojisi'nde öğrenciymiş. Evde yokmuş o. Onun adı da birkaç kez belirtilmiş ama çok uzun zaman geçmiş üstünden.

Evdeki atmosfer hazırlıksız bir partiye dönüşmüş. Diğerleri, evde taşınacak eşyaları olan yalnızca o kaldığı için Scott'a takılıyorlarmış. Tablolarıyla ilgili aşağılayıcı ifadeler kullanı-yorlarmış. O da gelecek yıllarda bunların milyonlar edeceğini söylemiş. David Ewart işi tablolarla dalga geçme şovuna dönüştürmüş. David tabloları beğenmiş. Diğerlerinin onlara biçtiği fiyattan daha değerli bulmuş. Scott, sonunda tablola-rını takdir eden bir velinimet ("Sana Theo dememin mah-zuru var mı?") bulmanın şerefine dolaptan bir yığın boş şişe çıkarmış. David ile beraber boş şişelerin parasıyla üç köpek öldüren şarabı alıp eve dönmüşler. Partinin temposu artmış.

"İlk kadeh şarabım korkunçtu. Ama ortamın atmosferi şaraba bir şeyler yaptı. Şişedeki şarap yeniden fermente olup kaliteli bir şaraba dönüştü. Üçüncü kadehi görecektin. Abıhayat, abıhayat.".

Kahkahalar yükseliyormuş. Anlaşılan Scott'ın mekânlar-la kurduğu duygusal bağ dillere düşmüş; zamanı dolunca ayrılmakta zorlandığından, kalan eşyalarının akıbeti için ciddi bir komite kurmuşlar. Kitaplarının ve tablolarının orada demirbaş olarak kalması da ciddi bir ihtimal olarak görünüyormuş.

"Yarım saat öncesi için bile nostaljik hissedebiliyorum" dedi.

Sonra tablolarla ilgili bir tartışma alevlendi. Tabloları kal-dırımda satma fikri ortaya atıldı. Biri Oxfam'a bağışlayalım dedi. ("Oxfam'a neden karşısın?") Sonunda Dave'in amcasının kamyonetiyle bir sonraki gün taşınmasında karar kılındı. Scott geri alıncaya kadar Sandy ile Hester'in evinde duracaktı.

"Aksi takdirde" dedi Hester, "hiçbir zaman taşımayacak. Bugün bu kitapları paketlemesi gerekiyordu. Peki, ne yapıyor? Tekrar okumaya başladı."

"Paketliyordum" dedi Scott. "Zihnimde."

Fırlatılan bıçağın karşıdaki tarafından sapından tutulup geri fırlatılması gibi birbirlerine yaptıkları esprili hakaretler havada uçuşuyordu. David Ewart bunun bir parçası olmaktan hoşnuttu. Onlarla beraber şarkı bile söylemişti. Oradan ayrılırken yaşayacağı yerin orası olduğuna karar vermişti, sevdiği bu atmosferin hayali bile yeterdi ona. Evin anahtarı kendisine törenle teslim edildi.

"O akşam Rutherglen'de yaşayan amcam ve yengemin evinde kalacaktım. Oraya en kolay nasıl gidebileceğim konusunda hepsi bir şeyler söyledi. Scott benimle köşeye kadar yürüdü. El salladığını hatırlıyorum. Bana önünde uzun bir yol olan bir gemici gibi bakıyordu. Görebileceği şeyler, önündeki olasılıklar için ona imreniyordum."

Rutherglen'e ulaşan David Ewart şaraptan başka şeylerle de sarhoş olmuştu. Evlerinde misafir olduğu kişileri seviyordu ama o akşam uzak bir geçit töreni gibi geçmişti. Halen bulunduğu o ortamın etkisindeydi, kahkahaları duyuyor ve onların yüzlerini görüyordu. Onlar dışında her şey soluktu.

"*Hırçın Kız'*ı* hiç izledin mi? Filmini? Richard Burton ve Elizabeth Taylor'ın oynadığı. Filmin başındaki iki genç adam. Burton ve Michael York, öyleydi değil mi? Şeye gelirler... Padua mıydı? Her neyse. Filmin başlangıcı. İlk birkaç sahne. Onlara bayılırdım. Hayat doludur. Her yer insan kaynamaktadır. Ve sesler. Ve... Bilemiyorum. Hatırlamıyorum. Ama tavuk falan bir şeyler satılıyor. Yani her tarafta bir şeyler

---

* William Shakespeare'in sinemaya uyarlanan oyunlarından biri. (ç.n.)

olur. Ve ikisi mekânın her yerindedir. Kahkahalar atarlar. Ve içerler. Her şeyi gözleriyle yerler. Ne hissettiklerini anlatabilirim sana. Ne hissettiklerini biliyorum. Çünkü o gece hissettiklerim de aynıydı. Başlangıçlarda hissedilen şeydir o. Başlangıçlar güzeldir. Değil mi? Her şeyin mümkün olduğu hissidir. O gece yeni kuşağın korkunç enerjisini hissetmiştim. Ve onun bir parçası olduğumu biliyordum. Her şeyin mümkün olduğunu biliyordum."

Bunları söylerken çömlekçi dükkânında oturuyordu, elindeki boş kahve fincanını donuklaşan bir kristal küre gibi çeviriyordu. Bu kadar yaşlı olamayacak kadar genç görünüyordu. Bana baktı, ona veremeyeceğim şeyi arıyordu.

"Mümkündü" dedi. "Değil mi? Ne oldu? Demek istediğim o zamanı hatırlıyorum. Daha on altı yıl öncesiydi. Belki Sarı Denizaltı* batmıştı. Ama hâlâ paylaştığımız, düşlenmeye değer hayallerimiz vardı. İnsan olmanızı sağlayan düşler. Şimdi, hâlâ onları düşlemek istiyorsan, tek başına düşleyebilirsin. Umumi hayalleri mi? Onları ancak kahrolası süpermarketlerden satın alabilirsin."

Kibar birinin ağzında küfür sözcüğü duymak şoke ediciydi.

"Şimdiki zamandan nefret ediyorum" dedi. "Yüzeyselliğinden. İnsan ırkının bugüne kadarki en asil düşlerinin bir kısmı su birikintisinde boğuluyor."

Bakışları boş fincana yöneldi.

"Her neyse" dedi. "O zamanlar farklı hissediyordum. Onlarla geçirdiğim zaman hayatımda bir dönüm noktasıydı. Bir dönüşüm gibiydi. Umuda inanan biriydim. Yengemin evinde sürekli ne düşünüyordum biliyor musun? Birlikte son bir defa dışarı çıkacaklardı. Dördü beraber. Ne yapacaklarını merak ediyordum. Neler konuşuyorlardı. Onlarla birlikte olmayı arzuluyordum."

---

* Beatles grubunun bir şarkısı. (ç.n.)

Ertesi gün öğleden sonra Glasgow'daymış, cebinde anahtar olduğu için oraya gitmeye karar vermiş. Yalnızca birazcık oturup yaşayacağı yere aşina olmak için. Kapıdaki levha sökülmüş ama raptiyeler duruyormuş. Mülk sahibi gibi kapıyı açıp içeri girmiş. Girdiğine pişman olmuş.

"Beni ne kadar etkilediğini anlatamam. İnancını bulup bir gecede kaybetmek gibiydi. Korkunç bir şey olduğunu hissetmiştim. Ne olduğunu bilmiyordum ama kötü bir şey olduğunu biliyordum ve benimle de ilgiliydi. Bir şekilde beklentilerimi azaltmıştı. Önceki günün bir yalan olduğunu hissettim. Benimle alay etmişlerdi. Bütün idealizm, bütün o harika enerji sahteymiş. Aksi takdirde bir gecede nasıl bu hale gelmiş olabilirdi ki?"

Ev bir enkaz çöplüğüne dönmüş. Bütün kitaplar yırtılmış, bütün tablolar parçalanmış. Bütün koridor ve oturma odası zemini boyunca parçalanan cümleler dağılmış ve onulmaz bir kargaşaya neden olmuş. David Ewart önceki gün Scott'ın okuduğu cümlelerin de burada ölümün parçalanmış bilgeliği arasında bulması zor bir yerlerde olduğunu düşünmüş. Etrafındaki bütün görüntü bir yerle bağlantı kuramayacağı pürüzlü parçalarla kaplıymış. Bir gitar iki parçaya bölünmüş. Görüntü bir yere oturmasına el vermiyormuş. Ve güneş ışığı pencereden zemine yansıyormuş.

"Ortalıkta biraz dolandım. İnanamıyordum. Gençliğin cesedini bulmak gibiydi. İntihar etmişti. Neden? Yıkıcılığın bu iğrençliği karşısında dehşete düşmüştüm. Bana göre geçmişi inkâr, geleceği sakat bırakmaktır. Korkunç bir saygısızlığa baktığımı sanıyordum. Umudun katledilişine."

Boş fincanı yere bıraktı. Ellerini birleştirip avucuna baktı.

"Şimdi işimi yapıyorum. Bir amacım var. İdare ediyorum. Ama daha fazlasını yapmaya niyetlenmiştim. Beni yanlış anlama. Şu an olduğum şey için o hayal kırıklığını sorumlu tutmuyorum. Kendi küçüklüğüme kendim neden oldum. Düşlerimi ehlileştirdim. Ama o günkü deneyim. Ruhumu sattığımı hissettiğim anda, işime yarayan bir cayma bahanesi oldu. O döküntüyü anımsayıp düşünürüm: "Evet. Biz buyuz işte. Her zaman böyle olur. En iyisi olduğumuzdan fazlasıymış gibi davranmayalım." Parmaklarındaki kurumuş kili sıyırıyordu. Başparmağıyla işaretparmağı arasında bir parça aldı ve aklına gelen bir fikirle gözleri parladı. Bana gülümsedi. Sevimli bir gülüş değildi. "Ne dediğimi anlıyor musun? Gerçek çömlekçi olayların kendisidir. Biz sadece kiliz. Onların bize söyledikleri her şekle gireriz."

Kil paçasını bir fiskeyle yere attı.

"Ama o gün ne olduğunu bilmek isterdim. Ah bir bilsem. Anahtarı masanın üstüne bırakıp kapıyı arkamdan kapattım. Hepimiz o yıl farklı yerlerde kaldık. Ama anlamak isterdim, hâlâ da istiyorum. Düşünsene. Ben çok düşündüm. Onu yapan kendisi olmalıydı. Scott. Onun tablolarına başka kim yapmış olabilirdi ki bunu? Bir günde ne olmuştu ki ertesi gün öyle yapmıştı? İdealizm neden ölmüştü? İşte bunu bilmek isterdim. Ne olmuştu?"

Ne olmuştu? Yeşil paltolu adamla o zaman mı karşılaşmıştı? En azından üç kişi bunu bilebilirdi. Dave Lyons ve diğer ikisi. Diğer iki kişiden birinin kim olduğu hâlâ belli değildi. İngiliz Filolojisi çalışmıştı. Ellie Mabon, "Andy Blake?" ve "Doktor, sen kendini iyileştir" demişti. Sandy tıpta okumuştu. Dave Lyons, Sandy Blake ve diğer adam. Büyük olasılıkla tatlı yüzlü Anna da biliyordu. İlişkilerinin başlangıcında, gençken ve birbirlerine güveniyorken nasıl olurdu da Scott bunu ondan saklardı?

on sekiz

Anna'nın kaldığı yer Edinburgh New Town'daydı. Oldum olası oranın mimarisinden hoşlanmışımdır ama babamın, içimde yankılanan sesi oranın verdiği keyifle ilgili kuşkular beslememe neden oluyordu. Göz zevkinize hitap edebilir ama bir İskoç için bir anda akrabanızın etini yediğinizi fark ettiğiniz bir Thyestes* şölenidir bu. Kelso'yu ayıplanacak ölçüde İngilizleşmiş bulan bizim ihtiyar New Town için ne düşünürdü acaba?

Burası köken itibariyle İskoçya'daki en İngiliz yerdi, inşa edilmesindeki amaç İskoç kimliğini tasfiye edecek Hannover tarzında bir mekân olmasıydı. Sokak isimleri bile değiştirilemez hükümet beyanı gibiydi: Prenses Caddesi, George Caddesi ve Kraliçe Caddesi olmasının yanı sıra Hannover Caddesi, Gül Caddesi ve Kenger Caddesi de var. Öyle ya da böyle, isimleri iki gruba ayırsanız sonuç İskoçyalılığın aleyhine olacaktır. İskoçya'nın başkenti üstüne geçirilen İngiliz kimliğiydi bu, bir ruh nakli teşebbüsü: "İskoçyalılık bir yaşam olabilir ama Britanyalılık bir kariyerdir." Geldiğin yer değilsin gidebildiğin yersin. Anna'nın buraya ne denli uyum sağladığını merak ediyordum.

---

* Yunan mitolojisine dayanan ve insan eti servis edilen şölen. (ç.n.)

Zilin yanında üst çıtadaki ismi mürekkeple yazılmış ve sert plastikle kaplanmıştı. Orada yazan isim beni bir an duraksattı. Anna Kerr yazıyordu. Daha çok zaman geçmemişti. Elbette kendi seçimiydi. Ama çocukların buraya, eve gelirken ne hissettiklerini merak ediyordum. Büyük olasılıkla hâlâ Laidlaw soyadını taşıyorlardı. İçimden ilkel bir duygu geçti, taşıdığı kasvetli gizem, duygunun açık bir şekilde tanımlanmasına engel oluyordu. Belki de öfkeydi. Belki de canımın yanmasıydı. Ama kardeşimin hayatının bir kısmını sanki hiç var olmamış gibi yokluğa mahkûm etmişti. Antik Mısır'daki inanışa göre bir ölünün ismi cenaze kitabesinden silinirse, o insanın ruhsal bedeni öldürülmüş oluyordu. Ölümden sonraki dünyada da yaşayamıyordu. Anna o yönde bir davranış sergilemişti. Zile bastım. Kısa sürede cevap vermesi hazırlıklı olduğunu gösteriyordu.

"Kim o?"

"Merhaba? Anna sen misin? Ben Jack. Jack Laidlaw."

"Ah evet. Tamam. En üst kattayım."

Kapının mekanizması bir bekçi köpeği gibi hırlıyordu. Kapıyı ittim, tık sesi çıkararak açıldı. Onu bulmak konusunda o kadar çaresizken, şimdi buradaydım. Ölmeden önce kardeşime neler olduğu sırrına en çok vakıf olan kadın şimdi yukarıdaydı. Rapunzel, Rapunzel, saçlarını aşağıya sarkıt. Demek istediğim gerçekten samimi ol. Ama hâlâ çıkılacak merdivenler vardı. Önümde küçük bir dağ varmışçasına güçlükle ilerliyordum. Bazen gerçeğin yüksek yerlerde yaşadığı söylenir. Umalım da öyle olsun. Düşünüyordum da her şeye karşın, ey doğruluğun gurusu, ne olur orada ol. Boşa nefes tüketip kuru gürültüyle muhatap olmak istemiyorum.

Açık kapının önünde duruyordu. İyi görünüyordu. Vücudu saran V-yaka, açık kaşmir bir süveter ve kayak pantolonu vardı üstünde, ayaklarında da uzun deri botlar. Siyah saçları frapan kesilmişti, güzelce makyaj yapmıştı. Yirmi beş yaşlarında gösteriyordu. Ama gözler daha yaşlı birisinden ödünç alınmış gibiydi. Beni yargılarcasına temkin penceresinden bakıyordu. Yalnızca bakarak o gözlerin ardındaki kafada neler olduğunu anlayamazdınız.

"Merhaba Anna" dedim. "Seni evde yakaladığım için memnunum."

Dişlerini göstermeden gülümsedi. Evde olduğunu kim söyledi ki?

"Merhaba" dedi.

Coşkun bir selamlama değildi. İçeri girmem için kenara çekildi. Ailevi bir kucaklaşma söz konusu değildi. Salona girdiğimde beni görme sıkıntısına neden katlandığından emin değildim. Bu görüşmenin onun için günün en önemli olayı olmadığı açıktı. Zili çaldığımda diyafondaki tepkisi geleceğimden haberdar olduğunu gösteriyordu. Neden başka bir yere gitmemişti? Oturma odasına gelince sanırım nedenini anlamıştım. İçeride deri koltuğa oturmuş başka bir kadın vardı. Bir dergiyi gelişigüzel karıştırıyordu.

"Bu Carla" dedi Anna. "Carla, bu Scott'ın ağabeyi."

İlkin Carla'nın sağır olabileceğini düşündüm. Dergide okumayı erteleyemeyeceği bir yer bulmuştu sanki. Belki de haftalık *Mahşer* dergisiydi. Kuşe kâğıt dergiyi isteksizce bir kenara bırakıp yavaşça ayağa kalktı ve ancak o zaman bana bakmayı lütfetti. Gevşek, donuk bir şekilde tokalaştı benimle.

"Seni duymuştum" dedi.

Dördüncü sınıfın kadın öğretmeninden duyduğum ilk cümle buydu. Öğretmenin demek istediği, hava saldırısı uyarısı gibi, şöhretimin benden önce ona ulaştığıydı. Öğretmen bütün uçaksavarlarının hazır olduğunu, sınıf düzenini ihlal edeceğime dair ilk belirtide bana ateş açacağını ima ediyordu.

"Duyduklarına inanman gerekir mi?" dedim.

"Güvenilir bir kaynaktan duydum" dedi Carla.

Sonra Anna'ya doğru döndü; bu basit hareketiyle Piskopos Berkeley'nin* müridi oluvermişti adeta. Beni görmezden gelmesi var olmadığım anlamına gelmiyordu. Elini Anna'nın omzuna koyup rahatlatıcı bir şekilde gülümsedi.

"Sen iyi misin?" dedi.

"İyiyim" dedi Anna.

"Emin misin?"

"Tabii ki. İyiyim ben."

Çenemi kapalı tutmak için telle bağlamam gerektiğini düşündüm. Ne yapmıştım ben Tanrı aşkına? Koridorda taciz mi etmiştim? Bütün bu gerginliğin nedeni Anna'nın kayınbiraderinin onu ziyaret etmesiydi. Belki de ilk fırsatta aynada kendime bir bakmam lazım. Vampir dişlerim olduğunu ya da yüzümde Operadaki Hayalet maskesiyle gezdiğimi hatırlamıyordum.

"İyi olduğundan eminsen" dedi Carla, "ben kahve yapayım. Olur mu?"

"Tamam."

"Benimkini fincana koymana gerek yok" dedim. "Doğrudan üstüme dökebilirsin. Hoş karşılamanın devamı bağlamında."

Carla acı bir gülümsemeyle Anna'ya baktı. Anna da ona gülümsedi. Gülümsemeler aslında Carla'nın, "Ne demek istediğini şimdi anladım", sözüne diğerinin "Sana demiştim" diye cevap verdiği sözsüz diyalogdu.

"Teşekkürler Carla" dedi Anna. "Bisküvilerin nerede olduğunu biliyorsun."

Carla odadan çıktı. Anna oturdu.

"Oturmak ister misin?"

---

* Maddenin var olmadığını savunan filozof. (ç.n.)

"Teşekkürler" dedim. "Anna. Seninle Scott hakkında konuşmak istiyordum."

"Carla gelinceye kadar bekleyelim" dedi.

"Anna. Şimdi ne demek oluyor bu? Kardeşim öldü. Ve ben onun hakkında konuşmak istiyorum. Üçüncü bir kişiye ne gerek var? Sadece konuşmak istiyorum. Hukuki bir görüşme değil. Vaktiyle ikimizin de sevdiği bir adam. İkimizin bağlantısı bu. Bunda ne gibi bir kötülük olabilir ki?"

"Sadece bekleyelim, lütfen."

Açık üniversite müfredatına çalışır gibi süslü şömineye odaklanmıştı. İkimiz de konuşmaya yeltenmedik. Eğer burada özel ev kuralları varsa, bekleyelim bakalım. Otururken, Carla'yı oturma odasında ilk gördüğümde düşündüğüm şeyin doğru olduğunu görüyordum. Anna benim geleceğimi bildiğinden, kontrollü bir ortamda görüşmek için özellikle evde beklemişti. Termostat görevini Carla üstlenecekti. Anna benimle ilgili ne düşünürse düşünsün ısrarcı biri olduğumu biliyordu. Beni şimdi başından savsaydı bile sonra karşılaşmak zorunda kalacaktı, muhtemelen hazırlıksız olarak. Mekânı kendisinin belirlemesi ve bu işten kurtulması onun için daha iyiydi.

Mekân da oldukça etkileyiciydi. Uzaktan Forth Köprüsü'nün muhteşem manzarasını gören güzel ve havadar bir odaydı. Edinburgh, büyüleyici ışıklarını fırlattığı odayı bir Hockney tablosu gibi parlak, zarif ve keyifli bir yere dönüştürüyordu. Hakiki deri mobilyalar ışık altında pırıldıyordu. Duvara yaslı modern maun masanın kâğıtlarla ihlal edilmeyen yeşil deri yüzeyi havalı bir görünüme sahipti. Beyaz duvardaki üç soyut tablo dışarıdaki çatıları, şekilleri ve renklerin yansımalarını özümsüyordu. Ama odaya ait olmayan bir şey vardı. O da Anna'ydı. O burada yokken de oda burada bu haldeydi. Sporcu iç çamaşırı kendisine ne kadar uyacaksa Anna da eve o kadar eve uyum sağlamıştı.

Muhafız Carla'yı beklerken telefon çaldı. Biraz irkildim ve Anna'ya baktım. Gözlerindeki şaşkınlık bir an görünüp kayboldu; iyi programlanmış bir bilgisayar gibiydi. Dördüncü çalışta konuştum.

"Sanırım telefon çalıyor" dedim.

"Bırak çalsın" dedi.

Öyle yaptım. On ikinci çalışta durdu. İlginç bir evdi burası. İnsanlar orada yokmuşsunuz gibi konuşuyor, telefonun on iki defa çalmasına kulak asmıyor, bu normalmiş gibi davranıyordu. Sırada ne vardı? Carla içeri geldi.

Elindeki simli tepside zarif bir kahve demliği, üç fincan ve fincan tabağı, kristal süt ve şeker kapları, içinde küçük bisküvilerin olduğu söğüt desenli bir tabak vardı. Telefonun on iki kere çalıp cevaplanmamasına dair bir iz taşımıyordu Carla. Anna'ya gülümsedi. Anna da Carla'ya gülümsedi.

Küçük karmaşık bir seremoni başladı. Tabağı sana vereyim. Sen de ona ver. Ben bu tabağı sana vereyim. Sende dursun. Tabağı buraya bırakıyorum. Yanımda dursun. Bu fincanı doldurayım, sen ona uzat. Sütü al. Ona sen uzat. Ben geri alırım. Şeker kullanıyor mu? Şeker? Ona sen uzat. Böyle devam etti. Daha az yaygara ile beş kap yemek servisi yapıldığını görmüştüm. Nihayet sarf ettiğimiz çabayla İnka altını doldurabileceğimiz fincanlarımızla oturduğumuzda ben tekrar konuştum. Bisküviyi geri çevirmiştim.

"Sigara içmemin mahzuru var mı?" dedim.

"Aslında var" dedi Carla. "Burası sigara içilmez bölge. Öyle de kalmasını isteriz. Burada çocuklar yaşıyor."

"Konuşmamızın mahzuru var mı?" dedim. "Anna senin için uygun mu? Demek istediğim şimdi yeterli çoğunluğa ulaştık mı?"

"Ne istiyorsun benden?" dedi.

"Scott ile ilgili konuşmak. Alışamadım. Sona doğru neler olduğunu anlayamıyorum. Sadece neler olduğunu anlamaya çalışıyorum."

"Ben bunu yıllarca denedim. İşe yaramıyor."

"Ama bana anlatacağın bir şeyler olmalı, Anna."

"Bunu neden yapmak isteyeyim ki?"

"Beni hatırlıyor musun Anna?" dedim. "Ben sağdıçtım. Hadi ama. Evliliğinize burnumu sokmaya çalışmıyorum. Bu seni ilgilendirir biliyorum. Ama sona doğru Scott'ı bu denli rahatsız eden şey neydi?"

"Bilemeyeceğim."

"Anna."

"Farklı dünyalardaydık."

"Bana söyleyeceğin hiçbir şey yok mu?"

"Yok."

Sessizce oturuyorduk. Sessizliği paylaşmak için fazlasıyla uzun bir yol tepmiştim. Carla'nın elindeki bisküvi Elizabeth dönemi minyatürleri kadar detay doluydu. Bu kadar soğuk bir ortamda yapabileceğiniz tek şey elinize ne geçerse onunla bir ateş yakmaktır.

"Hadi oradan!" dedim. "Buna inanmıyorum."

Ama sessizlik bire karşı iki oy üstünlüğüyle kazandı.

"Tamam" dedim. 'Tamam, gerçek bir konuşma yapmayalım. Ama sana bazı sorular sormamın bir sakıncası var mı? Yapman gereken tek şey cevap vermek. Tek heceli cevaplar da kabulüm. Tamam mı?

Cevap vermedi.

"Yeşil paltolu adamı biliyor musun?"

Anna karmaşık bir şaşkınlık içinde Clara'ya baktı.

"Nabzına bir bakalım mı?" dedi Carla.

"Yeşil paltolu adam" dedim.

"Ne demek oluyor bu şimdi?" dedi Anna.

"Böyle birini duydun mu?"

"Hiç duymadım."

"Emin misin? Scott için çok şey ifade ediyormuş görünüyor. Onunla ilgili yazdığı notlar var. Bir ara sana bahsetmiş olmalı."

"Hiç duymadım."

Kim duydu peki? Belki de Sanny Wilson sarhoştu. Ama hayır. Ellie Mabon da duymuştu. Ama ben görünmez bir adam için nüfus sayım formu doldurmaya çalışan biri gibi hissetmeye başlamıştım kendimi. Bu adreste öyle biri yok. Listemdeki diğer sorulara verdiği manidar cevaplar da bana pek bir şey kazandırmadı. Sorularım kelimelerin yerine lakayt tavırlarla karşılık buldu. Duymadım, bilmiyorum.

Hızlı Frankie White?

Bilinmiyor.

Sandy Blake?

Bilinmiyor.

Dave Lyons?

Tanıyor ama az.

David Ewart?

Bir ara tanıyormuş. Şimdi bilmiyor.

Neden ev satılıyor?

Uzaklaşmak için.

Neden Edinburgh?

Neden olmasın?

Çocukları görmek mümkün mü?

Mümkün değil.

Neden mümkün değil?

Çocuklar yüzmede.

Çocuklar okula burada mı gidiyor?

Burada, özel okula gidiyor.

Tuvalet var mı?

Bingo. Tuvaletin nerede olduğu biliniyor. Yönlendirme sağlanıyor.

İşeyeyim mi kusayım mı bilemiyordum. Kapıyı kapatıp, tavana doğru bakıp yüzümü buruşturarak bir ileri bir geri yürüyordum. Duvara doğru öfkeyle küfredip, Degas'ın bale resmine el hareketi çektim. Bir banyo lifini sıktım. Örtünme Müslümanlara özgü bir gelenek değil aslında. Kadınlar istedikleri zaman örtünün içine girebilirler. Peçenin arkasında ne var peki? Başka bir peçe. Kendimi rahatlatırken, büyük olasılıkla çıkan ses, Anna'nın dişi kulaklarını kirletsin diye klozetin kenarına işemeye özen gösterdiğimi fark ettim. Özel bir yeri erkek idrarıyla lekelediğimi hissettim.

Ama bunu yalnızca benim yapıyor olmam düşük ihtimaldi. Çünkü elimi yıkarken bir şey fark ettim. Bu banyo bir erkek için dekore edilmişti. Bunu içgüdüsel olarak biliyorum çünkü burası hiç ilgimi çekmemişti. Burası bir kadının varlığının egemen olduğu bir banyo olamazdı. Çünkü öylesi yerlerde tatilimi bile geçirebilirdim. Kadınlığa ait bütün aksesuarlar ilgimi uyandırır. Bir banyo bir tür itiraf yeridir, halk içinde yalan söylediğimiz, doğaya karşı kabullendiğimiz, fiziksel olarak kaçınılmaz olanı kendimize itiraf ettiğimiz bir yerdir. Ben kadınların sahip oldukları, kadınlığa ait sır yığınını seviyordum.

Burası değerlendirmeye uymuyordu. Mantıklı bir inceleme yapınca içgüdümün isabetliliği teyit edilmiş oldu. Pencere kenarında Anna'ya ait olduğunu varsaydığım bir şeyler vardı: parfüm, birkaç lüks deodorant, saç renklendirici. Ama hepsi buydu. Sanki henüz tam anlamıyla taşınmamıştı. Gerisi çok yalındı. İlginç bir banyo olarak buranın Laidlaw değerlendirme puanlaması sıfırdı.

El yıkama lavabosunun üstündeki dolabın aynalı kapısını açtım. Bir Wilkinson tıraş bıçağı, jiletler, dağınık bir halde duran ilaç kutuları vardı. Bir şişe Aramis tıraş losyonu vardı. Dave Lyons'un Cranston Castle'da bana sokulduğunu anımsadım. Sonra Edinburgh'te çalıştığını da hatırladım. Hiç düşünmeden, Anna'nın, sınır tarafında yaşadığını söylediğini de hatırladım. Dolabın kapısını kapattım.

Elimi bir daha yavaşça yıkamaya başladım. Bu, içeride uzun bekleyişim için bahane olacak, biraz daha düşünmemi sağlayacaktı. Buraya gelişimin boşa gitmediğini gördüm. Bilgisizliğinizin boyutlarını belirlediğiniz yer, bilginin başladığı yerdir. Anna kendi boyutlarımı belirlemede bana yardımcı olmuştu. Bana tam olarak bilmediğim bir şeyi öğretmişti.

Bildiğim tek şey yalan söylediğiydi. Göbek bağı kesilmemiş bir bebek bile ondan daha fazlasını bilebilirdi. Ama bilmediğim ise bu öğrendiğim şeyin nedeniydi. İlginç olan nedendi. İlginç olan her zaman nedendir.

Saklamak zorunda olduğu şey neydi? Bu ev muhtemelen Dave Lyons'a aitti. Sadece zor gün dostu biri tarafından mı kendisine ödünç verilmişti? O zaman bunu benden saklamasına gerek yoktu. Bir âşığı tarafından mı buraya yerleştirilmişti? Benden saklamaya çalıştığı şey bu muydu? Ama öyle bile olsa neden benden saklasın ki? Benimle ne gibi bir ilgisi olabilirdi ki bunun? Bu olamaz. Dave Lyons'u korumak için değilse eğer. Karısına anlatacağımı mı düşündü? Ama sessizliği abartılıydı. Fort Knox'u* kimsenin zorla girmemesi için zayıf ihtimaller üzerine inşa etmezsiniz. Onu kimsenin giremeyeceğinden emin olacak bir şekilde inşa edersiniz. Anna'nın sakladığı sırrın da büyük olduğunu tahmin ediyordum. Yoksa neden bu kadar ısrarla saklamak zorunda kalsın ki?

---

* ABD'nin Kentucky Eyaleti'ndeki bir askeri üs. ABD ve birçok ülkenin bir ülkeden diğerine devrettikleri altınların saklandığı yer. (ç.n.)

Elimi kurularken telefon üç defa çaldı. Ben odada olmadığım için telefona cevap vermenin bir sakıncası yoktu zannediyorum. Ama sonra bir daha çaldı, hemen sonra sadece bir defa daha ve ben sonucu tekrar gözden geçirmek zorunda hissettim. Ben odadayken on iki defa çalmıştı çünkü Anna'nın konuşmaması gereken birileri arıyordu. Büyük olasılıkla burada olduğumu bilmeyen kişilerdi. Belki de üç defa çalması bir işaretti, telefon tekrar çaldığında hazır olması için. İlginç bir evdi burası.

Oturma odasına döndüğümde, Anna, "Sonra konuşuruz, bay bay" deyip telefonu kapattı. Telefonu kullanmak için müsaade istedim. Kimse engel olmadı. Kriminal Büro'yu arayıp Brian ile Bob Lilley'e bir mesaj bıraktım. Telefonun yanına bir sterlin koydum.

"Telefon için para bıraktım, Anna" dedim.

Anna odanın orta yerinde dikiliyordu. Carla ayağa kalkıp ona katıldı. Sanki bana bir şey söylemek istiyorlardı.

"Şey..." dedim. "Anna. Carla. Sizinle görüşmek çok eğlenceliydi. Bir ara bunu tekrarlayalım. Hepimiz öldükten sonra."

"Bizim için fazla erken" dedi Carla.

Carla bu işlerde iyiydi. Onun kocası olmak gibi riskli bir durumda olmak istemezdim. Muhtemelen sizi doğrudan kıyma makinesiyle beslerdi. Oradan ayrıldım. Kimse ağlamadı.

İnsanların anlatmadıkları şeyler çok ilginç değil midir? Prenses Caddesi'ni geçmeye çalışırken bunun ne kadar ilginç olduğuna kafa yormak için bir hayli zamanım vardı. Anna ile bir sonuca varamamıştık. Ama bu işin üstünde durmak konusundaki kararlılığım daha da arttı. Davranışları bir oyun değildi, birçok soruyu akla getiriyordu. Küçük bir soru daha geldi aklıma. Benim geleceğimi kim haber vermişti? Dave Lyons mu? Ama nereden bilecekti? Babası mı? Veya babası

Dave Lyons'a, o da Anna'ya mı söyledi? Anna gibi gizli saklı birinden çok şey beklenirdi.

Edinburgh Kalesi'ne bakıyordum. Prenses Caddesi'nde trafik o kadar yavaş ilerliyordu ki Edinburgh Kalesi'nin resmini yapabilirdim. Kalenin tuhaf bir yer olduğunu düşünüyordum. Sert ve pürüzlü kayadan, doğal bir parçasıymış gibi mazgallı siperler uzanıyordu. Ama başka bir açıdan, mesela Kale Caddesi'nden, baktığınızda kibar bir kır evini andıran modern eklentiyi fark ederdiniz. Belki de beklendiği gibi İskoçya'nın, ikiliğimizin iyi bir sembolüydü. Kesinlikle Anna'nın kişiliğindeki ikiliğe de uyuyordu ve muhtemelen benimkine de uyacaktı, ama uymamasını umardım. Bir şeyin nasıl da akıl almaz bir şekilde değiştiğini görün, kendini inkâr ederek hayatta kalmayı görün, sanki kenger kökünden gül yeşermeliymiş gibi.

on dokuz

Viskimin içine itinayla su döküp su ile alkolün bardakta kapışmasını izledim. Keyif almak konusunda acele etmemeliyiz. Günün ilk ve son içkisiydi, araba kullanırken kendime müsaade ettiğim miktar bu kadardı. Viskime çok su kattım. Sanırım karaciğerimi gerçekten içmediğime ikna etmeye çalışıyorum. Artık ciğerimde hangi metabolik ustabaşı görevdeyse kafası karışmış olabilir: "Sorun yok gençler. Yine su içiyor. Rahatlayabiliriz. Su bir şeyle biraz renklenmiş o kadar." Onlar olup biteni anlayıncaya kadar kriz aşılır. Tehlike kendinin farkına vardığında panikle katlanarak artar.

Oturmuş, karmaşa içinde geçen bulutları izliyordum. Ardından berrak bir hava ortaya çıktı. İçkimi kaldırdım. Proust'un madlen keki vardı. Benim de viskim. İçkimi yudumlarken, bu barı sayısız vesilelerle gördüğüm, uzun, ipe sapa gelmez konuşmaları bile dikkate aldığım dolambaçlı gecelerde tekrar dolaşmaya başladım. Hafıza bir bardağa kapatılmıştı. Neden mi içiyorum? Hatırlamak için.

Brian ve Bob ile buluşmak için Admiral Barı'nı seçmemin amacı benim için yaptığı çağrışımlardı sanırım. Glasgow'da bildiğim çok bar vardı. Bar bardak askısından, İskoçya'ya bakabilirdim. Ama hiçbir bar bana Admiral kadar anlam ifade etmiyordu.

Nedensiz tükenmişlik sendromumdan dolayı birinci yılın sonunda üniversiteden ayrıldığımdan beri ayda bir defa falan bir grup arkadaşla burada toplanırdık. O sayısız geceler, ben ve Graithnock'taki okuldan tanıdığım Tom Docherty ile başlamıştı. Yıllar geçtikçe başkaları katıldı grubumuza ama çekirdek kadro olarak Tom, ben, Vic Vernon ve Ray Harrison vardık. Birimiz veya birkaçımız ülke dışında olduğumuz zamanlar dışında yirmi yıldan fazla bir süre burada toplanıp okuduğumuz kitapları, yaşadıklarımızı, politikayı, fikirleri, ilişkileri tartışırdık. O zamanlar hayatımda önemli bir yer tutardı bunlar.

Bu gece burada tek başıma oturuyordum ve o arkadaşlar, özellikle Tom, burada olsalardı beni rahatlatırlardı diye hissediyordum. Morag Harkness deli olduğumu düşünüyorsa henüz Tom Docherty ile karşılaşmadığı içindi. Aklıma gelmişken son zamanlarda onu da görmemiştim. Onun evliliği de parçalanmıştı ve Glasgow'da bir yerlerde bir kiralık oda tutup ortadan kaybolmuştu. Vic ise bir arayış içindeydi. Yazardı ve sanırım şimdi bir şeyler yazıyor olmalıydı, "iç organlarımı sökme" diye adlandırdığı işi yapıyordu. Tom'un dedesi, Tam Docherty, biz doğmadan önce adalet peşindeki bir sokak dövüşçüsü olarak Graithnock'ta bir efsaneymiş. Bazen Tom'un konuşma bağlamında aile geleneğini taşıdığını düşünürdüm. Yakınlarda bir yerlerde olduğunu bilmek beni biraz rahatlattı, yaşadığı deneyimi anlamaya çalışıyordu. Kasabadaki tek saplantılı ben değildim. Viskimin son kalanını Tom'un şerefine içtim; onu özlüyordum.

Şimdilik Brian Harkness ve Bob Lilley'in daha az sempatik mevcudiyetlerini kabullenmek zorundaydım. İçeri girerken bana bakışları pek umut verici değildi. Bob elini alnıma koydu.

"Farklı bir görüş duymak ister misin?" dedi Brian.

İçkilerle masaya döndüğümde Bob, daha önce birkaç defa belirttiği gibi, belki de limonlu sodanın muhakeme gücümü bozduğunu ileri sürdü.

"Vücut sistemine ani bir şok etkisi yapıyor olabilir. Alışık olmadığı sıvılar içine girince."

"Belirlediğim bir kotam var. Bu akşam arabayla Graithnock'a dönmem lazım."

"Oradaki işin daha bitmedi mi?" dedi Brian. "Burada bizimle buluşmak için aradığında iyileştiğini ve gerçek dünyada yaşamak üzere döndüğünü."

"Gittiğim yer yeterince gerçekti. Yalan ve hile dolu. Gerçek dünya dediğin böyle değil mi zaten?"

"Az önce bizim de olduğumuz yerle aynı. Neyse..." dedi Bob.

Brian bana tuhaf tuhaf bakıyordu.

"Öyleyse Graithnock'tan buraya sırf bizimle konuşmak için geldin. Bu çok dokunaklı, Jack."

"Hayır, buraya Edinburgh'ten geldim. Buradan nasıl olsa geçiyorum, sizi de bir göreyim dedim."

"Edinburgh mü? Orada ne işin vardı?"

"Anna orada yaşıyor şimdi. Onunla konuşmaya gittim."

Bakışmaları, Bob'un elini alnıma koyuşunun daha ciddi bir versiyonuydu. Benim bir dulun acısını suiistimal ettiğimi düşünüyorlar diye tahmin ediyordum. Ama önce ortada suiistimal edilecek acının olması gerektiğinin farkında değillerdi.

"Her neyse" dedim. "Sizde ne var? Benimkinden daha verimli bir işler çeviriyorsunuz gibi görünüyor."

Görünüşlerinde bir amacın heyecanı vardı, yaptıkları işin önemine ikna olmuş insanlar gibi. Bob'un sağlıklı, açıkhavada çok zaman geçirmiş görüntüsü çiftlikte işlerin iyi gidiyor olmasından kaynaklanıyor olabilirdi. Brian ise daha genç ve şehirli görüntüsüyle, işyerinde güzel bir gün geçirmiş gibiydi. Başarısız bir simyacının iki mutlu eczacıya baktığı gıpta dolu bakışlarla bakıyordum onlara.

"Seninkinden daha mı verimli? Sahra'yı pullukla sürmek bile senin üstünde olduğun işten daha verimli olabilir" dedi Bob.

"Bunu bilemezsin."

"Herkes biliyor. Sen hariç."

"Göreceğiz."

"Ne zaman? Ne zaman göreceğiz? Scott'ın ölümünü kabullenip bu işin peşini bırakmadan ne kadar önce? Şimdi Anna'yı takip ediyorsun, Tanrı aşkına. Gerçekçi ol."

"Bırak şimdi, Bob."

"Bir hafta izni bunun için mi aldın? Niye tatile çıkmıyorsun?"

Önceden hazırladıkları şüphe götürmez olan konuşmalardaki mizanseni yakalamıştım. İkisi düet yapıyorlardı.

"Jack, birkaç günlüğüne ara vermeye ne dersin?" dedi Bob.

"Yapabileceğini yaptın zaten" dedi Brian.

Bara gelmeden önce aralarında nasihat için yaptıkları kurguyu hayal ettim. Provası yapılmış sahnelerden nefret ederim.

"Bakın" dedim. "Öğüt almaya dair hoşgörümü diğer elbisemin içinde bıraktım. Bana Hızlı Frankie White ile ilgili bildiklerinizi anlatın sonra basıp gideceğim."

"Bu da ayrı bir şey" dedi Brian. "Frankie White'ın bununla ne ilgisi var?"

"Ben de bunu bulmaya çalışıyorum, Tanrı aşkına. Bunun için onunla konuşmamın faydası olur. Ve onunla konuşmak istiyorsam, onunla görüşmem gerek. Ve onunla görüşmek istiyorsam da..."

"Kentish kasabası" dedi Brian.

"Kentish kasabası mı? Teşekkürler. Bu, gerçekten arayacağım bölgeyi daraltır. Brian, ikimiz de Londra'da olduğunu sanıyorduk. Tamam, Kentish kasabası da yeteri kadar Londra'dır. Ama bu kadarcık mı yaklaşabildik?"

Brian gülümsedi ve cebinden bir kâğıt parçası çıkarıp bana uzattı. Kâğıda Frankie'nin adını, adresini ve telefon numarasını yazmıştı. Ona baktım. Göz kırptı. Ona değilse bile kendime itiraf etmeliyim ki bundan etkilenmiştim.

"Sen" dedi, "birinci sınıf bir iz sürücü ile iş yapıyorsun."

"Nasıl başardın?"

"Beni bilen bilir." Kutsal metinden bir ifade okur gibi söylemişti. "Beni bilen onların bildiklerini bildiğimi de bilir. Beni bilen..."

"Hı-hı" dedim.

"Her neyse" dedi Brian, "sana ne faydası olacak? Ne yapacaksın? Ona telefon mu açacaksın? Hızlı Frankie White ile aynı odada olsan bile ona doğruyu söyletemezsin. Parmaklarını işkenceyle bursan bile. O hayatını yalanla kazanır. Telefonda ondan bir şeyler öğreneceğini mi sanıyorsun? Bu su taşkınında elle balık yakalamak gibi olur. Seyahatlerinin seni Kentish kasabasına kadar götürmeyeceğini zannediyorum. Arabamın oraya kadar gidebileceğinden de emin değilim zaten. Gerçi çalışma şekline bakılırsa kafan gidecek gibi. Dahası şu an Frankie burada pek popüler değil. Aslında bizim şimdi ilgilendiğimiz herifle bir sorunu var. Matt Mason. Hiçbir şey Frankie'yi buraya getiremez. Matt Mason riskine girmek mi? Beyrut'ta haydut olmaya gönüllü olsa daha iyi. Şimdi elinde olan kâğıt bir parça çöp aslında. Frankie White'ı Londra'dan getirmek için Özel Hava Kuvvetleri'nden daha fazlasına ihtiyacın var."

Bir yandan Brian'ın ne yapmaya çalıştığını görüyordum: Verdiği bilgi konusunda beni şüpheye düşürerek hevesimi kırmak. Öte yandan muhtemelen doğruyu söylüyordu. Kâğıdı ters çevirdim. Arka yüzü boştu.

"İşinde o kadar da iyi değilmişsin" dedim. "Peki ya aslen nereli olduğu konusu?"

"Kim?"

"Hızlı Frankie White."

"Kentish kasabasında yaşıyor."

"Orası yaşadığı yer. Ama aslen nereli?"

"Bunu da mı bilmek istiyordun? Bunun konuyla ne gibi bir ilgisi var?"

"Brian." Buna inanamıyordum. "Sana özellikle söylemiştim. Telefonda. Onu da araştır diye."

"Bana mı? Hayır demedin."

"Tanrı aşkına! Ayrshire. Ayshireli olduğunu söyledim. Ama Ayrshire'ın neresi nden olduğunu bilmediğimi. Ana konu buydu. Kahretsin! Olamaz."

Bob bir yetişkinin küçük bir çocuğa susmasını söylerken yaptığı gibi parmağını ağzına götürdü.

"Brian, söylesen iyi olacak" dedi. "Yoksa küçük çocuk çılgına dönecek."

Brian gülümsedi ve cebinden başka bir kâğıt çıkardı.

"Sadece seni senden kurtarmaya çalışıyordum" dedi.

Graithnock'a birkaç mil uzaklıktaki Thornbank köyündeki bir adres vardı kâğıtta.

"Annesinin adresi" dedi Bob.

Gerekli bilgileri aldığımı anladığım anda rahatladım. Ama birdenbire fark ettim ki Frankie'nin Thornbank'taki adresi muhtemelen işe yaramazdı çünkü orada olamazdı; Kentish'e gitmek için de ayıracak zamanım yoktu. Öyleyse benim için niye bu kadar önemliydi? Onu bulmak için bir zorunluluk hissettiğimi fark ettim. Scott'a ne olduğuna dair daha fazla şey öğrenmek için tek seçenek oydu ve devam etmemi sağlayan şey de bu seçenekti. Manyaklığımı bu kadar utanmadan onlara yamadığım için utanmıştım.

"Hey. Teşekkürler, Brian" dedim. "Ve sana da teşekkürler, Bob."

"Bize hep böyle iyi ve kibar davranma" dedi Bob. "İşte o zaman gerçekten endişelenmeye başlarım."

"Olanlar için üzgünüm" dedim.

"Hadi oradan" dedi Brian.

Gülmeye başladık. Sanki geç kalmış ve onlara yeni katılmış gibi hissettim. Az önce onlara, kendileriymiş gibi değil işimin bir parçasıymış gibi bakmıştım. Bob bize bir parti içki aldı. Brian'la kendisinden ödünç aldığım arabanın performansını ve kaprislerini konuştuk. Bob geçenlerde bir bowling kupası kazanmış. Ben de Kelso'da hiç oynayıp oynamadığını sordum. Soruma şaşırdı ama oynamamış. Morag hâlâ bana evde yemek yedirmek için gözdağı veriyormuş. Bob ve Margaret'in de yemeğe katılmasına karar verdik.

Ortam benim açımdan ferahlamıştı. Artık kendimi bir tünelde görmüyordum. Neşeli sıcaklık teskin ediciydi. Bar çok kalabalık değildi, dört kız ve iki erkekten oluşan grup karşımızdaki masada oturuyordu. Güldüklerinde hoş bir ses çıkarıyorlardı. Brian onlara baktığımı gördü.

"Bunu hatırladın mı?" dedi. "Gerçek hayat?"

"Evet, güzel ortam" dedim.

"Sen de bir ara denemelisin."

"Niyetim var. Ama bu hafta değil."

Bir parti daha içki aldı. Öylesine çabuk normale dönmüştüm ki sözü tekrar işe getiren ilk ben olmamıştım. Matt Mason'dan bahseden Bob Lilley oldu. Sözde bir ganyan bayiiydi. Bu işi birçok gizli cebi olan süslü bir palto gibi üstüne giymişti. Muhtemelen cinayet de dahil olmak üzere kötü şeylerle dolu cepleri vardı bu paltonun. Matt ie aranız bozulduysa oradan göç etmek kötü bir fikir olmazdı.

"Frankie White'a ne gibi bir garezi var?" dedim.

"Orası muğlak" dedi Bob. "Frankie onu bir şekilde yüzüstü bırakmış diye düşünüyoruz."

"Frankie herkesi yüzüstü bırakır" dedim. "Onun işi bu."

"Matt Mason'a yaptığı bu değil" dedi Brian. "Bu kimsenin Matt Mason'a yapabileceği bir şey değil. Her neyse, bu işe tam olarak bulaşmamış. En azından öyle görünüyor. Çoktandır buradan uzakta yaşıyor. Hani kaynak için daha yukarı bakmak lazım diyordun ya. Mason olabileceğini düşünüyoruz. O da uyuşturucu işinde. Meece torbacıydı. Mason'ın ona mal verdiğini düşünüyoruz. İstediği zaman birinin boynundan tutup bayiliğini alacak işadamı tiplerinden. İş yapmasını engellemek istediği kişinin nefesini kesen biri. Frankie böyle ağır bir işe hiçbir zaman bulaşmamış."

"Peki ya kadın?"

"Bir isim bulduk" dedi Bob. "Melanie."

"Güzel bir Glasgowlu ismi."

"Ama bu kadar. Melanie. Soyadı yok. Adını Meece'in kardeşinden öğrendik. Daha fazlasını o da bilmiyor. Meece'in ailesi ona pek karışmıyormuş. Sebebini bilmiyorum. Oysa iyi, namuslu bir adamdı Meece. Melanie'yi bulsak şansımız artar."

"İsim bir kitaptan seçilmiş gibi geliyor kulağa" dedim. "Eğer Meece ile yaşadıysa mal kullanıyor demektir. Bir esrarkeşin yanında temiz birinin yaşaması mı? Böylesi farklı ırkların evliliği yürümez. Eğer kullanıcıysa uzun bir zaman saklanamaz."

"Biz bunu düşündük" dedi Brian. "Belki de başka bir esrarkeşin yanına saklandı. Ona mal getiren birinin. Meece'in çok bilinmiyor olması bir sorun. Arkasında çok iz bırakmamış. Demek istediğim başka neler yaptığı? Koluna şırınga batırmanın yanı sıra neler yaptığı."

"O tam zamanlı bir işe benziyor" dedi Bob.

"İyi bir şofördü" dedim. "İnsanlara şoförlük yapardı. Bunda iyiydi. Bir Daimler'le bir patikada u dönüşü yapabilirdi. Bir arabaya bindirin, kendini Süpermen sanırdı."

"Melanie gibiler etrafta fazla yoktur" dedi Bob.

"Bilmiyorum" dedi Brian. "Hyndland'de olabilir."

Bu konuyla ilgili biraz daha konuştuk; ben sodamı bitirirken onlar biralarını yudumluyordu. Çok geç olmadan Graithnock'a dönmek istiyordum. Bushfield'a uğramak istememin tek nedeninin delil peşinde koşmak olmadığının işareti, konuşmamızın, içinde bulunduğum telaş duygusunun dinmesine sağladığı katkıydı belki de. Bu arada çok da acıkmıştım. Sabah ayrılırken, Katie Samson geri döndüğümde yemeğimin hazır olacağını söylemişti.

Birer içki daha ısmarlamayı önerdim ama onlar da kalkıyorlardı. Bardan onlarla beraber çıkmadım çünkü ankesörlü telefonu kullanmak istiyordum. Açıkçası telaşım tam dinmemişti. Gerek duysaydım bunu Brian ve Bob'a teyit ettirdim zira ben geride kalınca, bir hasta için ellerinden geleni yapmış ama hastaya söz geçirememiş doktorlar gibi hayıflanarak başlarını sallıyorlardı.

Frankie'nin Kentish'teki numarasını aradım. Kimse cevap vermedi. Restoranın telefonu meşguldü. Jan'ın ev numarasını denedim. Telesekreteri yoktu, dolayısıyla bir aracı vasıtasıyla bile konuşamadım.

Beni kimse sevmiyordu. Kendim hakkında hissettiklerime gelince: Onlarla aynı görüşü paylaşma tehlikesiyle karşı karşıyaydım.

yirmi

Bushfield'da kalmak rutin hayatımmış gibi hissettirmeye başladı. Buster'ın hırlamaları neredeyse hoş bir karşılamaya dönüşmüştü. Katie yemeğe geç kaldığım için bana kızgındı; şimdi yeniden ısıtmak yemeğin kuru olmasına neden olacaktı. Ama ben öyle seviyordum. Sanırım bu durum öğrencilik yıllarıma dayanıyor; akşam yetiştirmem gereken bir ödev olduğunda genellikle arkadaşlardan sonra yerdim. Böylece çok pişmiş yemek tadına alışmıştım. O yemekleri soğuk gecelerdeki ev sıcaklığıyla bağdaştırıyordum. Katie, yedirdiği yemeğin kendimi ne kadar iyi hissettirdiğinin farkında değildi, ana ocağındaki kısa bir tatil gibiydi. Yemeğin hoş kuruluğunu içtiğim sütle ıslatıyordum.

"İçeride seni görmek isteyen bir kadın var" dedi Katie.

Ona baktım. Bana hin hin bakıyordu.

"Jack Laidlaw için uzun sürmez kadınların sıraya girmesi. Şey aslında iki kişiler."

"Buna çok da sıra denmez."

"Vay. Genelde bundan daha çok oluyor, öyle mi?"

"Onları başımdan defetmek için bir cep dolusu taş taşıyorum. Bir erkek kendini korumalı."

Anlamsız görünen bu durumun bir amacı olmalıydı. Katie dışında burada olduğumu bilen tek bir kadın vardı. Ellie

Mabon kendi durumunu açığa vurmak isteyecek değildi. Muhtemelen daha az dikkat çekmek için yanında bir arkadaşını getirdi. Katie kadının adını bilebilseydi Scott ile bağlantısını anlayacaktı. Ellie Mabon'un, dünya meraklı komşularla dolu tespitini anımsayınca onun mahremiyetini korumak istedim. Katie bu konuda şüphelendi mi diye merak ediyordum.

"Öyleyse beni bekletme" dedim. "Kim bu kadın?"

"Bilmiyorum. Mike'a sormuş. Onu bilirsin. Kadının adını bile sormamış. Mike, gelen telgrafı bir hafta açmadan orada öyle bırakacak türden biri. Onları gördüm. Güzel kadınlar. Seni soran kadın, resimlerdeki Lee Remick gibi görünüyor. Diskoda yanında durmak isteyeceğim bir kadın değil. Kim bu kadın?"

"Nereden bileyim, Katie?"

"Yalancı."

Daha fazla üstelemedi. Mutfaktan çıktı. Yemeğimi bitirip neredeyse yapmaktan zevk aldığım tek ev işini yapıp bulaşıkları yıkadım. Sanırım sadece suyla oynamayı seviyorum.

Ellie Mabon'un arkadaşı Mary Walters adında bir kadındı. Çekici bir kadındı ama bugün kesinlikle başroldeki kadının en iyi arkadaşını oynuyordu. Ellie Mabon'ı seyretmek geçen gün zarfında daha da zorlaşmamıştı. Lobi oldukça kalabalıktı ve bazıları arada ona kaçamak bakışlar atıyordu. Tanıştırma merasiminden sonra onlara içecek bir şeyler almak için ayrıldım ("Hızlı bir şeyler olsun çünkü fazla duramayacağız"), bardaki adamın biri benimle konuştu.

"Taşıman için yardım edeyim mi?" Gözleri fal taşı gibi açıldı, derin bir iç çekti. "Bahşiş bile istemem."

Masaya dönünce sohbete hemen başlamadık. Limonlu sodam hakkında birkaç söz söyledik. Mary Walters da öğretmenlik yapıyormuş; Scott ile arkadaş çevresinden tanışıyorlarmış. Scott hakkında güzel şeyler konuştuk. Mary'nin aksine Ellie, Scott'ı öğretmenler toplantısı ve personel geceleri dışında tanıdığına dair bir işaret vermiyordu. Ellie'nin neden buraya geldiğini merak etmeye başladım. Eğer bir şey söylemek için geldiyse neden yanında bir ağız tıpası getirmişti? Akvaryum gözlerine baktığımda kendi düşüncelerimin yansıması dışında bir şey görmüyordum ve bunların bir kısmı olması gerektiği kadar masum değildi. Sonra Mary Walters lavaboya gitti.

"Mary, Scott ile ilişkimi bilmiyor" dedi. "Ama buraya tek başıma gelemezdim."

"Aklına bir şey mi geldi?"

"Dave Lyons demiştin."

"Evet doğru."

"Evinde bir parti varmış. Scott oradaymış. O gece orada olan bir arkadaşımla konuştum. O söyledi."

Ellie'nin gayretini takdir ettim. Ama hayal kırıklığı oldu benim için. Dünün haberlerini getirmişti.

"Biliyorum" dedim.

"Ama ne olduğunu biliyor musun?"

"Televizyona bir vazo fırlatmasını mı?"

Düş kırıklığı onu küçük bir kıza çevirdi.

"Bilmiyorsun diye düşünmüştüm. Önemli gibi görünmüştü bana. Scott'ın öyle bir şey yapmasının özel bir nedeni olmalıydı."

"Arkadaşın o gün televizyondaki programın ne olduğunu söylemedi mi?'

Ellie'nin tepkisi Dave Lyons'un verdiği tepkiden daha rahatlatıcı değildi.

"Bunun önemli olduğunu mu düşünüyorsun?"

"Olabilir."

"Hayır söylemedi. Aslında arkadaşım odada değilmiş. Sadece birkaç kişinin bir video izlediğini söyledi."

"Bir video mu?"

"Evet. Neden?"

"Bu konuda emin olman lazım Ellie. Arkadaşın bir video mu dedi. Bir televizyon programı değil miymiş?"

"Ne fark eder?"

"Çok şey fark eder."

Ellie düşündü. "Video" dedi. Tam olarak söylediği, 'Dave'in videolarından biri.' Kendisinin kaydettiği bir şey olarak anladım. Neden?"

"Dave Lyons, Scott'ın çıldırdığı o anda televizyonda hangi program olduğunu bilmediğini söylüyor. Eğer bir videoysa bunu bilmemesi zayıf bir ihtimal. Özellikle de kendisinin kaydettiği bir şeyse. Belki de misafirlerine izletmek istediği bir şeydi. En azından olaydan sonra cihazdan çıkaracağı bir şey olmalı. Böylece ne izlediklerini bilirdi."

"Peki, bu neyi kanıtlıyor?"

"Yalan söylediğini kanıtlar. Böyle önemsiz bir şey hakkında neden yalan söylersin? Saklayacak bir şeyin yoksa eğer..."

"Sadece o değil" dedi Ellie.

"Anlamadım?"

"Saklayacak şeyleri olan."

Kendisini kastediyor sandım ilk önce. Tereddütlü görünüyordu.

"Anna" dedi.

"Ne olmuş Anna'ya?"

"Dün sana söylemedim. Ama Scott'ı rahatsız eden bir şey vardı. Anna'nın görüştüğü biri vardı."

"Kim?"

"Bilmiyorum. Onun da bildiğinden kuşkuluyum."

"Scott'ın kuruntusu olabilir mi?"

"Bilmiyorum. Ama doğruluğuna oldukça inanmıştı."

Mary Walters lobinin öteki ucunda göründü. Muhtemelen o da Ellie'nin sandığından daha fazlasını biliyordu. Konuşmamıza fırsat vermek için lavaboda bir hayli oyalanmıştı.

"Burada daha ne kadar kalacaksın?" dedi Ellie.

"Belki de bu son gecem."

"Bana ev numaranı ver o zaman. Sana ulaşmam gereken bir durum olursa diye."

Mary Walters bize doğru gelirken telefon numaramı bardak altlığına yazıverdim. Mary Walters otururken Ellie bardak altlığını hızla çantasına attı. Birkaç dakika daha hoş bir muhabbet yaptık, içkilerini içip ayrıldılar.

Cana yakın Danimarkalı genç barda birileriyle oturuyordu. Bana el salladı. Ama ben sabahlara kadar süren Bushfield gecelerine pek hevesli değildim. Gidilecek yolum vardı yarın. Güzergâhımdaki yerlerden biri Thornbank'tı. Bir diğeri Troon'du. Hızlı Frankie White Thornbank'ta değilse bile onu tanıyan birileri olmalıydı. Denemeye değerdi. Olur da Frankie'yi orada görürsem, bilmek istediklerimi öğrenmek için şansımı deneyecektim. Dave Lyons ona göre daha zor bir meseleydi.

Cranston Castle'da benden uzaklaşan halini anımsadım. Cilalı görüntüsünün arkasında saklanan, kendisinin daha küçük versiyonları hakkında çok şey bilmiyordum. Ama bazı fikirlerim vardı. Bu matruşkayı sökmek için bir çözüm üretemezsem, belki de onu kırıp bakmam gerekecekti. Yalan söylediğini biliyordum. Televizyon konusundaki önemsiz ayrıntıyla bunu ispatlayabilirdim. Çok güçlü bir şüphemi dayandıracağım bir temel vardı: Anna'nın sadece ev sahibi değildi. Görelim bakalım üstündeki cila en sonunda çatlayacak mıydı? Bu hafta boyunca evde olacağını söylemişti. Onunla görüşmek için en uygun yer orasıydı. Yalancıların en savunmasız olduğu yer kendi evleridir, çünkü gerçeğin onları en çok acıttığı yer orasıdır.

Limonlu sodamı bitirdim, sağlıklı yaşayan bir insan gibi hissediyordum, bardağı bara geri verdim. Bardan erken ayrılışım toplu bir hayal kırıklığına neden oldu ve Katie, Horlicksimi* hemen hazırlamayı önerdi. Onlara yarın içki karşıtlığı ile ilgili broşürler getireceğime söz verdim. Yukarı çıkmadan önce koridordaki ankesörlü telefona yöneldim.

Kentish'i aradım. Kimse cevap vermedi. Restoranı aradım. Kimse cevap vermez diye ümit ediyordum. Betsy cevapladı, Jan'ın kesinlikle orada olmadığını büyük bir zevkle ifade etti. Jan'ı evden aradım. Kalabalık bir yerde yalnız kalınca arkadaşlarımla geçireceğim bir gecenin ne kadar güzel olacağını düşündüm. Tom Docherty nerelerdeydi? Sevdiğiniz birini arayıp da cevapsız kalan telefonun çıkardığı sesten daha hüzünlü bir ses yoktur.

---

* Maltlı süt. (ç.n.)

dördüncü bölüm

yirmi bir

Birinin ölümü olduğunuz yeri aydınlatan bir ışık olabilir. Gitmeye niyetlendiğiniz yerden ne kadar uzağa gittiğinizi bir şokla fark edersiniz, olmayı umduğunuz mekânın ne denli tuhaf bir şekilde farklı olduğunu görürsünüz. Thornbank yolunda halen Scott'ın ölümünün kurşuni aydınlığındaydım. Manzara, manzaradan daha fazlasıydı. Benim için soru ve mesajların olduğu özel mühimmat haritasıydı aynı zamanda. İçinden geçtiğim kırsal bölge ve köyler, insan ve doğanın birlikteliğinin masum bir ifadesiydi sanki ama benim için görünenin ötesindeki anlamı benim dönüştüğüm garabetti.

Graitnock'un dışında geçtiğim tanıdık yerler üçümüzün bir yaz çokça dolaştığımız arazilerdi. O zamanlar on beş yaşlarındaydık, Davy, Jim ve ben. Jim'in babasının tazıları vardı; bazen onları da beraber götürürdük. Özel kahkaha kulübümüzü, umutlarımızın muazzam budalalığını hatırladım. Jim on dokuz yaşında motor kazasında ölmüştü. Birkaç yıl önce şans eseri Davy ile karşılaşmıştım. Mimar olmuştu; düşlerinden artakalanların da ölmesi için içiyor gibi görünüyordu. O zamanlar ben de düşkünler evinde tatil broşürü okumayı seven biri gibi, felsefeyi seven ve okumaya çalışan orta yaşlı bir dedektiftim.

Holmford köyünde inşaat aşamasındayken görmüş olduğum, şimdi viran bir halde olan sosyal konutun yanından geçtim. İlk çıktığım kızlardan birini dansa götürmek için evinden aldığım köydü orası. Ben on yedi yaşındaydım, o da öyle. Son otobüsü kaçırıp Holmford'a kadar birkaç mil yürümüştük. Binanın camsız ve kapısız iskeletini görünce, onu kapı eşiğinden kucağıma alıp içeriye taşımıştım. Uzun bir evlilik değildi bu. Orada gözlerden ırak birkaç saat kalmıştık. Kimseye görünmeden istediğimiz her şeyi yapabilirdik. Yaptığımız şey ise öpüşmek, bitmek bilmeyen bir güzellikle birbirimize dokunup şarkılar söylemekti. Yaklaşık yirmi düet yapmış olmalıydık. Şüphesiz performansım o anda Graithnock'taki erkek ergenlerin bekârlığa veda partisinden ihraç edilmeme neden olabilirdi. Ama umurumda değildi. Kızlara ilgi duymaya ilk başladığımda edindiğim kanaat, sevgi peşindeki iki kişinin yaşadığı her güzelliğin onların kendi tatlı sırları olduğu ve başka da kimseyi ilgilendirmediğiydi. Her hâlükârda, yaptığımız şeyden zevk alıyorduk. Şarkılar bir tür aşktı, paylaşılan bir hayal, cinsellik olmadan bile yaşananlara itimat, Siyah saçlı Mary'yi düşünüp şimdi nasıl olduğunu merak ettim ve iyi olmasını diledim. İyi bir insanla güzel bir düet yapıyor olmasını diledim. O zaman konutu olduğum yer olarak düşünmüştüm. Şimdi ise korkarım belki de hâlâ olduğum yerdi.

Hareket halinde olan bir tek siz değilsiniz. Mekânlar da hareket eder. Geriye dönüp bakınca eskiden oldukları yer olmadıklarını görürsünüz. Sokaklar ve binalar bazı değişikliklerle olduğu yerde kalıyor olabilir ama artık eskiden bildiğiniz yerler değildir. Bakan kişidir bakılanı var eden ve benim gördüğüm de muhtemelen boşluktu, artık orada olmayan kişiydi. O zamanlar Ayrshire'ın bu bölgesinde insanlık olarak değerlendirdiğim şeye gelmiştim. Benim için anlamı büyüktü, yalnızca bir coğrafya olarak değil aynı zamanda bir yürek manzarası olarak da, iyi insanların benim için sınır taşı olduğu, mükemmel İskoçya ve geçerli paranın karşılıklı sevgi olduğu yer. Bugün bana neden bu kadar farklı hissettiriyordu, biraz köhne ve içe kapanık? Mekânın o eski halini ben mi hayal etmiştim? Thornbank yolunda Blackbrae'ye doğru giderken Koca Pete Wells'in öldüğünü anımsadım. Graithnock Akademisi'nde bir arkadaşımın babasıydı ve buralıydı. Birçok defa onun konuşmasını keyifle dinlemiştim. Karşılaştığım insanlar arasında insanın değerli olduğuna ve gelecek sosyal adalete en çok inanan kişiydi. Onu düşününce benim şu andaki halim ve geçirdiğim dönüşüm konusunda ne düşüneceğini merak ediyordum. Hızlı Frankie White'ın annesinin evinin nerede olduğunu sormak için Thornbank'ta durduğumda sanki Pete Wells'in inancına giden yolu soruyormuşum gibi hissettim. Hâlâ orada mıydı ve inancını benimle paylaşır mıydı?

Bir taraçanın ortasında, kaba sıvayla sıvanmış iki katlı bir evdi. Patikadan yukarı yürürken üst kattaki yatak odasının perdelerinin kapalı olduğunu fark ettim. Posta kutusuna hafifçe tıklattım. Kapıyı bir kadın açtı. Kırklarındaki kadının hoş ve güçlü yüz hatları vardı.

"Evet?"

Sanki bir dolap çeviriyormuşuz gibi sessizce söyledi. Bir an kendimi komploya dahil oluyormuş gibi buldum.

"Frankie'ye bakıyordum" dedim. "Buradan geçiyordum da bir merhaba demek istedim."

"Duymadın mı?" dedi.

"Son görüşmemizin üstünden uzun zaman geçti."

Üst kata baktı.

"İçeri gir" dedi.

Beni oturma odasına aldı ve kapıyı kapattı.

"Bayan White" dedi. "Çok vakti kalmadı. En fazla birkaç hafta. Frankie yukarıda onunla birlikte şimdi."

Frankie White'ın neden evde olduğunu anladım. Brian, onu Londra'dan getirmek için Özel Hava Kuvvetleri'nden fazlasının gerektiğini söylemişti. Ama annesinin ölüm döşeğinde olması yeterliydi.

"Özür dilerim" dedi kadın. "Kendimi unutuyorum bazen." Elini uzattı. "Ben Sarah Haggerty."

"Ben de Jack Laidlaw."

"Frankie'yi uzun zamandır tanıyor musun?"

"Oldukça uzun zamandır. Aşağı yukarı."

"Çay yapıyordum. Alır mısın?"

"İyi olur."

Mutfak kapısını açık bıraktı, sessizce ve havadan sudan konuşuyorduk. Frankie'nin "şimdilerde Londra'da çalıştığını" söyleme tarzı, onun yaptığı işin yasal olduğunu düşündüğüne beni ikna etmişti. Benim ne iş yaptığımı sorduğunda ise ondaki Frankie imajını dürüst bir hırsız olduğumu söyleyerek mahvetmek istemedim. Büyük bir firma için çalıştığımı söyledim. Personel dairesinde. Daha çok eleman seçip almayı kapsayan bir iş. Çalışma şartlarıyla ilgili daha fazla soru sormadığı için memnundum, kullanacağım tabirler tükenmek üzereydi. Frankie'nin, annesi için kaygılanmasına methiyeler düzüyordu. Annesi ölünceye kadar yanında kalabilmek için Londra'daki işinden izin almış görünüyordu. İşini kaybetmesine neden olsa da umurunda değilmiş. Thornbank'ta Frankie'nin aleyhinde konuşanlar varmış, özellikle son zamanlarda olanlar yüzünden. Peki, son zamanlarda neler olmuştu? Soruyu duymamış gibi görünüyordu. Muhtemelen o anda çaydanlık kaynamaya başladığından duymamıştı. Ama dedikoducular gerçek Frankie White'ı bilmiyorlarmış. "Üst kattaki kadını seviyor. Ve muhakemesi iyi olan bir insan." Bugünlerde birçok insanın aksine o geldiği yeri unutmamış.

Zamanın değiştiği bu dönemde erdemin savunucusu olarak çizdiği Frankie White portresi, imkânsız renklerin soyut bir örneği olarak realizmden ilginç bir kopuştu. Ona göre yakışıklı ve sakin bir insan olan Frankie bir Brylcreem* makinesi gibi mükemmellik saçıyordu. Ama aslında söz verdiği bir şeyin gerçekleşmesini asla ümit edemezdiniz. Ağzı karşılıksız çek gibiydi.

Ama bu mekânda Sarah Haggerty'nin Frankie algısı daha az komik görünüyordu. Odanın döşenme tarzı benim yeterince aşina olduğum iç dekorasyonda çağdaş modanın parçasıydı: evlatlık görevinin sağladığı lüks. Buradaki durumda, duvardan duvara kalın halılar, kaliteli duvar kâğıtları, birçok aksesuar ve ince işçilikle metal gaz aleviyle çalışan taş kesim bir şömine anlamına geliyordu.

Dekorasyon tarzı hoşuma gitmişti, göze hitap ettiği için değil, kalbe de hitap ettiği için. Bunun örneklerini tüm Batı İskoçya'da görmüştüm. Burası şükran düşüncesiyle yapılmıştı. İşin özü şu ki evin tamamen dekore edildiğini fark ederdiniz. Ailesi burada yaşayan kişiyi umursuyordu; bu onların teşekkür etme şekliydi, kendilerini büyütürken yıpranmış halılara ve muşambalara katlandığı için. Frankie White'ı annesi için yaptıklarına göre yargılasaydınız, Sarah Haggerty'nin onun hakkındaki naif düşüncesini anlamaya yaklaşırdınız. Ben sadece video cihazının bir kamyonun arkasından düşmemiş olduğunu umuyordum. Bu, çalıntı altından haç yapmaya benzerdi.

"İşte geldi" dedi. "Jack'ti değil mi?"

"Doğru. Teşekkürler Sarah?"

---

* Erkek saç kremi markası. (ç.n.)

Kafasını salladı. Frankie aşağı inmeden önce aileden biri olmayı başardığım için memnundum. Oynadığımız oyunu kolaylaştırması gerekiyordu. Ben tam zamanında adapte olmuştum. Frankie içeri girdi.

Frankie'yi makyajsız gördüğümü hatırlamıyordum. Şimdi ilk defa görüyordum. Palyaçonun bile sahne makyajını çıkardığı bir yer vardır. Frankie için orası buraydı. Arsız davranışları kaybolmuştu. Annesine olanların korkusu yüzünde görülebiliyordu. Normalde neon ışıklarının terzilikteki tezahürü biçiminde giyinen Frankie bugünkü kıyafeti yün bir gömlek, eşofman altı ve spor ayakkabılardan ibaretti. Sonra baktığı kişinin kim olduğunu fark etti.

"Merhaba, eski dostum" dedim, çok da imalı konuşmaya çalışmadan. "Ben de Sarah'a uzun süredir görüşmediğimizi söylüyordum."

"Ah, Frankie" dedi Sarah. "Jack'e annenin durumunu anlatıyordum. Haberi yokmuş."

Katie Samson'ın dediği gibi bela her zaman arkadaşlarıyla dolaşır. Üst kattaki sorun Frankie'ye yetmezmiş gibi, şimdi bir polis eski bir aile dostuymuş gibi burada, evinde çay içiyordu. Ne oluyordu bu dünyaya böyle? Frankie bilmiyordu. Maskeli baloda kostümünü unutan yegâne kişi gibi maskaralığımızın ortasında öylece duruyordu. Olur da elimi tutunca kalp krizi geçirir diye tokalaşmamanın iyi olacağını düşündüm. Sarah, Frankie'ye bir fincan çay getirip yukarıya, annesini görmeye çıkacağını söyleyerek farkında olmadan duruma yardımcı oluyordu.

"İkinizin konuşacak çok şeyi olmalı."

Frankie bu şeylerin ne olduğunu merak ediyordu. Çayını çok yavaş karıştırıyordu.

"Nedir bu?" dedi. "Ben temizim Bay Laidlaw."

"Bana Jack de. Oynadığımız oyuna devam etmeliyiz."

"Ben temizim. Londra'dan annemi görmeye geldim. Buradaki hiçbir şeye karışmıyorum. Buna ihtiyacım yok."

"Frankie. Burada resmi görevde değilim."

"Bay Laidlaw..."

"Bana Jack de."

"Jack." İsmimi tam ikna olmuş gibi telaffuz etmedi. "Hangi polis bir yerde bulunmuş da resmi görevde olmamış? Sizin arkadaşınız olmaz. Sizin ispiyoncularınız olur. Kiminle dalga geçiyorsun? Sen bilgi istiyorsun. Ben bilgi vermem. Bunu biliyorsun."

Biliyordum. Frankie White kimseyi ele vermemişti. Kendisinden daha zorlu ve başarılı insanlar tarafından kabul görmesinin nedeni buydu.

"Tamam Frankie. Ama bu kişisel bir bilgi. Mahkemede kullanmak için değil. Kardeşimle neden kapıştınız?"

"Ne kardeşi?"

"Scott."

"Scott da kim? Kardeşini tanımıyorum."

Gözlerindeki tedirgin şaşkınlık inkâr etmek için değildi. Kötü bir gün geçiriyordu ve bunun nereden kaynaklandığını bilmiyordu. Akimbo Arms'taki olayın Gus McPhater versiyonunu anlattım.

"Böyle bir şey hatırlıyorum" dedi. "O senin kardeşin miydi? Tanrım, çok yabaniydi. Ailede var, hı? Ama niye öyle yaptığını hiç anlamadım. Ona sormadın mı?"

"Öldü."

Frankie'nin yüzünde son derece küçük bir rahatlama gördüğümü sandım.

"Nasıl oldu?"

Ona anlattım.

"Üzgünüm. Çok fena. Üzgünüm. Jack. Ama niye öyle olduğunu hiç bilmiyorum. Sanırım sarhoştu. Çatmak için beni seçti. Belki de giydiğim elbiseyi beğenmedi. İlk değildi."

Adımı söyleyiş tarzı şüphemi teyit ediyordu. Sahte samimiyet, ihanetin favori silahıdır. Öpen kişi Judas'tır.* Bir insanı bıçaklamanın en güzel yolu onu kucaklarken bıçaklamaktır. Ona inanmadığıma kanaat getirdim. Öğrenmek istediğim şeyi biliyor ve yalan söylüyordu. Öfkeden koltukta donakaldığımı fark ettim. Frankie'ye baktım. Çayını içmek için iğneden iplik geçirmek için gereken yoğunlaşmaya ihtiyacı var görünüyordu.

"Frankie" dedim. "Scott neden seninle kavga etti, anlat bana."

"Keşke bilseydim."

"Frankie. Bilmem gerekiyor."

"Ne diyebilirim ki?"

"Lanet olası gerçeği."

"Hadi ama. Bilmediğim bir şeyi anlatamam."

Küçük yalanlarımızı mezara götüreceğiz. Ölümü bile önemsizleştireceğiz. Frankie White nihai gerçeğin yüzüne bakıyordu ama yine de hayat boyu süren alışkanlığından vazgeçemiyordu: Polise yalan söylemek. Hayatındaki olaylara ilişkin merhamet duygum körelmişti.

"Frankie" dedim. "Sen önemsiz bir sahtekârsın. Ve bunda da çok iyi değilsin. Fantezi peşinde, yalancı bir şarlatansın. Ama senin için önemli olan iki şey var. Sadece iki. Sanırım seni bir arada tutan şeyler bunlar. Sen hiçbir zaman polise yardımcı olmadın. Ve bu Sarah denen kadına bakarak hüküm verirsek, belki de senin iyi olduğuna inanan sadece iki insan var. Biri annen. Annen senin özel biri olduğunu düşünüyordur. Ne yapacağım biliyor musun? Eğer bana bildiklerini anlatmazsan, senin kötü şöhretini her yerde anlatacağım. Sadece Glasgow'da değil. Şu an nerede yaşadığını da bili-

---

* Hz. İsa'yı öpmesi ve ihanetiyle bilinen havari. (ç.n.)

yorum." Kentish'teki adresini ona söyledim. "Ama bundan önce. Üst kata çıkıp annene sana olan inancını yıkacak şeyler anlatacağım."

Odada birkaç dakika öylece durduk, kendimden nefret ettim. Pete Wells'i düşündüm; şimdi burada olsa onun gözlerinin içine bakamayacağımı biliyordum. Frankie'ye kötülük olsun diye onu, yaşlı ve masum bir kadının ölümünü berbat etmekle tehdit etmiştim.

"Frankie" dedim. "Özür dilerim. Tabii ki annene bir şey anlatmayacağım. Bu kendi annemin mezarına işemek gibi olur. Üzgünüm. Unut gitsin. Sorduğum şeyi de unut."

Frankie çayını bitirdi.

"Biliyor musun" dedi. "Geçen haftaydı sanırım. Kendime başka bir aynadan bakmak zorunda kaldım. Pek hoş değildi. Bu kadının benim için yaptığı onca şey. Peki, karşılığında ben ne verdim? Ve o hâlâ bana inanıyor. Eğer bana inancını kaybederse bütün o yılların boşa gittiğini bilecek. Bir bakımdan son birkaç aydır dışarı çıkamadığına memnunum. Bu sıralar köylünün benim hakkımda ne düşündüğünü duymadı. Umarım hiçbir zaman da duymaz. Senin kardeşinin konuştuğu da buydu. Ama dürüst olmak gerekirse gerçekten kim olduğunu bilmiyordum. Benim için yabancı biriydi. Ama o beni yeterince tanıyordu. Ve neler olduğunu biliyordu."

Şöminenin yanındaki sigarasını aldı, bana da uzattı. Sigaralarımızı yaktık. Bana konuştuğu kadar kendisine de konuşuyordu. Soru sormam gereksiz bir müdahale olacaktı.

"Bütün bir hafta düşündüm durdum" dedi. "Keşke adam gibi bir adam olsaydım. Sadece kendim için değil. Ama onun için. Demek istediğim işte yukarıda. Bütün hayatı boyunca dünyayı iki penilik bile aldatmamıştır. Azizlere dürüstlük öğretebilir. En zor zamanları kendisi göğüsleyip bana o zorlukları yansıtmadı. Peki, bunun karşılığında ne kazandı? Lanet olası, adi bir evlat. Ve şimdi düşünüyorum da... Buradan göçmeden eline iyi bir şeyler vermek istiyorum. Bana inanması gibi mesela. İyi bir şey vermek istiyorum. Böylece gözlerini huzur içinde kapatabilir. En azından bunu hak ediyor. Ve bunu nasıl yapabilirim merak ediyordum."

Bana baktı.

"Sen saygıdeğer bir insansın."

"Frankie, beni bir başkasıyla karıştırıyorsun sanırım."

"Hadi ama Jack. Jack Laidlaw. Öyle değilsen bile öyle görünüyorsun."

Beni nereye yönlendirdiğini anlamamıştım.

"Jack. Bak sana Jack diye hitap ediyorum. Eski arkadaşlar gibi. Bunu bir tık ilerletmeye ne dersin? Seninle bir anlaşma yapalım. Şu merdivenden yukarı çıkıp, annemle arkadaşımmışsın gibi konuşabilirsin. Bu aralar pek kimse bu eve uğramıyor. Bir tek Sarah var işte. Diğerleri için burası cüzam hastanesi gibi. En azından ben evdeyken. Ama sen yukarı çıkıp bir süre annemin yanında oturursan. Benim ne kadar iyi bir insan olduğumu, bana ne kadar güvendiğini anlatırsan. Bu büyük bir iyilik olur, ha? Ne demek istediğimi anlıyor musun? Onun için morfin gibi olur. Bir rüyadaymış gibi uçar. Bütün isteğim bu. Ona uykuya dalması için kucaklayacağı bir şey vererek bana yardımcı ol."

Devam etmekte zorlanıyordu.

"Yani onu tanımıyorsun. Ama buna değecek biri. Bu kadın..."

"Frankie" dedim. "Nefesini boşa harcama."

Üzgün ve incinmiş görünüyordu.

"Bu işçi sınıfı kadını için" dedim "binaları yakıp kül ederim. Ne kadar emek harcadıklarını ve karşılığında bir halt alamadıklarını biliyorum. Şimdi bir havariye dönüşmene gerek yok. Sadece bana ne söyleyeceğimi söyle, senin adamınım."

Bana gülümsedi, ben de ona gülümsedim; bir an için kardeş gibi olduk, her şeye rağmen geldikleri yerin farkında olan iki serseri.

"Detayları sana bırakıyorum" dedi. "Bu iyiliğine karşılık verebileceğim bir şey var. Anlattığımda neden olduğunu göreceksin. Kardeşin üç ay önce burada, Thornbank'ta ne olduğunu biliyordu. Benim de o işe karıştığımı biliyordu. Nasıl bildiğini sorma. Sanırım işe karıştığımdan daha fazla işin içinde olduğumu düşünüyordu. Ama her hâlükârda karışmıştım işte. Ve bu yüzden de benden nefret ediyordu. O gece benden o kadar çok nefret etmesine inanamadım."

Gus McPhater'in Scott'ın öfkesi karşısında ne denli şaşırdığını anımsadım. O kısa, şiddetli kavga bir anlam kazanmaya başlamak üzereydi, sonunda kaynağı tespit edilen bir böceğin sesi gibi.

"Dan Scoular öldü" dedi Frankie. Duraksadı sanki hâlâ konuşması gerektiğinden emin değildi. "Koca adam öldü. Kim olduğunu biliyor musun? Hayret edeceğin kadar iyi bir insandı. Kardeşin onun öldüğünü biliyordu ve bunun için de beni suçluyordu."

Dan Scoular'ın ismini duymuştum ama tam olarak hatırlayamadım. Scott birkaç defa ondan, ne denli müthiş bir insan olduğundan söz etmişti.

"Bir boksör müydü?" dedim. "Eski bir madenci olan hani?"

"İşte adamın bu. Tanıyor muydun?"

Kafamı salladım.

"Neyse olanlara gelince. İşsizdi. Ona eldivensiz yapılan serbest bir dövüş ayarladım. Cutty Dawson ile." Eski ağır sıklet boksörün adına aşinaydım. "Dan kazandı. Ama dövüşün sonunda Cutty'nin kör olabileceğini düşündüler. Kaybettiği için de para alamadı. Koca Dan bunu kabullenemedi. Elebaşlarına sataşmaya başladı."

"Dövüşü organize eden kim?"

"Matt Mason ve Cam Colvin. Dan, Matt'in adamıydı. Cutty ise Cam'in."

"Sonra ne oldu?"

"Dan dövüşten sonra Cutty'yi hastanede ziyarete gidiyor, para almadığını öğreniyor. Matt Mason'a gidip onu deviriyor. Ve Cutty'nin hak ettiğini düşündüğü ücreti alıyor. Parayı ona veriyor. Düşünebiliyor musun? Matt Mason'ı soyuyor."

Frankie buna hayret etmekte haklıydı. Şöyle bir manşet atılabilirdi: Silahşor, Sekizinci Ordu'ya meydan okuyor.

"Sonra Dan buraya geri dönüyor. Beklendiği gibi, açık arazide saklanmaya. Ben ateş hattında olduğumu biliyordum. Londra'ya topukladım. Ama Koca Dan'i de birlikte götürmeye çalıştım. Neye bulaştığı konusunda onu uyardım. Matt'in cebinden bir şey yürütmeye kalkarsan elini orada bırakırsın. Ama kendimi sorumlu hissediyordum. Dan'in yaptığı şey için değil. Kim bir insanın bu kadar saf olabileceğini hayal edebilirdi ki? Daha en başında, ona dövüşü ayarladığım için. Benimle gelmesini teklif ettim ona. Neden teklifimi kabul etmedi ki?"

Gerçekten kafası karışmış görünüyordu. Eski Frankie White'ı görebiliyordum. İnsanı değiştirecek bir deneyimle karşılaşmıştı, ama gerçekten değişmemişti. Bazen merak ediyorum, gerçekten değişiyor muyuz diye? Onun kişiliği de üzerindeki etiketin yalnızca kişisel ihtiyaca göre değiştiği bir çanta gibi değişkendi; bir insanın bir yere bağlılığının kişisel çıkar ötesinde başka faktörlere bağlı olabileceğini anlayamıyordu.

"Konu şu ki, Cutty'nin gözlerinde sorun olmadığını duydum. Kör olmamıştı."

Dan Scoular'ın yaptığı şeyin aslında boşuna olduğunu söylemek istiyor gibiydi. Frankie'nin kendisinin olayları görmekte muhtemelen sorun yaşadığını düşünüyordum. Koca adamın muhtemelen menfaatçi olmanın ötesinde olayların doğasına karşı çıktığını göremiyordu.

"Dan Scoular nasıl öldü?"

"Arabayla biri çarpıp kaçmış. Dan koşu yapmaya devam ediyordu. İdman yapıyordu. Bir sabah çıkmış, bir daha da geri dönmemiş. Yolda bulmuşlar sanırım. Demek istediğim olanları düşününce... Kimin yaptığını bulamadılar." Frankie, kelebeğini göstermek isteyen ama onu ezeceğiniz korkusu taşıyan küçük bir çocuk gibi bana bakıyordu. "Demek istediğim gerçekten bir kaza olabilir. Olamaz mı?"

"Tabii ki Frankie" dedim. "Zaten John F. Kennedy de kendisini vurmuştu."

"Tamam, anladım" dedi Frankie.

Düşünceli bir şekilde oturuyorduk. Benim düşüncelerimin ondan farklı olmasından memnundum.

"Evli miydi?"

"Evet. Betty ile. İki oğlu var."

"Hâlâ burada mı yaşıyorlar?"

"Üç sokak ötede."

"Tam olarak neresi?"

Frankie bana dik dik bakıyordu.

"Oraya gitmeyeceksin değil mi?"

"Düşüncem buydu."

"Hadi ama. Bundaki amacın ne?"

"Frankie. Bilmem gereken şeyler var. Hâlâ Scott'ın bütün bunlarla ne ilgisi olduğunu bilmiyorum. Sen biliyor musun?"

"Hiçbir fikrim yok."

"Belki Betty Scoular'ın vardır."

"Yerinde olmak istemezdim" dedi. "Zaten Betty beni oldum olası sevmez. On numara koca bir kadın. Ama ona uzaktan hayranlık duymayı tercih ederim. Özellikle şimdi. Burada olduğumu bilmiyordur diye ümit ediyorum. Yine de burada olduğumu bilmesi kesin gibi. Eğer düşüncelerle birini öldürmek mümkün olsaydı, yakında beni gömüyor olurlardı, annem hariç."

Nerede yaşadığını sordum, oraya nasıl gideceğimi anlattı.

"Anlaşmanın senin üzerine düşen tarafını yaptın" dedim.

"Annenle konuşmamı istiyor musun?"

"Senin için sakıncası yoksa?"

"Niye bir sakınca olsun ki?"

"Şey, sanırım senden yalan söylemeni istiyorum."

"Yalan konusunda sadece iki kuralım var Frankie" dedim. "Asla kendine yalan söyleme, tabii başarabilirsen. Asla başkasına yalan söyleme, eğer iyi insanlar değillerse. Bir ödül olduğunu bildiğim yalanlar var. Kendini on sekizinde olduğu gibi göründüğüne inandırmak isteyen, ölmekte olan bir kadın düşün. Ona yanlış düşündüğünü mü söylersin? Tabii ki hayır. Ona çıkma teklif edersin, değil mi? Bu arada senin en kötüsü olduğunu kim demiş. Senin hakkında boğulmadan iyi şeyler söyleyebilirim, endişelenme Frankie."

Üst kata çıktık. Bayan White'ın odasını aydınlatan çiçek desenli iki lamba vardı. Yatakta uzanmış, tavana bakıyordu, hasır işi yastıklı koltukta oturan Sarah Haggerty onunla konuşuyordu. Frankie beni ziyarete gelen eski bir arkadaşı olarak tanıttı. Sarah her şey yolunda mı diye evine uğraması gerektiğini ama sonra tekrar geleceğini söyledi. Bana hoşça kal dedi. Frankie onunla aşağı indi, belki onu uğurlamak için, belki de kendisiyle ilgili uyduracağım güzel hikâyenin gerçeğin engelleyici mevcudiyetinden uzak olması için. Sarah'ın kalktığı koltuğa oturdum. Bayan White'a gülümsedim.

Yüzü bir avuç kemik gibi, gözleri ise göçmeye hazır birinin gözleri gibi görünüyordu. Hayatı için lüzumlu bavullarının çoğu önden gitmiş, yol kenarında bir durakta, başka işleri olan yabancıların arasında bekliyordu. Ölmekte olan biri için yaşayan herkes birer yabancıdır. Sadece bunu bize söyleyemeyecek kadar naziktirler. Bizi başkasıyla karıştırmaları densizce gösterdiğimiz yakınlık karşısındaki nezaketleridir. Gözlerinde hemen fark ettiğimiz gerçeği, korkunç yalnızlığımızı paylaşacağımız birini bulmak için partiye davetsiz katılan baş belası olduğumuzu söylemezler. Ölmekte olanın ulaştığı yer gerçek nezakettir. Çığlık atsa bile, gerektiği için yapıyordur. Başka kim, sadece kendilerine ait olan için kurallar koyar? Bize karşı nezaketsiz olamazlar çünkü kendileri ölürken bizi yaşar halde bırakırlar. O da bana karşı nazikti.

"Merhaba Bayan White."

"Merhaba evlat."

Gözleri adeta odanin envanterini çıkarıyordu, belli bir zorunlulukla değil, ama rastgele bir şekilde. Çok önemli değildi ama yapılması da gerekiyordu. Bakışları perdenin üzerinde oyalanıyordu. Ama bunun nedenini söylemek mümkün değildi. Bana baktı. Kim olduğumu hemen anladı.

"Demek ki Frank'ın arkadaşısın."

"Evet."

"O müthiş biri, değil mi?"

"Tamamen öyle."

"Seni daha önce görmedim, değil mi?"

"Yıllardır uzaklardaydım."

"Evlat, bazen düşünüyorum da herkes yıllardır uzaklarda. Ne yapacağız bu çocukla?"

"Frank mi? Bayan White, o iyi olacak. İyi bir insan o. Ve bu aralar işleri de iyi. Merak etmeyin."

"Öyle mi düşünüyorsun, evlat?"

"Evet, öyle düşünüyorum. Oğlunuz başarılı bir insan. Çok saygı duyulan biri."

Yüzüne yavaş yavaş renk gelmeye başladı. Sevdiği eski bir ezgiyi bulmuştuk ve birlikte çalabilirdik, Frankie'nin şimdi neye dönüştüğü değil, umut vaat eden biri gibi göründüğü mutlu günleri anımsatıyordu, değişen hayallerin hiç gerçekleşmeyen vaatleri.

Konuştukça aslında onu tanıdığımı görüyordum. Tanımalıydım da. Gençliğimde otobüslerde, marketlerde, birçok evde gördüğüm insandı o. Benim teyzeciğimdi, cadde boyunca yaşayan, annemin bir arkadaşı. Ortalığı velveleye vermeden hayatlarımızın olması gerekenden daha çok güzelleşmesini sağlayan cesur kadın kitlesinden biriydi. Ona oğluyla ilgili bir sürü yalan söylemekte zorlanmadım. Her hâlükârda onun için yalan değildi söylediklerim. Onlar hayalindeki gerçeklerdi; bu hayali hak etmişti ve bunu kimse ondan almamalıydı.

En azından benim gördüğüm kadarıyla Frankie'nin mükemmelliği konusunu bitirmiştik. Biraz daha devam etsek sonunda anlattıklarıma kendim de inanacağım gibi hissetmeye başladım. Ne kadar yorgun olduğunu görüyordum. Artık gitmem gerektiğini söyledim. Elini kaldırdı, ben de elini tuttum.

Gerçekten değerli herhangi bir insanın bizden koparılışının acısını hissettim. Bir an için elini yeterince sıkı kavrarsam onu burada tutabileceğime inanacaktım neredeyse. Yaşlı derisi ve gittikçe sönmekte olan sıcaklığıyla nadide bir eli vardı. Ne yapacağımı bilemiyordum. Üstüne doğru eğilerek onu öptüm, çünkü onun cesur sıradanlığı çok güzeldi, çünkü tamamıyla bizim türümüzdendi. Çünkü olan buydu işte.

Frankie merdivenlerin sonunda beni bekliyordu.

"Onu hak etmek istiyor musun?" dedim. "İyi bir insan ol. Ben kendim de bunu deneyeceğim."

Dışarı çıkıp kapıyı kapattım.

yirmi iki

Betty Scoular, etkileyici ama tamiratı iyi yapılmamış bir ev gibiydi, bundan rahatsızmış gibi de görünmüyordu, sanki ev sahibi uzak bir yerlerdeydi ve o sadece evi kiralamıştı. Uzun boylu ve göz alıcıydı. Ama üstündeki kazakta küçük yün topakları birikmeye başlamıştı ve eteği kalçalarında biraz asimetrik duruyordu. Ayağında terlikler vardı. Saçlarındaki grilikler son zamanlarda boya yaptırmadığını gösteriyordu. Açık kapıdan solgun gözlerle bana bakıyordu. Bir şey söylemedi.

"Bayan Scoular" dedim. "Rahatsız ettiğim için üzgünüm. Benim adım Jack Laidlaw."

Adımın yüzünde ortaya çıkardığı zehirli ifade karşısında şaşırdım. Tanımadığınız birinin sizin temsili kuklanıza iğne batırışını izlemek gibiydi. Gözlerini bana dikmişti. Lensleri kin kusuyordu.

"Biraz geç kalmadın mı?"

"Pardon?"

"Dan öleli üç ay olmuş. Üç ay."

"Evet. Biliyorum. Üzgünüm."

"Çok güzel. Kardeşini yanında göremiyorum bu arada. Gelecek yüzü yok muydu?"

"Bayan Scoular. Kardeşim gelemezdi. Feci bir biçimde öldü."

Gözleri şaşkınlıkla açıldı. En nihayetinde yakınına gittim. Dünya bir an için onun dulluğundan daha fazlasıydı. Onun başına gelen kötülük bütün kötülükleri durdurmamıştı. Başka insanların başına da kötü şeyler gelebiliyordu. İnanmakta güçlük çekiyordu. Belki de acısının kölesi olmuştu. En azından söylediğim şey ilgisini çekmişti.

"Nasıl?" dedi.

"Bir araba çarpmış."

Gözlerini kapatıp elini ağzına koydu.

"Aman Tanrım" dedi. "Bunun sonu yok mu? Onun da bildiğini biliyor olmalılar."

Ümit değişik kılıklara girebilir. O konuşunca, Scott'ın ölüm nedenini bulmak üzere olduğumu hissettim. Scott bilmemesi gereken bir şey biliyordu ve bunun için öldürülmüştü. Hızlı Frankie White ile kavgası bir şey bildiğinin göstergesiydi. Hızlı Frankie bunu Matt Mason'a anlattı. Geri kalanını da Matt Mason halletti. Olay basitti. Açıktı. Ve geri kalanımızı aklıyordu. Ölümü bizim dahil olmadığımız bir cinayetti. Ama bu kendi kendini kandırma girişimi üç saniye sürdü. Scott'a çarpan arabanın şoförünü bana anlatmışlardı. Üç çocuk babası bir gazete bayiiydi, kazadan sonra daha önce yaşadığı sıradan hayatına bir daha asla dönemeyecek bir tipti. Bir cinayetin parçası olmasının ihtimali yoktu.

Betty Scoular beni unutmuşa benziyordu. Arkamdaki sokağa gözlerini dikmiş bakıyordu. Belki son zamanlarda olanlarla, yaşadığını sandığı yeri bağdaştırmakta zorluk çekiyordu.

"İçeri girmemin sakıncası var mı?"

Arkasını döndü, ben de onu takip ettim. Ben kapıyı kapatmasam öylece açık kalacaktı. Oturma odasında ayakta dikilmişti. Bilmediği bir sokakta yönünü bulmaya çalışıyor gibi görünüyordu. Oda iyi döşenmişti ama düzensizdi. Amacı olan bir kadının, amacını kaybettiği yerdi. Aslında oda zevkli ve havalıydı ama ortalıkta bırakılmış gazeteler, masanın üstünde açık kalmış kitaplar, sandalyenin üstüne atılmış elbiseler odanın ruhunu kaçırıyordu. Bir koltuğa oturdu. Gidip karşısına oturdum.

"Bayan Scoular" dedim. "Kapıda bana neden o kadar öfkeliydiniz?"

"Yani bilmediğini mi söylüyorsun?"

"Sizi daha önce hiç görmedim. Bugüne kadar varlığınızdan bile haberim yoktu."

"Ama Dan'i tanıyordun kuşkusuz."

"Kocanızla hiç karşılaşmadım. Scott'ın ondan bahsettiğine dair bulanık bir fikrim var."

"Bulanık fikir mi? Seni pislik. Orada oturup bulanık fikirlerden mi konuşacaksın."

"Bayan Scoular bütün yapabileceğim bu. Başka seçeneğim yok."

"Scott sana Dan'in içinde olduğu tehlikeyi anlattı. Ve sen bunun için ne yaptın? Cenaze töreni için bile geç kaldın."

"Scott, kocanız ölmeden önce bunu biliyor muydu? Nasıl?"

"Nasıl olacak? Dan anlattı ona. Böylece o da sana anlatacaktı. Polis ağabeyine. Büyük koruyucuya."

Benden nefret ettiğinden kuşkum yoktu. Kardeşim hakkında istediğimden daha fazlasını bulmuştum. Böylesine önemli bir görevde verdiği sözü tutmamasına inanamıyordum. Scott'ın hatırı için doğruyu söylemekte tereddütlüydüm. Ama bu olayın etrafında yeterince yalan ve suskunluk vardı zaten ve nasıl olsa o esnada kardeş sevgim doruk noktasında değildi.

"Scott bana anlatmadı" dedim.

"Ne?"

"Bana anlatmadı. Neden anlatmadığını bilmiyorum. Ama anlatmadı."

"Ah" dedi, sesli bir harfi bir ağıda çevirerek.

Beni haksız yere suçladığı için özür dilemedi. Neden dilesin ki? Ağzından dökülen sözler görgü kuralları sahilinin çok ötesinden geliyordu. Sanırım onun şimdi içinde olduğu durum, birinin ölümünden sonra, gerçeğin küçük ve birbiriyle bağlantılı parçalarına rastlayan bir kişinin olayın büyüklüğünü gösteren yeni bir bakış açısı kazandığı durumdu: Bir daha asla giyilemeyecek ayakkabılar, en sevdiği fincan, gözlerini bir daha asla açamayacak kişiye gelen mektuplar. Kocasını yüzüstü bırakan bir diğer kişi de Scott'tı. Dan Scoular'ın ölümünün korkunçluğu bu detayla bir kez daha gün yüzüne çıkmıştı. En kötü şeyleri kendimize kademe kademe öğretiriz. Bir defada özümsenemeyecek kadar büyüktürler; bu nedenle karşılaştıkça parçaları ezberleriz, ta ki acımıza bir bütün olarak bakmayı kaldıracak duruma gelinceye kadar. Bayan Scoular Bir araya toplamaya çalıştığı acısını anlamlı kılan yeni bir parçaya rastgelmişti. Oturmuş bu parçayı nereye oturtacağını merak ediyordu.

Ben kendi düşüncelerimin içinde kaybolmuştum. Neden her cevap yeni bir soruyu doğuruyordu? Daha önce ölen birinin kardeşimin zihnindeki durumundan yola çıkarak iki defa ölmenin ne olduğunu biliyordum artık. Scott'ın Hızlı Frankie White'a neden bu kadar kızgın olduğunu biliyordum. Glasgow'da bu araştırmaya başlarkenki bilgimden çok daha fazlasını biliyordum; sanki üç günden çok daha fazla zaman geçmiş görünüyordu. Ama bildiğim her şey şimdi daha şaşırtıcı bir soruya dönüşmüştü: Scott, Dan Scoular'ın istediği şeyi bana neden anlatmamıştı?

Dairemde sarhoş olduğumuz o gece geldi aklıma. Scott sabaha karşı uzandığı yer yatağından doğrulmuştu. Bana anlatması gereken bir şey vardı. Sonra "Anna'dan ayrılıyorum" deyivermişti. Ama gerçekten anlatacağı şey bu muydu? Konuşmaya başlamadan önce yüzünde beliren gergin ifadeyi anımsadım. Anlatması çok zor bir konuya giriş yapar gibiydi. Belki de söyleyemedi. Anna'dan ayrılacağını söyleyince yüzündeki ani rahatlama, şimdi bana aşırı gergin bir ortamda tansiyonu düşüren bir şakanın ardından insanların yüzünde oluşan ifadeyi anımsatıyordu. Anna'dan yüzlerce defa ayrılma noktasına gelmiş olmalıydı. Bunu kullanmasındaki amaç dikkati başka yöne çekmek için güvenli bir taktik olmasıydı, böylece uyandığı uykusuna geri döndü. O zaman neredeyse yüzleşmek üzere olduğu şey neydi? Dan Scoular hakkında konuşması gerektiği mi?

Eğer öyleyse, neden anlatamadı? Bu, çözemediğim bir muammaydı. Bana anlatmaması için düşünebildiğim hiçbir neden yoktu. Yavaş yavaş düşünmeye başladığım bir neden hariç. Neden, suçluluk duygusuydu.

Suçluluk duygusunun gücünü anlamak için, insanların hayatlarının gölgeleri etrafında dolaşmaya başlayalı yeterince uzun zaman olmuştu: şiddet, ihanet ve acı. Suçluluk duygusu genellikle kötü bir güçtür, çünkü bu duyguyu en çok iyilerin hırslı olanları hissederler; bir şey yaptıklarında bu güç onların içine kendilerinden daha aşağı nitelikteki insanlara benzeyecekleri korkusu salar. Yaptıklarından o kadar utanırlar ki başkalarının utanç verici davranışlarına göz yumarlar. Kendinden iğrenme, herhangi birinin ahlaksızlığına meydan okumak için sizi gerekli donanımdan yoksun bırakır.

Son zamanlarında Scott kendinden iğrenme uzmanı olmuştu. Onu susturan suçluluk duygusu muydu? Ama ben Scott'ın yapmış olabileceği şey ile Dan Scoular'ın karşılaştığı tehdit arasında bir bağlantı göremiyordum.

"Bayan Scoular" dedim. "Scott kocanızla nereden tanışıyor?"

Acısını tekrar anımsamak olaylara karşı öfkesini bir anlığına yumuşatmıştı. Başını salladı.

"Graithnock'ta tanışmışlar. Salon futbolu oynuyorlarmış. Dan onu çok sevmişti. Kardeşin onu nasıl böyle yüzüstü bırakabildi?"

"Bilmiyorum. Buna inanamıyorum. Kocanızın ona anlattığına emin misiniz? Size ona anlatacağını söyleyip anlatmamış olamaz mı?"

"Ona anlattı. Dan'ın ona anlatacağını söylediği akşamı hatırlıyorum. 'Bir tür caydırıcı güç olacaktır' dediğini hatırlıyorum. Sen bu evde bir süre için çok bahsedilen biriydin."

"Keşke bilseydim."

"Keşke Dan'ı tanısaydın" dedi. "Kendimi kandıracak değilim. Bizim de sorunlarımız vardı. Belki de evliliğimizi sürdüremeyecektik. Ama hiçbir şey onu sevmeme engel olamazdı. Yani olaylar hangi yönde gelişseydi de fark etmezdi. Bir şekilde ona olan sevgim sürecekti. Onun gibi ikinci bir kişiyi hayatında göremezsin. Onunla birçok konuda farklı düşünürdük. Yağmurun yağmasına da karşıyım ben ama bu onun yağmasına engel olmaz. O, kendisi gibi bir insandı. İnandığı değerler onu her nereye çekerse o tarafa giderdi. Bir uçurumun kenarı olsa bile. Ve son olay uçurumun aşağısıydı. Öyle değil mi?"

"Onunla tanışmak isterdim."

"Evet isterdin. Olaydan sonra ona çok kızdım. Aklıma geldikçe yine kızıyorum. Beni ve çocukları böylece bırakmasına. Bir yönüyle onu asla affetmeyeceğim. Ama öte yandan bir sigorta poliçesiyle evli olmadığımı da biliyordum. Bazen düşünüyorum da, 'Çocuklara ne bıraktı?' Ama para tek miras değildir. Belki çocuklara bıraktığı miras o kadar da kötü bir şey değildir."

Bir çeşit mezar yazısını dillendirmek onu sakinleştirmişti, mezarlığa yapılan yeni bir ziyaret gibi. Kısacası onun ne halde olduğunu görmüştüm ve şüphesiz mevcut kederinden sıyrılınca nasıl olacağını da. Çekiciliği kozmetik ürünlerinin ötesindeydi, güçlü bir görünüşün doğal zarafetinden geliyordu. Sabit gözlerle bana bakıyordu.

"Kardeşin sana anlatmadıysa bunları nereden biliyorsun?"

"Scott öldüğünde" dedim, "nedenini anlamaya çalıştım. Etrafta sorup soruşturmak için Graithnock'a gittim. Kocanıza olanları öyle duydum."

"Kim anlattı?"

Frankie White'ın, kendisinin Thornbank'ta olduğunu bilinmesini istemediği aklıma geldi. Frankie'nin yeterince sorunu vardı.

"Graithnock'ta birkaç kişi olanları biliyordu. Onlar anlattı." Frankie'nin ondan gizlendiği konusundan uzaklaşmaya çalışıyordum. "Bu arada Scott'ın ölümüyle ilgili şüpheli hiçbir şey yoktu. Kesinlikle bir kazaymış."

"Emin misin? Belki Dan'ın kazasının da öyle olduğunu düşünüyorsun."

"Sizin öyle düşünmediğiniz açık."

"Diş perisine de inanmam. Matt Mason'ı biliyor musun?"

"Evet."

"Dan'i o öldürdü. İşte olay bundan ibaret."

"Evet, öyle görünüyor. Ama bunun için plan yapmış olmaları lazım. Kocanızın davranışlarını bu kadar yakından nasıl bilebilirler?"

"Anlatan kişi Frankie White olabilir. Onu tanıyor musun?"

"Kimi kastettiğinizi biliyorum."

"Ondan nefret ediyorum. Her zaman edeceğim. Onunla ilgili her şeye inanırım."

"Ama şimdi Londra'da, değil mi?"

"Ne olmuş yani?" Başını salladı. "Ama aslında işin arkasında tam olarak onun olduğunu düşünmüyorum. Onu aşan şeyler var. Şu an kendi canını kurtarmakla meşguldür. Zavallı annesi. Ölmek üzere biliyor musun? Öyle iyi bir kadın ki. Böyle birini doğurmuş olması."

"Eğer Matt Mason olduğuna eminseniz" dedim, "bununla ilgili neden bir şey yapmadınız? Polise şikâyet etmek gibi."

Sert bir bakış attı bana, durgun ve soğuk öfkesi delip geçiyordu. Ne denli değişken biri olduğunu fark ettim, vereceği aşırı tepkinin uç noktalarındayken, olanlardan dolayı hissettiği her şeye denk gelecek bir tutum bulmaya çalışıyordu. Telefon çaldı. Buna sevinmiştim.

Gordon adında biriydi. "İyiyim Gordon" dediğini duyuyordum. "Ben iyiyim." Karşıdakinin söylediği her neyse usulca yanıtlıyordu. "Şimdi değil" dedi. Telefonu kapattı. Büfeye doğru geçti.

"Bir içki alır mısın?" dedi.

"Almasam daha iyi. Araba kullanıyorum."

"İyi, ben içeceğim."

Büyük bir miktar votka doldurdu, üstünü limonatayla tamamladı. Gelip tekrar karşıma oturdu.

Üstündeki baskı ile eski standartlarının onu zorladığı şeyler arasında çözüm üretmek adına küçük kaçamaklar yaptığını görüyordum. Sabahın bu saatlerinde çocukları görmediği için bir içki içmenin sakıncası yoktu.

"Bunu sık sık yapmam" dedi. "Sadece ara sıra."

Şüphesiz burada bulunmam onun acılarını yeniliyor, söz konusu "ara sıra"lardan birinin gerçekleşmesine neden oluyordu. İçkisini yudumluyordu. Ne söylediğimi unuttu sanmıştım. Ama unutmamıştı.

"Bazen kimsenin ne olduğunu fark etmediğini düşünüyorum" dedi. "Hiç böyle hissettiğin oldu mu? Sanki dünyanın geri kalanı çıldırmış gibi. Ne olursa olsun yoluna devam edenler. Polise söyledim mi? Sen hangi gezegenden geliyorsun? Dan için çok uğraşan oldu, olmadı mı? Her durumda, Thornbank'ta yeteri kadar insan durumu polise anlattı. Bu köy ne olduğunu biliyordu. Ve bu köy Dan Scoular'ı severdi. Bir insanın dayanacağından daha fazlasına dayanmayı denemesi için onu yüreklendirdiler. Ve bu onun sonunu getirdi. Onları suçlamıyorum. Yapabileceklerinin en iyisini yaptılar. Ve onlar her şeyi unutacak. Ben unutmayacağım."

Gözlerindeki sabit bakış hipnotize ediciydi.

"Benim ne yaptığımı bilmek ister misin? Hiçbir şeyin değişmediğini gördükçe ben daha da durağanlaştım. Çok ama çok durgunlaştım. Çünkü bazen düşünüyorum, erkeğime bunu yapan çocuklarıma da yapabilir." Parmağını dudaklarının üstüne koydu. "Sus. Hareket etme. Sana anlatılanlar yalandı. Dışarısı ne kadar güvenli ki? Güvenli değil. Kötü hayvanlar var dışarıda. İsteyen onları kontrol edebilir. Hedefi seçince harekete geçerler ve istediklerini yaparlar. Bu doğru."

Bana başıyla gizlice işaret ediyordu. Gören, aslında deli olanın o olduğunu söylerdi. Ama o deli değildi, geri kalanlarımız içinde rolünü oynamak için gereğinden fazla akıllıydı. Uykusunda gezerken bizim normallik dediğimiz mayın tarlasında uyanmıştı. Hayatın sürekli terörünü kendisine itiraf etmek için bir yöntem bulmuştu.

"Onun için buradayım. Bu evde. Ve gerekli şeyleri yapıyorum. Çocuklarıma bakıyorum. Yemek yapıyorum. Çamaşırlarını yıkıyorum. Ama bu durum, evi Dan'in aşağı yuvarlandığı uçurumun kenarında tutmak gibi. Az önceki telefon. Gordon'du. Dan ölmeden önce tanıdığım biri. Bir yardımı dokunur mu diye merak ediyor. Kimsenin yardımı dokunabilir mi bilemiyorum. Hayat devam ediyor biliyorum. Ama bunu nasıl yapacağımı çözemedim. Başka bir şeyler daha olmalı. Yoksa Dan'i gömmeden ortada bırakmak gibi olacak sanki."

"Üzgünüm" dedim.

"Yeni bir ağıtçı istemiyorum" dedi. "Sanırım benim istediğim bir şampiyon. Dan Scoular için adaleti sağlayacak biri."

"Ben bu niteliği taşıyor muyum bilemem. Ama deneyebilirim."

Gülümseyecek gibiydi.

"İşte bu bir anlam ifade eder" dedi.

Ağız dolusu bir yudum içki daha aldı. Tek başınaydı. Ben orada bir seyirciydim sadece.

"Thorbank'ta yemek yiyebileceğim bir yer var mı?" dedim.

"Şampiyonlar da yemek yemeli."

"Üzgünüm. Burada değil. Başka bir zaman olsaydı olurdu. Ama bu sıralar mümkün değil. Red Lion Barı. Öğlen yemeği var orada. Dan'in antreman yaptığı yerdi."

"Tamam" dedim.

Ayağa kalktım.

"Bu" dedi, bardağını kaldırarak "sorun değil. Kalıcı bir alışkanlık değil. Sadece o olayla yüzleşmem gerektiğinin farkındayım. Ondan saklanamam. İçkinin de bazen yardımı dokunuyor. Ama yalnızca şimdilik."

Ona inanıyordum. Kendimi çaresiz hissettiğim zamanlarda ben de içkiye sarılmıştım. Kararlı bir kayıtsızlık duruşu sergileyerek o zamanlarımı inkâr edemezdim. Onlar inkâr edemeyecek kadar gerçektir. Acıyı inkâr edersen, doğanı sığlaştıran bir lağımcıya dönüşür. Hüzne karşı Kükreyen Kırklar* Rüzgârları'na karşı durur gibi durmalısın. Ona karşı sıkıca hazırlanıp ve kötü rüzgârların esip geçmesine dayanırsan, seni kendine getireceklerdir.

"Size inanıyorum" dedim.

Onu orada havanın berraklaşmasını beklerken bıraktım.

---

* Ekvatorun 40 ve 50. enlemlerinde görülen şiddetli rüzgârlar. (ç.n.)

yirmi üç

Red Lion'da yemeğimi yedim. Ama önce barda bir bardak domates suyu içtim. Alkolsüz içecek uzmanı olmak üzereydim. Mekân adeta bir harabeydi. Sanırım yarım düzine insan vardı içeride. Barın yakında kepenk indireceğinden konuşuyorlar gibiydi. Alan adlı barmenin Noel ağacına benzeyen yüzündeki her bir damar küçük süsleme ışıkları gibiydi. Barı bira üreticilerine satmaya karar vermişti. Eskiden elde ettiği kazanca ne olduğuna anlam veremiyordu. Bir ipucu için aynaya bakmasının faydalı olacağını düşündüm. İçkiyi duble duble götürüyordu. Ama belki de onu kıskandığımdan böyle düşünmüştüm.

Wullie Mairshall adında biriyle konuşuyordu. Bunu biliyorum çünkü bir ara adam, "Burada konuşan Simple Simon değil. Ben Wullie Mairshall'ım" dedi. Barmen de ona, "Aydınlattığın için teşekkürler. Bu konuda kafam karışmaya başlamıştı" dedi.

Sohbet kepenk indirmekten Thornbank'ın içinde olduğu keşmekeşe, oradan da Dan Scoular'ın başına gelen olaya geldi. Onun ismini anarken gösterdikleri saygıyı yaşayan her insanın doğrulayabileceğini hayal ediyordum. Ama aziz olmak için her zaman ölmüş olmak gerekir. Halen nefes alan Frankie White'ın bir aziz ilan edilmekten korkmasına gerek yoktu. Dan Scoular'ın spor salonu olarak kullandığı müştemilat bıraktığı gibi korunmuş görünüyordu. Barmen oranın sahibi olduğu sürece orasını "koca adamın" anısına bir abide olarak tutmaya kararlıydı.

Zeytinli biftek, patates ve yeşillik siparişi verdim. Yemek hazır olunca pencere kenarı bir masaya oturdum, yemeğimi rahat yiyebilmek için bir bardak egzotik limonlu soda aldım. Wullie Mairshall vekâleten garsonluk yapıyordu. Bana meze, bir kâğıdın içinde çatal, bıçak getirdi ve nazikçe emretti, "Yumul, büyük adam." Dediğini yapınca yemeğin çok lezzetli olduğunu fark ettim. Red Lion'da işlerin kötü gitmesine kimin neden olduğunu bilmem ama bunun nedeni aşçı değildi.

Tek başıma yemiyordum. Menü bir yana, yemek benim için bir Roma ziyafetinin zihni versiyonuydu. Önce onlarla birlikte yemek yerdiniz sonra beğenmezdiniz. Zihnimde bana eşlik edenler Dave Lyons ve Matt Mason'dı. Benim masamda oturuyorlardı, buna gönüllü olup olmadıklarıyla ilgili değildim. Onları inceliyordum. Ya onlar ya ben, diye düşündüm. Veya ya onlar ya da Betty Scoular, Bayan White ve Scott'ın temsil ettiği şeydi. Başka kimse gönüllü olmadığından, ben sadece onların ortaya çıkardığı şampiyondum, Betty Scoular'ın da beklediği şampiyon. Hadi bir arena oluşturalım. Ben bu işte varım.

Gizemin yarısını çözmüştüm. Ama tamamını çözecektim, tabii yapabilirsem. Adı, yeşil paltolu adam yerine geçen kişiyi bulmuştum. Adı Dan Scoular'dı. Ama gerçeğini bulacaktım. Bana karşı bahse girmeyin. Ama bir şeyi keşfetme sadece bilgiye ulaşma değildir, o bir zorunluluktur. Matt Mason, Dan Scoular'ı öldürtmüştü. Tamam, bunun tam olarak doğru olduğunu bilmiyordum. Ama buna inanıyordum.

Eğer bu gerçeğe inansaydım, delilsiz olarak ne yapabilirdim ki? Daha az vicdanlı bazı iş arkadaşlarımın yapmaya hazırlanacağı gibi kesin kanıtı saptamak için delil yerleştiremezdim. Bu benim tarzım değildi. Böyle yapmam çünkü bunun sonu çılgınlıktır. Deneyimin değişmez güncel doğruluğuyla test etmeden öznel kanaate, nesnel doğruymuş gibi yaklaşmak, hayattan ciddi anlamda feragat etmek demektir. Akıl kendini yönetmeye başlar ve dünya bir kaosa doğru gider. Bu yöntemle gerçeği bulmaz, onu uydurursunuz. Doğru olmasını ne kadar umutsuzca isterseniz isteyin veya sağlayacağı faydalara ne denli samimiyetle inanırsanız inanın, gerçeğin uydurulması, ilk kuralı şüphenin kaçınılmazlığı olan doğanın inkâr edilmesidir. Böyle bir durumda sadece diğerlerinden değil kendimizden de şüphe duymalıyız.

Böyle olunca kendi kanaatimden bir anlığına şüphe duyarım. Ama onu test etmek için bir yol bulurum. Gerçeğin orada olduğunu düşünmek yeterli değildir. Yaşayabilmesi için onaylamanın nefesine ihtiyacı vardır. Ona nasıl hayat öpücüğü verebileceğimi bulmam lazımdı.

Kendime verdiğim ilk görevim, yani kardeşimin ölümünün arkasında yatan nedenleri bilmek iki yönlü bir amaca dönüştü: Yeşil paltolu adamı bulmak ve Dan Scoular'ı öldüren kişiyi çivilemek. Şartlar her ikisini zaten birleştiriyor gibi görünüyordu ve olaylar dürtülerimin şeklini almaya başlamıştı. Muhtemelen dürtülerin sizin için yaptığı da budur zaten.

Matt Mason ismi orada burada önüme çıkıp duruyordu. İki konuda şüpheliydi: Dan Scoular ve Meece Rooney vakaları. Aynı anda her yerde bulunan bir tipti. Bu kadar yoğun olan insanlar bazen dikkatsiz davranabilirler. Detay duyguları bulanabilir. Öte yandan bu işlerin faili olsa bile bunları tertipleyen kişi odur, fiziki olarak uygulamaya koyan kişi değil. Bu, olay sürecindeki her eylemden sorumlu olduğu, kendi dışında şahitlerin olduğu anlamına gelir. Bu şahitlerin bilgilerini yağmalayıp tehditle veya korkuyla onları çözüp Matt Mason'a ulaşabilirdim. Bunu yapmak istiyordum.

Erişeceğim iki muhtemel kaynak vardı. Biri Brian Harkness ve Bob Lilley'in elinde olabilecek bilgi. Üzerinde çalıştıkları dava onları Matt Mason'ın hayatının çeşitli alanlarına ulaştırmış olmalıydı. İkinci kaynak ise Hızlı Frankie White'tı.

Kendiliğinden saptanmış görevimin diğer yarısını gerçekleştirmede ilerlemek için düşünebildiğim tek bir yol vardı. Bu yol Dave Lyons'tan geçiyordu. Onun için benim de takip edeceğim yol buydu. Yeşil paltolu adamın ne anlama geldiğini bildiğine emindim. Yeşil paltolu adam Scott'ın hayatında anlamam gereken bir mesajdı. Diğerleri, anlamın parçalarında bana verebileceklerini vermişti: Sanny Wilson, Ellie Mabon, David Ewart. Şans eseri bir şifrenin tesadüfi parçalarını öğrenen insanlardı. Bir araya getirince bir anlam ifade etmiyordu. Ama Dave Lyons şifrenin tamamını biliyordu. Anna'nın da bu şifreyi bildiğinden şüpheleniyordum. Ama biliyorsa bile bunu başkasından öğrenmiş olmalıydı. Sadece başka birinin güvenliği için bu sırrı saklıyordu. Kimin için? Scott ölmüştü. Bu yalnızca Dave Lyons olabilirdi.

Ulaşmam gereken kişi oydu. Bir şeyi sır olarak tutmaya karar verdiklerinde o da oradaydı. Muhtemelen dört kişi tarafından paylaşılan bir sırdı. "Öğrencilik zamanlarında olan bir olayla ilgiliydi" demişti Ellie Mabon. David Ewart Rutherglen'deyken o gece dördünün Glasgow'da dışarı çıktıklarını düşünmüştü. Ertesi sabah gençliğin intiharını, idealizmin ölümünü gördüğüne inanmıştı. O ölüme şahit olması muhtemel dört kişiden biri ölmüştü. Bir diğeri bir isimden ibaretti. Bir diğerinin ismi bile yoktu. Geriye Dave Lyons kalıyordu.

Bana bütün bildiklerini anlatmasını beklemiyordum. Bana karşı çok iyi hazırlanmıştı, çok korunaklıydı. Onun yeşil paltolu adamı bilmesi gerektiğini kanıtlayacak hiçbir yolum yoktu. Öte yandan Sandy Blake'i ve isimsiz öğrenciyi tanıdığını inkâr etmenin de hiçbir yolu yoktu. Onlara ulaşabilsem, yalan söyleme konusunda Dave Lyons'tan daha kötü birilerini bulmam münkün olabilirdi ama ondan daha iyi yalan söyleyen birini bulmam imkânsızdı.

Ruhsal cinciliğin zamanı değil. Gerçeğin bir yolunu bulabilecek miydim, işte bunu anlamanın zamanıydı. Hadi başlayalım bakalım.

Bardaki yıpranmış ankesörlü telefonun yanındaki telefon rehberine baktım.

"Alo" dedi Frankie.

"Merhaba Frankie. Ben Jack Laidlaw."

"Evet. Söz konusu hanımla görüştün mü?"

Frankie, bana eski Frankie gibi geliyordu, tanıdığım ve güvenmediğim adam.

"Görüştüm. Seninle tekrar konuşmak istiyorum."

Bir süre sessizlik oldu, Frankie'nin farklı tepkiler üzerinde düşündüğünü hayal edebiliyordum.

"Ya. Bu biraz zor olabilir."

"Niye? Halen oradasın, değil mi?"

"Şey, evet. Ama." Sesinin tonu, bazı şeylerin tutulduğu ama orada olduklarını herkesin bilmediği bodrum katına indi. "Mesele şu ki. Birkaç kuzenim geldi buraya. Annemi görmeye. Ne demek istediğimi anladın mı?"

"Frankie. Eve bir yakalama kararıyla girip haykırmak gibi bir niyetim yok. Evin etrafını çevirmek gibi bir durumum da söz konusu değil."

"Öyle olsa da. Kim olduğunu anlayabilirler. Benim için can sıkıcı olabilir. Seni görmemelerini tercih ederim. Yanlış anlama."

Onu Red Lion'a davet etmeyi istedim. Ama bunun için istemeden de olsa kabullendiğim bir bahanesi vardı.

"Frankie, sana ne yapacağımı söyleyeyim. Şimdi Red Lion'dayım. On dakika sonra senin evin aşağısında olacağım. Dışarıda bekleyeceğim. Dışarı çıkarsın, yoksa ben içeri girerim. Tamam mı?"

Çıkmaz bir sokaktaydı. Olmak istemediği ama olduğu bir yer.

"Tamam" dedi.

yirmi dört

Frankie'nin evinin orada çok beklemek zorunda kalmadım. Ben arabayı stop ettirmeden dışarı çıkmıştı. Patikadan aşağı inerken yine eski Frankie olduğunu görebiliyordum. Kumaş pantolon ve pahalı görünümlü bir süet ceket vardı üstünde. Kravatı rengârenkti. Arabaya binince tıraş losyonunun kokusu neredeyse gözümü yakıyordu. Neyse ki markası Aramis değildi.

"Hangi tarafa, tedbirli insan?" dedim.

"Her neresi olursa. Buranın dışında olsun da. Köy içinde konvoy yapmamıza gerek yok sanırım. Beni görürlerse fırlatacakları şey konfeti olacak değil. Aşağıdan sola dön."

Gerginlik ona yakışıyordu. Onun doğal haliydi bu. İçerideyken süzülmüş, tereddütlü görünüyordu. Şimdi enerji doluydu, hep çevresine bakınıyordu, öne doğru eğilmiş, eliyle arabanın ön panelini tıklatıyordu. Sanırım şimdi oynayacak bir role ihtiyacı olduğu içindi. Şimdi önemli sahtekârın, kendisini yanlış anlayan ve takdirini esirgeyen küçük kasabasının arka taraflarını yeniden ziyaret etme zamanıydı.

"Düz devam et" dedi. "Tanrım. Buraya gelmekten nefret ediyorum. Sadece Dan ile ilgili olduğu için değil. Her zaman acı vermiştir buraya gelmek. Önünde dikildiğinde seni küçük gösteren panayır aynaları gibi. Tepelere doğru sür."

Kırlık bölgeye gelmemiz çok uzun sürmedi.

"Dan koşu antrenmanını burada yapardı" dedi Frankie. "Ben bisiklet sürerken, o koşardı."

Böylesine huzur dolu bir bölgeyi dövüşe hazırlanmak için kullanmak kötü bir amaç gibi görünüyordu bana. Yaza doğru tamamen yeşillenen asude bir araziydi burası. Öldükten sonra beni Ayrshire'a getirdiklerinde beni gömecekleri yer burası diye düşündüm keyifle. Ve beni yakmasınlar. Bıraksınlar, cesedim sevdiğim bir bölgeyi gübrelesin.

"Şurası Farquhar'ın çiftliği" dedi Frankie. "Oradaki küçük tepeyi görüyor musun? Dinlenmek için onun tepesinde otururduk. Antrenmana başladığımız ilk gün Koca Dan orada dinlenmişti. Sonra bizim için âdet haline geldi. İki hafta boyunca her gün. Orada oturup sohbet ederdik.'

İçgüdüsel olarak tarlanın girişine sürdüm. Arabayı durdurunca bu içgüdünün nereden kaynaklandığını düşündüm. Frankie'nin bana anlatmak istemeyeceği şeyi ona söyletmeye çalışacaktım. Bulunduğumuz yerin faydası dokunabilirdi. Dan'e karşı bir sadakati varsa ortaya çıkacağı yer burası olabilirdi.

"Biraz hava alalım" dedim.

Giriş kapısından tırmanıp tarlaya girdim, Frankie pantolonuna özen göstererek beni takip etti. Tepenin yukarısına tırmanıp oturdum. Frankie bir mendil serip yanıma oturdu. Thornbank buradan görünüyordu.

"Dan Scoular'ın manzarası" dedim.

"Evet. Koca Dan burayı severdi. Buradan güzel görünüyor, doğrusu. Yakına gidince o kadar da değil."

"Nasıl yani?"

"Çocuk kitaplarındaki resimler gibi. Hatırladın mı? Mesela bir çiftlik resmi düşün. Her zaman çok güzel görünürdü. Tavukların kuyruk tüyüne bulaşan pisliği asla göstermezlerdi.

Veya yeterince olgunlaşmış her şeyi yiyen dişi domuz resmi. Seni bile yiyebilir."

"Frankie, senin sorunun burayı sevmemen."

"Burası beni seviyor mu?"

"Belki nedenleri vardır."

Frankie çiğnemek için bir ot sapı kopardı.

"Dan'e olanları kastediyorsan? Ben değildim. Onu öldürenin burası olması da muhtemel. Buranın ona öğrettiği değerler. Gerçek dünyada işe yaramıyor. Orada kahramanlara yer yok. Belki de aradığın katil orası." Thornbank'ı işaret etti. "Belki de onu öldüren buydu."

"Onu öldüren şeyi ikimiz de biliyoruz" dedim. "Ona Matt Mason deniyor."

"Ben bunu bilmiyorum" dedi Frankie hemen.

"Frankie!"

"Bilmiyorum."

"Tamam. Bu daha iyi."

"İyi mi?" Frankie ağzındaki sapı çıkardı, sanki tuhaf bir tadı varmış gibi. "Ne demek istiyorsun?"

"Rahat bir şekilde konuşabilirsin demek oluyor. Kimseyi gammazlamıyorsun. Bunu yapacak bilgiye sahip değilsin çünkü."

"Hiçbir şey yapmak için yeterince şey bilmiyorum. Sana bildiklerimi anlattım."

"Bana sadece dövüşü anlat, işin içinde olanları."

"Hadi ama Jack. Bunu yapamam. Benim tarzım değil. Annemdeyken söylediğim gibi. Benim kendi prensiplerim var."

"Kendi prensiplerin mi? Kısmen senin prensiplerin yüzünden iyi bir insan öldü. Onu göm ve beni törene çağırma."

Frankie ürperdi. Hafif bir rüzgâr çimenleri usulca tarıyordu. Ama havayı soğutacak kadar şiddetli değildi. Frankie'yi titreten kendi içindeki cereyandı. Frankie Thornbank'a bakıyordu.

"Hiç o duyguyu hissettin mi?" dedi. "Bir şey daha önce de olmuş gibi. Bana şimdi öyle oldu. Burada oturduğumuz o ilk gün. Dan gerçekten neler olduğunu anlamaya çalışıyordu. O da işin içindeki kişileri bilmek istiyordu. Ona daha fazlasını anlatabilirdim."

"Öyleyse şimdi bana anlat."

"Neye yarayacak? O öldü."

"Sen ölmedin. Değil mi, Frankie? Ona karşı sorumluluğun onun ölümüyle bitmedi. Senin ölümünle biter ancak. Orada annene bir veda hediyesi verdik, değil mi? Onu daha iyi hissettirecek bir şey. Ama o sadece süslü bir ambalaj kâğıdıydı Frankie. İçi boştu. Neden içine gerçek bir şeyler koymuyorsun? Dan Scoular'a saygı gibi."

"Nereden başlayacağımı bilmiyorum."

"Herhangi bir yerden."

"Bununla ne yapmayı umuyorsun mesela?"

"Matt Mason'ı enselemeye çalışacağım."

"Tanrım, elini çabuk tutsan iyi olacak."

"Frankie. O benim sorunum. Senden istediğim şeyi zaten birçok kişi biliyor. Hepsi bu. Kimseyi ispiyonlamıyorsun. Hadi ama dövüşte yüzlerce kişi olmalı. Senden sadece eski tarihli bir bilet istiyorum. Sonrasında olanlarla hiçbir ilgin olmayacak. Aslında Matt Mason'ın sana karşı duygularını düşünecek olursak belki de kendini garantiye alıyorsundur."

Uzun süredir İncil'i haline getirdiği kendini koruma kitabından bir alıntı gibi duran bu cümleyi duymak muhtemelen Frankie'yi etkiledi. Gözlerini Thornbank'a dikip konuşmaya başladı. Belki de çocukluğunda genellikle benzer noktalardan gördüğü kasaba, geçmişinden bir fotoğraf olarak ona eskiden kim olduğunu hatırlatmıştı.

Eddie Foley'in işi organize eden kişi olarak işe karıştığını söyledi, genellikle yaptığı iş buydu. Dan Scoular'ın antrenörlüğünü Glasgow'da yapan kişi Tommy Brogan'mış. Dövüşten önce Dan ve Frankie Glasgow'da Jan'ın çalıştığı yer olan Burleigh Otel'de bir hafta kalmışlar.

"Seni orada gördüm" dedi Frankie. "Güzel, uzun boylu bir kadınla."

"Ne zaman?"

"Biz orada kalırken. Akşam geç saatlerdi. Onunla beraber geldin ve asansörle yukarı çıktınız. İyi görünüyordun."

"İyi mi? Beni bir başkasıyla karıştırmış olmalısın, Frankie."

"Muhakkak. Her neyse, selam verecektim tabii ama rahatsız etmek istemedim."

"İyi yapmışsın."

Hızlı konuşmam hislerimi gizliyordu. Dan Scoular ve benim o geceyi aynı binada geçirmiş olmamız düşüncesi ürkütücüydü. Ölümü hayatımı etkileyecek hem de hiç tanışma fırsatım olmayan bir adamla aramda birkaç metre varmış.

Frankie konuşurken verdiği bilgilerle ne yapabileceğimi bilmiyordum. Sonra bir diskoyu tarif etti; Matt Mason'ın evindeki bir tür partiden söz etti. Bütün bu olaylar yaşadığı en dramatik deneyimin, hayatını ikiye ayıran bir şeyin parçalarıydı. Bu nedenle, konuşmaya başladığında kendisini tanımlayan ama hâlâ tanımın ne olduğundan emin olmayan bir halde olup bitenle ilgili zorunlu olarak fragmanlar halinde konuşuyordu. Ben kulak misafiri pozisyonundaydım. Frankie'nin acısı kendi acısıydı. Acısını hissetmek istedim ama yapabileceğim çok bir şey yoktu. Her hâlükârda onun bedelini ödediği şeyler ile Dan Scoular'ın ödediği bedel kıyaslanamazdı.

Bütün yapmaya çalıştığım, olayların parçalarını bularak onları kendi amacım için birleştirmekti. Kolay değildi. Bu arada dikkatimi çeken şey Eddie Foley'di. Eddie her zaman ilgimi çekmiştir. Mason'ın diğerlerinden farklı olan bir adamıydı. Kibar bir suçluydu. Kibarlığında bir zaaf olabilirdi. Ben bunu merak edip düşünürken Frankie'nin söylediği bir şey düşüncelerimi böldü. Mason'ın çevresinde Dan Scoular'a açık bir şekilde abayı yakan bir kadından söz etti.

"Adı ne dedin?" diye sordum.

"Melanie."

"Soyadı ne?"

"McHarg" dedi. "Melanie McHarg. Dan için kafayı yemişti. Sanırım onu, bütün dualarının cevabı olarak düşünüyordu. Benimle sürekli Dan hakkında konuşuyordu. Sanırım Dan'i kendisini normal hayata döndürecek bilet olarak hayal ediyordu. Gördüğün gibi Melanie komik biri. Süregeldiği hayatı düşününce hikâyesi anlaşılır. Ama bir tarafı halen Noel Baba'ya inanıyordu. Hayalperest; sanırım olduğu işte buydu. Her eroin paketiyle birlikte bir Mills and Boon* kitabı alır."

"Uyuşturucu alıyor mu?"

"Küçük çocuklar şekerleme sever mi?"

"Meece Rooney'i tanır mıydı?"

"Meece ona mal verirdi. Yani bir ara verdiği kesin."

"Frankie, onu tanıyorsun. Başı belaya girse kime gider?"

"İstediğini seç" dedi Frankie. "Demek istediğim, beni yanlış anlama. Melanie'yi severim. Her zaman da sevdim. Ama gerçeği kabul etmek gerekir. O bir ev değil, bir otel. Birçok insanın kaldığı bir otel."

"Ama zor zamanında sığınacağı biri olmalı."

"Meece olabilir."

"Başka biri?"

"Matt bile olabilir, sanırım."

---

* Aşk romanları basan bir yayınevi. (ç.n.)

"Peki, her ikisi de olmazsa?"

Frankie'nin oynak kafası birden sabitleşip yavaşça bana doğru döndü, sohbet güdüsü yerini sessizliğin bilgeliğine bıraktı. Gözlerini açıp bana dikti. Papağan birden baykuşa dönmüştü.

"Burada neler dönüyor şimdi?" dedi.

"Meece Rooney öldü" dedim. "Melanie ona gidemez. Meece'in emekliliğini hazırlayan kişi de Matt Mason. Melanie ona da gidemez. Meece'le yaşıyordu. Görünüşe göre Meece hesaplarda dalavere çevirmiş. Onu öldürüp nehrin kenarına atmışlar. Belki de kolay bir şekilde yok olması için. Şimdi bu kadın kime gider Frankie? Kim kaldı geriye?"

Frankie ufkun ötesini görmeye çalışıyor gibiydi. Belki de baktığı şey kendi ölüm ihtimaliydi.

"Ben buna karışmam" dedi. "Bu kadar. Bundan ötesine karışmam."

"Frankie."

"Yanacak kişi sen değilsin. Ben buna karışmam."

"Bana sadece bir isim ver."

"Sana bir isim vereyim. Frankie White. Onu bir süre daha mezar taşından uzak tutmayı tercih ederim. Hadi ama. Bu adamı biliyorsun. İstiyorsan sen ona bulaşabilirsin. Belki de bunun için bir madalya alırsın. Benim alacağım ise sadece ölümdür. Belki de sıradaki benim."

"Belki de öylesindir. Ve eğer öyleysen senin için en iyi bahis benim."

"Ne bahis ama. Derbideki üç ayaklı at. Şansın olduğunu zannetmiyorum, Jack."

"Senin zannetmen gerekmiyor, ben inanıyorum kendime. Seni ahmak herif. Kaybedecek ne var? Sen bana söyle, hiç kimse bilmeyecek. Onu durdurmak için bana daha çok şans sağlayacak. Zaten başaramazsam da senin durumunda değişen bir şey olmayacak. Benim paramla bahse giriyorsun. Şansını dene."

Öyle de yaptı.

"Marty Bleasdale'i tanıyor musun?"

Newcastle'lı Marty, sürekli bozulan hayatların bitmek bilmeyen şiddetiyle ilgilenip bunalıma girene kadar, Glasgow'da sosyal güvenlik uzmanı olarak çalışmıştı. Sonra o da burnunun dikine giden biri oluvermişti. Ama onu severdim. Tek kişilik devrimci bir klik olmaya karar vermiş görünüyordu. Yarı deliydi ama bütünüyle samimi bir insandı. Suçun sınırlarında yaşıyordu çünkü bir keresinde bana, "Kötüler bizden daha az dürüsttürler" demişti. Caz orkestrasında çalıyordu, bazen de Barras'ta çalışıyordu ama geçimini nereden kazandığı net değildi.

"Marty Bleasdale'i tanıyorum."

"Aradığın olasılık o olabilir. Marty birçok insan için tek başına bir merhamet merkezidir. Daha önce Melanie'ye yardım etmişti. Melanie onu bir tür koruyucu aziz olarak görüyor. Sanırım Marty onu hiç becermeye çalışmadığı içindi. Ona gitmiş olabilir."

Frankie daha fazla konuşmadı. Düşüncelerimizin yolları ayrılmıştı, benim kafam Matt Mason'a nasıl daha yaklaşırım diye çalışırken, muhtemelen onun kafası da nasıl uzaklaşırım diye çalışıyordu.

"Teşekkürler Frankie" dedim.

"Öyle konuşma" dedi Frankie. "Bir polisin teşekkür etmesinden nefret ederim. Genellikle pişman olacağın bir şey öttüğün anlamına gelir. Beni geri götürecek misin?"

Evinin yakınında, arabada biraz daha oturduk.

"Sana şans dileyemem. Benim inancıma ters" dedi Frankie.

"Daha iyi" dedim. "Senin iyi dileklerinle korkunç bir belaya bulaşabilirim."

Güldü.

"Umarım annen acı duymuyordur" dedim.

"Umarım."

Birçok şeyden usulca korkuyor gibiydi. Bunun için nedenleri vardı.

"Onurlu" dedi.

"Pardon?"

"Onurlu. Melanie'nin Koca Dan için kullandığı ifade. Onurlu. Karşılaştığı en onurlu insan olduğunu söylüyordu. Ne anlama geldiğini merak ediyorum."

"Bilmiyorum Frankie. Sende olduğuna başkalarının karar verdiği şeylerden biri sanırım. Şu an durduğum noktadan bakınca, belki artık sende de o dediğinden biraz vardır."

"Böyle şeylerle avlayamazsın beni."

İkimiz de kahkaha attık. Annesinin evine giden patikada yürüyüşünü izledim, üstündeki kaygısızlık hali başkasına ait bir elbise gibiydi.

yirmi beş

Graithnock'ta duvarında bir bölme olan bir Clydesdale banka şubesi bulmam gerekiyordu. Bankamatiklerin ortaya çıkması hayatımda ara ara ödeme gücü fantezisine kapılmama neden olmuştu. Parayı her zaman kafeste tutulmuş mutsuz bir kuş türü olarak görmüşümdür. Kafeste ötmeyen bir kuş. Bankamatiklerden önce paraya erişim sağlamak için kullandığım yegâne teknik, Byres Caddesi'ndeki anlayışlı bir banka müdürüyle yaptığım hüzünlü sohbetlerdi. Şimdi alkışın, yüklü para çekme şekline girdiği yürek parçalayıcı her performanstan sonra, finansın eski gerçeklerini unutup istediğim zaman para çekebiliyordum. Makineden bana doğru çıkan paralar kendine özgü bir anlamsızlığı üstlenmişti. Oyuncunun kartları belirleyip yalnızca istediklerini seçtiği Monopoli oyunundaki paralar da olabilirlerdi. Biriktir 200 sterlini. Hapse girmekten kurtul.

Kırılganlığımı parayla örtünce –modern toplumun incir yaprağı– bir çiçekçiye uğradım. Türünü bilmediğim büyük bir buket çiçek aldım. Bütün bildiğim bana güzel göründükleriydi. Bir gazete bayiine gidip sigara, gazete ve bir kutu çikolata aldım. Bir içki dükkânı gördüm, bir şişe Talisker viski aldım. Çiçekleri, çikolatayı ve viskiyi arabanın bagajına bıraktım. Bushfield'a doğru yola çıktım.

Katie mutfaktaydı. İçeri girince Buster ile olağan selamlaşmamızı yaptık. O bana hırladı, ben de ona üçüncü bir beyin hücresine yakında kavuşacağını umduğumu söyledim.

"Siz ikinizin" dedi Katie, "arasında gizli bir aşk var sanırım. Isırma ve tırmalama İskoçların kur yapma tarzıdır."

"Tabii. Sen yine de nikâhımızı ilan etmek için acele etmesen iyi olur, Katie."

"Bugün erkencisin."

"Sana kötü bir haberim var" dedim. "Belki de oturmalısın. Bu akşam Glasgow'a geri dönüyorum."

"Keşke daha erken söyleseydin" dedi Katie. "Bayrakları, flamaları asardık dışarıya. Bushfield'da kutlanmaya değer olaylar sık sık olmuyor."

"Sorun yok Katie. Biliyorum üzülmemiş numarası yapıyorsun."

"Doğru" dedi Katie. "Gülmemin nedeni sinirlerimin boşalması. Doğrusu seni özleyeceğim. En azından sıkıcı değilsin. Her dakika farklı bir ruh halin var. *Monty Python* dizisinin mottosu gibisin: 'Ve şimdi tamamen farklı bir şey.'"

"Katie, iyisi mi şimdi hesabımızı görelim."

"Ne demek istiyorsun?"

"Pazartesi, salı, çarşamba yatak ücreti. Yemekler ve diğer şeyler."

Katie baktığı derginin bir sayfasını daha çevirdi.

"Jack, bugünkü ilk molam. Gün boyunca başka molam da yok. İşle canımı sıkma. Ayrılmadan önce seni görürüm. Bu arada akşam için özel bir şey yaptım. Ne kadar tutacağını hesaplamadım. Muhtemelen bize olan borcunun toplamından daha fazla. Gitmeden görüşürüz."

"Tamam" dedim. Kapıda döndüm. "Portakallı Buster yemeği değildir herhalde? Öyleyse eğer bu gece yaşadık."

Dergiden başını kaldırıp dik dik baktı.

"Daha çok kömürde ızgara Laidlaw gibi."

Odama çıkıp biraz oturdum. Scott tablolarından oluşan kişisel koleksiyonuma tekrar baktım. "İskoçya" tablosu her nedense babamı hatırlattı. Resimdeki, İskoç halk gerçeğinin, insanların özel yaşamında yadsındığı önermesinden dolayıydı. Babamın nefret ettiği şey İskoç halk geleneklerinin yavan İngiliz kodlarına dönüştürülmesi yöntemi ve bu süreçte anlamın kaybolmasıydı. Scott için yöntem neydi? Acı gerçeklerimizi basitleştirerek sahte turist görüntülerine dönüştürmek mi? Yalanlarla daha rahat yaşamak için, ne olduğumuz gerçeğini inkâr etmek mi? Ama toplumun bize yapmayı öğrettiği ve hepimizin yaptığı bu değil miydi? Yeşil paltolu adamın temsil ettiği gerçek her ne ise, onunla yüzleştiklerinde Scott ve öğrenci arkadaşlarının yaptıkları da muhtemelen bu değil miydi?

Tabloda yüzü olmayan adama tekrar baktım. Bugün erken saatlerde Red Lion barında, Scott'ın suçluluk duygusunu istemeden hissettim gibi geldi bana. Şimdi tabloya yeniden dikkatle bakınca, suçluluk öğesini açık bir şekilde görebiliyordum. Ben yemekteki beş kişi tablosunu ilk gördüğüm zaman John Strachan'ın ne dediğini hatırladım, resimdeki bu tuhaf toplantının ne anlama geldiğini merak etmiştim. "Belki de diğer dördü ortadaki adamla besleniyordur" demişti. Ve eğer tablo daha önce düşündüğüm gibi "Son Akşam Yemeği"nin pastişiyse, suçluluk duygusundan başka ne anlama gelebilirdi? Başlıca dönekliğin, Tanrı'ya ihanetin yansımasıydı. Scott inançsız biriydi. Ama oradaki Hıristiyanlığa ait sembolün hümanist bir anlamı olabilirdi. Onun ifadesiyle insanlara ihanet, başkalarına yakınlığın inkâr edilmesi gibi anlamlar taşıyabilirdi. Hepimizin paylaştığı insani değerlerin otuz gümüş kuruşa satıldığı inancı mıydı? O zaman Judas hangisiydi? Veya her tabaktaki aynı yüz ifadesinin olması hepsinin Judas olduğu anlamına mı geliyordu?

Gizli bir komplonun, kamusal günah çıkarma ayinine bakıyordum. Scott suçluluk duygusu itirafının, güvendiği insanların evinde, duvara asılı olmasını istemişti. Tabloyu herkes görebilirdi ama herkes anlayamazdı. Korkudan veya başkalarının baskısından ve alışkanlıklarına olan bağından dolayı hayatında doğrudan ifade etme şansı bulamadığı şeyleri burada şifrelerle itiraf etmişti.

Şimdi şifrelerin bir kısmını okuyabiliyordum. Sakallı adamlar artık o kadar da iyi gizlenmiş gelmiyordu. Tepesinde yılanbaşı olan çiçek sapı Scott'ın elindeydi. Onunki meyve değil zehir veren bir yetenekti. Yüzüğü olan kişi hastalık ve sağlık dağıtan şifacı Sandy Blake'ti. İkiz trajedi-komedi ikiz maskesi bilinmeyen kişiye mi aitti? Bir aktör mü olmuştu? Dave Lyons'un partisinde televizyon izlemişlerdi. İzledikleri o muydu? Bilgelik elmasını ısıran kişi Dave Lyons muydu? Öyleyse eğer o bilgeliğin bir kısmını benimle paylaşmasını sağlayabilirdim.

Uzandığım yataktan kalktım, pikeyi düzelttim. Pazartesi gününden bu yana giymiş olduğum kirli çamaşırları topladım ve her zaman seyahat çantamda tuttuğum plastik poşete koydum. Yıkanacakları çantamın alt kısmına yerleştirdim. Deri ceketimin ceplerini boşaltıp onların üstüne koydum. Spor ceketimi giyecektim. Belki böylece Dave Lyons'un bu işte yeni olmadığımı anlamasına yardımı dokunurdu. Artakalan eşyaları çantanın üst kısmına yerleştirip fermuarı yarım yamalak kapatabildim. Çantayı boşaltıp tekrar yerleştirince elbiseler neden sığmaz ki?

Tabloları aldım, arabayı park ettiğim Bushfield'ın ön avlusuna itinayla taşıdım. Çiçek, viski ve çikolataların yanına koydum. David Ewart'tan aldığım küllüğü de arka koltuktan alıp bagaja bıraktım. Bagajı kapatıp kilitledim.

Yukarıdan seyahat çantamı alıp arabanın arka koltuğuna bıraktım. Arabayı kilitlemeyi unutmadım. Üçüncü defa odama çıktığımda yatağın yanındaki Antiquary marka viski şişesini fark ettim. Yarısından fazlası bitmişti bile. Kendimi bulmak için ayırdığım haftanın da yarısından fazlası geçmişti. Viski şişesi bana sadık kalmıştı. Güzel, esmer kadın da bana sadık kalmış mıydı?

El yıkama lavabosunun üstündeki yuvarlak metal tutacaktan bardağı aldım. Makul ölçüde viski doldurdum, sırf veda merasimi amacıyla, anlıyorsun beni. Üstüne su ekledim. Önce bir havluyla bardağın altını sildim, sonra yatak kenarı sehpasının üstüne bıraktım. Şişeyi arabaya indirip torpidoya koydum.

Son bir defa yatağın üstüne oturduğumda bardağımı aştığım ve aşacağım mesafenin şerefine kaldırdım. Bunu yaparken geceyi kendi dairemde geçirmemeye kararlıydım. İlk olarak orayla yüzleşmeye hazır değildim. Orası yalnızlık üreten bir ev sanayisiydi. Etrafımda kim olduklarını bilmesem bile insanların varlığını hissetmek istiyordum. İkinci olarak tarafsız bir ortamda konuşmam gereken insanlar olduğunu biliyordum. Dairem öyle bir yer olamazdı. Öte yandan onların yaşantılarına saldırabilirdim. Bunu yaparken nerede yaşadığınızı bilmelerini istemezsiniz. Tilki toprağının reklamını yapmaz. Bir otelde yer ayırtacaktım. Burleigh Oteli olmazdı, çünkü orada Jan'ın varlığı peşimi bırakmazdı, Dan Scoular'ın ruhunu belirtmeme gerek yok. Buna gerek yoktu. Başka bir otelden yer ayırtacaktım. Ayağı kalktım, bardağı çalkalayıp yerine bıraktım.

Para bozmak için aşağıya bara indim. Mekânın boş olmasından dolayı tanıştıklarını varsaydığım iki adam futbol konuşuyorlardı. Bar nöbeti Mike'taydı. Biraz konuştuk. Gösterebildiğinden daha iyi bir insandı. Fuayedeki ankesörlü telefona gittim.

Grosvenor Oteli'nin numarasını hatırladım. Oradaki personelin bir kısmı beni tanırlardı. Ena'dan ayrıldıktan sonra sırf evde yalnız kalmamak için birkaç defa orada kalmıştım.

"Ha! Bay Laidlaw" dedi kadın durumumu anlatınca. "Hatta kalın lütfen." Sonra, "Bakın. Güzel bir köşe odamız var. Küçük bir süit gibi. Ne dersiniz?"

İyi olurdu. Ses tonundan yüzünü hatırlamaya çalıştım ve başardım sanırım. Kibarlığı sıcak bir karşılama gibi hissettirdi. Restoranı aradım. Jan cevapladı.

"Alo, meşgul kadın" dedim.

"Jack? Nasılsın?"

"Sesini duyunca daha iyi oldum."

"Neredesin?"

"Graithnock'ta. Ama bu akşam Glasgow'a dönüyorum. Seninle görüşebilir miyiz acaba. Daha sonra."

"Bu gece olmaz Jack. Mümkün değil."

"Yarın? Akşam yemeği?"

Birini sevince onun sessizliği bile sizinle konuşur. Şimdi Jan'ın duraksaması onun için artık kişisel bir gereklilik olmadığımı, yalnızca sosyal bir olasılık olduğumu söylüyordu.

"Evet. Tamam. Yarın görüşelim. Yarın evden arar mısın? Şimdi acelem var. Burayı düzenliyoruz."

"Ararım."

"Harika. Kendine iyi bak."

"Sen de."

Aşk bitmeye yüz tutunca çıkış noktalarından biri ağızlardır. Her şeyi paylaşma ihtiyacı hissedip paylaşmaya çalışırken bitmek tükenmek bilmeyen kelimeler, karakollarda kapalı kapıları bekleyen nöbetçilerin şifreli kelimelerine dönüşür. Belirtiler kötüydü. Jan bir hafta vermişti bana. Jüri salona erken dönmüş gibi geldi. Belki de davacı avukatı Betsy iyi bir iş çıkarmıştı. Belki, adil olmak gerekirse, ben sadece savunmasızdım.

Brian Harkness'ı aradım. Morag cevapladı. O bana takılınca ben şakalarımı askıya aldım. Morag ile konuşurken gerçekten yaptığım şey yaşadığım ilişki tökezlemeye başlayınca yaptığım şeydi. Morag ve Brian'ın ideal ilişkisine imreniyordum. Onlara karşı böyle hissetmem yanlıştı ama bunu engelleyemiyordum. Düşünüp duruyordum: Benim sorunum ne? Bütün o parlak tüylü kediler nasıl oluyordu da sıcakta birbirlerine mırıldanırken, ben hâlâ dışarıda, soğuk havada, bu duvarın üstünde kıçım donarken hiçliğe miyavlıyordum? Kısa süreliğine olsa da iş bitirici olabilmek için, kendi kendime acıma duygumdan gerektiği ölçüde kurtulabildim. Morag'a Melanie McHarg ve Marty Bleasdale isimlerini verdim. Onlar hakkında bildiklerimi anlattım. Bu gece Grosvenor Oteli'nde kalacağımı, Brian'a beni oradan arayabileceğini söylemesini rica ettim.

Ena'yı aradım ama evde kimse yoktu. Ahizeyi yerine bırakırken korkunç bir gelecek hayali gözümde canlandı: Ben hayalettim ve insanları telefonla arayıp gerçek dünyadan haber vermek için diğer insanların yaşamlarına dadanmıştım.

Katie'nin özel yemeği beni rahatlattı. Şaraplı tavuktu yemek. Görünüşe göre Bushfield'daki ilk gece, anımsamadığım itiraf anlarından biri şaraplı tavuğu en sevdiğim yemek olarak damgalamış. Lezzetliydi, sadece soğanları biraz abartmıştı. Eğer cennet varsa, orada soğan olacağını zannetmiyorum.

İyice yedikten ve bulaşıkları yıkadıktan sonra beni barındırdığı için Katie'ye ödeme yapmaya çalıştım. Dikkate almadı. Sanırım bu ondan Scott'a bir tür hediyeydi. Bu yöntemle ödemeyi başarabileceğimden şüpheliydim. B planını uygulamaya koydum. Yaptığım alışveriş poşetlerini arabadan aldım, çikolataları ve çiçekleri ona verdim. Onları Katie'ye taşırken özgünlük duygusunda yoksun olduğum için mahcuptum. Ama sanırım yaptığımın basmakalıplığı bile onu etkilemişti. Memnun oldu; mutfakta kucaklaştık. Uzun bir sarılma değildi. Buster azalmamış sezgisiyle ona saldırdığımı zannederek bir tazı sürüsünün gürültücülüğüyle havladı. Çiçekleri suya bıraktı. Talisker marka viskiyi Mike'a götürdüm. Bana teşekkür etti.

Dışarı çıkarken ankesörlü telefonun yanında durdum. Troon'u aradım. Dave Lyons cevapladı. Telefonu kapattım. Evdeydi.

yirmi altı

Bir kaleydi burası, değil mi? Elektronik kontrollü kapılar veya kameralar (bekçi köpekler) yoktu, yani en azından gördüğüm kadarıyla. Marrenden Drive girişinden sapınca kumtaşından yapılmış büyük ev orada, ağaçların arasındaydı. Ön tarafında, dağınık bir hayatın enkazından başka bir şeyin korumadığı iki kapısıyla benim küçük dairemden daha ulaşılabilir görünüyordu.

Ama bu aleniyet duygusunun aldatıcı olduğunu hissettim. Bunun nedeni yalnızca karmaşık bir güvenlik sisteminin varlığını sezinlemem değildi. Veya sadece içerinin görünmesini engelleyip dışarıyı gözetlemeyi sağlayan vitray pencereler de değildi. Bunun nedeni baktıkça binanın tuhaflığının farkında olmamdı. Evin köşelerindeki çıkıntılarla sıra dışı bir yapısı vardı. Odaların şekillerini ve içindekileri merak ediyordum. Dairemin etrafında iki düzine tur atarak ne demek istediğimi anlardınız. Bu evin içine bir girdiniz mi nerede olduğunuzdan emin olamayabilirdiniz. İçeride umulmadık gölgeler ve gizli yerler olduğunu düşünüyordum. Hayaletleri düşündüm; doğaüstü olanları değil, zihnimin ürünü olan yaratıkları, inkâr ettikçe kişinin peşine daha çok takılan ski belgeleri düşündüm. Hep düşünüldüğü gibi, hayaletlerin büyük evlere dadanması boşuna değil diye aklıma geldi. Oralarda suçluluk duygusu için çok yer vardır.

Zile bastım. Kapıyı bir kadın açtı. Üstünde etek ve bluz vardı. Bana karşı kibar tutumu sanki o evde ondan daha çok hakkım varmış gibi hissettirdi. Burası onun çalıştığı yerdi. Oraya neden geldiğimi açıklarken arkasından Dave Lyons göründü.

"Tamam, Janice" dedi. "Ben bakarım."

Ben ona selam verdim, o gözlerini bana dikmiş bakıyordu. Biraz bekledi, Janice'in gittiğinden emin olmak için arkasından baktı. Cranston Castle'da göründüğünden daha otoriter görünüyordu. Öyle olması gerekirdi tabii. Burası kendi çöplüğüydü.

"Ne işin var burada?" dedi.

"Sadece konuşmak istiyorum."

"Ama ben konuşmak istemiyorum. Bu adresi nereden buldun?"

"Telefon numaranı bulduğum yerden."

"Burayı az önce sen mi aradın?"

"Bu doğru."

"Ve konuşmadan kapattın."

"Ben olduğumu bilseydin beni buraya davet edeceğini sanmıyorum."

"Ah, evet haklısın. Bir polis için çok umursamazsın. Can sıkıcı bir telefondu. Benim için riskli bir davranış."

"Her şeyi inkâr ederim. Hadi yakala beni aynasız."

"Aşağılık herif" dedi. "Çek arabanı. Sizin dediğiniz gibi. Yolumu kapatıyor."

El pençe divan durdum.

"Tabii efendim" dedim. "Hemen efendim. Ama konuştuktan sonra."

"Konuşacağımız her şeyi konuştuk" dedi. "Zaten bir öğle yemeğimi berbat ettin. Akşamımı da harcayamayacaksın.

Zamanı sesli söyleyen saatlerle bile daha anlamlı sohbetlerim oldu."

Kapı açıktı ama bana kapalıydı. Kapı boşluğu da zırhlı camla kaplı olabilirdi. İçeri giremiyordum.

"Uzun sürmez" dedim.

"Kaybol" dedi. Tam kapıyı kapatıyordu ki...

"Karın, seni ve Anna'yı biliyor mu?" diye sordum.

Şimdi kapı gerçekten açıktı. Kapısının önüne dökülen çöpe inanamıyormuş gibi bakıyordu. Sanırım duygularını paylaşıyordum ama bir dereceye kadar. Söylediğim şey kötü bir şeydi. Ama doğamda var olan zehirli maddelerle uğraşırken lastik eldiven kullanmak gibi koruyucu bazı önlemlerim vardı. Birincisi, bu konuşma dışında bu bilgiyi hiçbir yerde kullanmayacaktım ama o bunu bilmeyecekti. (Yüzündeki ifade bunun tahmin olmadığını, gerçekten bildiğimi gösteriyordu.) İkincisi, söylediğim şeye ahlaki açıdan öfkelenme hakkı olduğuna hâlâ ikna olmamıştım. Ama yine de kendi davranışımdan yayılan pis koku beni bile rahatsız etmişti.

"İçeri gir" dedi. "Sana ayaklarını sil diyeceğim ama geri kalanını nasıl sileceksin ki?"

Belki de söylediği yeterince makuldü. Bitişinde ahşap merdiven olan geniş koridordan geçtik. Basamakların kıvrıldığı yerdeki pencereler boyalı camlarla kaplıydı. Beni büyük, açık, ahşap kapıdan geçirip kapıyı örttü. Janice kapıyı açtığında Dave'in geldiği yer burası olmalıydı.

Kişisel ödüllerin konduğu bir odadaydık. Bir çift gümüş kupa vardı, sanırım golf kupalarıydı. Bir tane Caithness Bölgesi cam şilti ve bir tür sanayi ödülü olan üç tane sombre sertifika vardı. Duvara özenle asılmış resimlerde kendinden emin görünen insan grupları, kendi varlıklarının öneminin tadını çıkarıyorlardı. Odaya hâkim, üstü deri kaplı bir masa vardı. Bu masanın kardeşini Edinburgh'te görmüştüm.

Masa lambası açıktı, ince ışık demeti kâğıt tabakasına odaklanmıştı. Adamın meşguliyeti içinde davetsiz misafirliğim hissediliyordu.

"Sanırım otursan iyi olacak" dedi.

Masanın köşesine yakın bir yerde duran, deriden döner koltuğa oturdum. Küçük pencerenin yanına geçti, ellerini cebine koyup dışarı bakıyordu. Kitaplığın üstünde antika görünümlü vazo dikkatimi çekti. Vazonun desenleri, benim rastladığım, birbirine geçmiş hayatlar gibi çetrefilliydi. Şimdi özel odasına girerek hayatının gizli bölgesini işgal etmenin neden olduğu yersiz bir şaşkınlık içindeydim. Hâlâ pencereden dışarı bakıyordu. Orada görüşü engelleyen ağaç dallarından başka görülecek pek bir şey yoktu. Ama uzaklara bakıyor gibiydi çünkü önündeki manzarayı anlatmaya başladı.

"Anna ile evleneceğim" dedi. "Sana bunu söylüyorum böylece bildiğin şeyin ne anlama geldiğini gör diye. Kırık dökük araştırmalarının sonucu ulaştığın şey bu. Anlattığım şey öyle gizli bir kaçamak değil. Sen insanların hayatlarıyla ilgili sorumsuz davranıyorsun. Linda. Karım. Çocuk doğuramıyor. Anna ile bir aile kurmayı ümit ediyoruz. Ama Linda'yı önemsiyorum. Duygusal olarak çok güçlü değil. Anna, onu hazırlamam için bana zaman vermeyi kabul etti. Linda ile anlaşarak ayrılmam onun için daha iyi olur. Anna'yı işe karıştırmazsak. Barışçıl bir yolla yapabiliriz. Bunun için biraz daha zamana ihtiyacım var. Onu hazırlamak için. Bu işe karışmamanı rica ediyorum. Karım için. Hepsi bu. Ne hissettiğini anlayabiliyorum. Anna, Scott'ın dul eşi. Ama Scott'ın kendisi de bir aziz değildi, biliyorsun."

"Yakınından bile geçmez."

"Ellie Mabon adında bir kadınla ilişkisi vardı. Niye onu soruşturmuyorsun?"

"Yaptım."

"Aman Tanrım. Gerçekten hastasın sen."

"Bay Lyons" dedim. "Bunu tekrarlamanı istemiyorum. Bütün yapmak istediğim, kardeşimin son zamanlarıyla ilgili bilgi almak. Eğer gerçek, bir hastalıksa buna sen de dahilsin, beni suçlama. Kanser için röntgen filmini suçlamazsın. Benim önümde ahlaki dürüstlük gösterisi yapma. Gördüğüm kadarıyla bu uzun bir hiçlik gösterisine dönüşüyor. Uzun akrobat ayaklığı takmış bir pire gibi. Bu ani mahrem konuşma tam bir zırvalık. Nükleer santralin açılış günü gibi. Yani bütün bunlar hiçbir önemi olmayan şeyi göreceksiniz demek. Burada olmamın nedeni bu değil. Özel hayatının yeni detaylarını kaydetmek gibi bir derdim yok. Onlara da inanabileceğimden emin değilim ya. Sen eşinle ilgili kaygılı olabilirsin. Veya boşanmayı böyle ayarlamak finansal olarak senin için daha iyidir. Hangisi doğru nereden bileyim."

Koltuğu pencereye doğru çevirdim ve onu izledim. Bana doğru döndü.

"Benden istediğin nedir?" dedi.

"Sadece bilgi. Bir nebze dürüstlük."

"Hangi konuda?"

"Yeşil paltolu adam."

"Yine mi. Kim bu kahrolası yeşil paltolu adam?"

"Bilmiyor musun?"

"Hiçbir fikrim yok."

"Öğrenciyken Scott'la bir evi paylaştığını hatırlıyorsundur?"

"Kısa bir süre için, evet. Tam olarak hayatımın en önemli bir bölümü değildi."

"David Ewart adında birini hatırlıyor musun?"

"Hayır."

"Emin misin?"

"Eminim."

"Kiralamak için evi görmeye gelmiş. Sen ve arkadaşların evden taşınırken. Birinci sınıf öğrencisiymiş."

Gülmeye başladı.

"Bunu ciddi bir soru olarak mı almalıyım? Eve bakmaya gelen bir öğrenciyi hatırlamam mı gerekiyor? Ne yaptığımı sanıyorsun? Bunu not ettiğimi mi? 'Sevgili günlük, bugün muhteşem bir şey oldu.'"

"Ama o gün hatırlanmaya değer bir gün olmuş gibi. Veya en azından o akşam. O gece bir şeyler olmuş."

"İşte beklendiği gibi bundan bir roman çıkar."

"O gece hep beraber dışarı çıktığınızı hatırlamıyor musun?"

"Birçok gece beraber dışarı çıkardık. Özel olarak hatırladığım bir gece yok. Hiçbirimizin hatırlayacağını da sanmıyorum. Genellikle düşündüğümüz şey kafayı bulmaktı."

"O gece Scott tablolarını parçalamıştı."

"Öyle mi? Bilmiyordum."

O geceyi hatırladığını ispat etmemin bir yolu olmadığını fark ettim. Tek ümidim belli küçük detaylara yoğunlaşmaktı.

"Sandy Blake kim?"

Bunu dikkatlice düşündü.

"O da bizimle aynı evi paylaşıyordu."

"Ona ne oldu?"

"Doktor oldu."

"Şimdi nerede?"

"Güney Afrika'da." Gülüyordu. "Bende adresinin olduğunu sanmıyorum."

"Peki ya dördüncünüz?"

"Dördüncü ne?"

"Dördüncü öğrenci. Aynı evi paylaşan dört öğrenciydiniz."

"Hayır. Üç kişiydik."

"David Ewart dört kişi olduğunuzu söylüyor."

"Kim bu kahrolası David Ewart? Orada yaşayan bendim."

"Sanırım vaktimi boşa harcıyorum" dedim.

"Sanırım herkesin vaktini boşa harcıyorsun" dedi. "Özellikle benim."

"Tamam" dedim.

Ayağa kalktım ve odada çaktırmadan dolandım.

"Kapı şu tarafta" dedi işaret ederek.

Kitaplığın yanında durdum. Hafifçe vazoya dokundum.

"Ona dokunma" dedi. "Çok, çok değerli."

Tek elimle vazoyu kaldırdım.

"Bırak onu" dedi.

"Bay Lyons sen bir yalancısın" dedim. "Zannedersem karın evde?"

"Evdeyse ne olacak? O çok değerli bir vazo. Bırak onu."

Vazoyu yavaşça bir elimden diğer elime hoplatmaya başladım.

"Ben bu tür şeyleri pek umursamam Bay Lyons. Sadece gerçek şeyleri umursarım."

"Onların ne olduğunu biliyorsun sanırım."

"Ne olmadıklarını biliyorum. Hâlâ araştırıyorum. Anlat bana, senin başarının sırrı ne?"

"Ne olduysam kendim başardım."

"Basamak olarak bazılarının hayatlarını kullanarak. Kendi kendine olan insan yoktur. Herkes başkalarını yedek parça olarak kullanır. Dördüncü kimdi?"

"Dördüncü yoktu."

"Avuçlarımın içi terliyor" dedim. "Bunu tutamıyorum, bu kırılınca başka bir şey daha kıracağım. Bayan Lyons gelinceye kadar. Sesin... nereden...geldiğini...görmek...için."

Bir şey demedi.

"Kahrolsun" dedim.

Vazoyu neredeyse tavana değecek kadar yükseğe fırlatıp ellerimi cebime koyar gibi yaptım.

"Michael Preston" diye bağırdı.

Vazoyu yere birkaç santim kala yakaladım. İsmi duyunca şaşkınlığımdan neredeyse tutamayacaktım, çünkü isim tanıdıktı. O ismi duymak Scott'ın yaşamındaki sapmışlığı fark etmeme neden oldu. Michael Preston'u tanıdığından hiç söz etmemesi şaşırtıcıydı. Michael Preston çok ünlü bir televizyon sunucusuydu, ismi birçok sohbet esnasında ortaya çıkması muhtemel olan biriydi. Yavaşça doğruldum.

"Sen delisin" dedi Dave Lyons.

"Sadece öfkeli" dedim. "Delilik bundan çok daha kötü bir şey."

Vazoyu yerine bıraktım.

"Demek o gün televizyondaki kişi oydu" dedim.

"Bunu bilemeyeceğim."

"Hayır. Tabii ki bilemeyeceksin."

Ona baktım. Öfkesini yeni keşfetmişti. İnsanlar ona böyle davranamazdı. Ağzı öfkeden mühürlenmişti.

"Arabamla kapattığım yolu şimdi açarım" dedim.

yirmi yedi

Brian beni Grosvenor Oteli'nde aradığında duştaydım. Biraz lüks bir deneyim olsun istedim. Bushfield'dayken sadece banyoya yalnızca duş için girebiliyordum. Şimdiyse hem su terapisi yapabiliyor hem de yıkanıyordum. Ama keyfim kısa sürdü. Hâlâ "The Other Side of Nowhere" şarkısını söylüyorken telefon çaldı.

Telefon ahizesini aldığımda hâlâ üstümden su damlıyordu, bir yandan da kendimi kurulamaya çalışıyordum. Marty Bleasdale ve Melanie McHarg hakkında biraz konuştuk. Brian ile Bob bu işe ertesi gün bakacaklardı. Beni otelden arayacak, orada olmamam durumunda not bırakacaklardı. Brain ertesi sabah manyaklığıma daha dinç ve diri bir halde devam edebilmem için erkenden uyumamı tavsiye etti.

Kendimi kurulamayı bitirince üstüme bir süveter geçirip temiz bir külot giydim. Saçlarımı taradım. Bir bardağa viski koyup sulandırdım. Pencerenin yanında durup aşağıya Byres Caddesi'ne baktım. Glasgow'a dönmek güzeldi. David Ewart'ın emeklilik tutkusunu düşündüm. Kötü değildi.

Geçen arabaları, sokakta yürüyen insanları izledim. Durmadan yolları çapraz kesişen meşgul insanları görüyordum, hiçbiri bir diğerini ciddi bir şekilde fark etmeden, kendi tuhaf sadakatlerini takip ediyorlardı. Tuhaf ve sorgulanabilir sadakatler, diye düşündüm kendiminkini de dahil ederek. Benimkiler aydınlıkta yaşayan köstebeklerdi, titizlikle inşa edilmiş tünellerden özel amaçlarını takip eden köstebekler.

Son haftam da şu ana kadar o tünellerden biri olmuştu. Kararlı ilerleyişinde diğer insanların özel mekânlarına zorla girmiş, durgun havayı bulandırmış, yabancı ve üzüntü verici bir varoluş sergilemişti. Bu anın sükûnetinde ne denli yıpratıcı olduğumu kabullenebiliyordum. Pişmanlık duydum ama çok da değil.

Çünkü sadakati takdir etmeme rağmen, tuhaf yan etkileri olduğunu da düşünüyordum. Frankie White'ın kötü bir etiğe karşı sadakati, arkadaşının derin bir sessizliğe gömülmesine izin veriyordu. Anna'nın Dave Lyons'a sadakati, kocasını kendi hayatından klinik bir soğuklukla kesip atıyordu. Dave Lyons'un kendine olan sadakati, kendisi dışındaki her şeye ilgisiz kalmasına neden oluyordu. Kişisel ve faydacı sadakatlerimizin bizi yönlendirdiği yerlere varmak için acele ederken çoğunlukla bizi tanımlayan daha derin sadakatleri –gerçeğe ve doğamızın gereği olan ideallere sadakatleri– ayaklar altında çiğneyerek ölümlerine neden oluruz.

Bir sadakat labirentiyle karşı karşıya kalmıştım; gördüğüm kadarıyla insanlar kendilerine ait mekâna sahip çıkıyor, o mekânların kendileri adına ama kendilerinden habersiz yapılan kötülüklerin cereyan ettiği koridorlarla bağlantısı yokmuş gibi davranıyorlardı. Bu şartlarda devam etmemin tek bir yolu vardı. İlgilendiğim insanların her birinin birden fazla sadakati vardı. Birini bir diğerine çarpıp, bir gerçeklik kıvılcımı çıkar mı diye bakacaktım. Onları sadakatlerinden birini seçmek zorunda bırakacaktım.

Örneğin Eddie Foley, Matt Mason'ın sadık bir yardakçısıydı. Ona ihanet etmesinin imkânı yok gibi görünüyordu.

Ama Eddie Foley, aynı zamanda ailesine bağlı biriydi. İki zıt hayat sürdürüyordu. Bu iki hayatı, iyi adamı ve suçluyu karşı karşıya getirip hangisinin kavgayı kazanacağına bakacaktım. Kolay olmayacaktı. Bundan sonra biraz yıpratıcı olmam gerekebilirdi. Bunun şerefine istemeyerek kadeh kaldırdım. Dünya, sizin için en önemli olanı, bir açıklama yapmadan sizden almaya karar verince şöyle ya da böyle onun umursamazlığına meydan okumanız gerekir.

Dünya uysal olana kalmalı ama bu hafta değil.

beşinci bölüm

yirmi sekiz

Düşmanını bil. Umarım Eddie Foley'i biliyorumdur. Arabayı park edip Sauchiehall Caddesi'ndeki Rico'ya doğru yürüyordum. Onu tanıyor olmayı ummamın bir nedeni, eğer tanıyorsam tabii, bu saatte orada olacağı gerçeğidir. Daha çetrefilli bir neden daha vardı.

Planladığım şeyde ona ihtiyacım vardı. Yaptığım planın işlemesi için onun hakkındaki düşüncemin kesin doğru olması gerekiyordu. Bütün planlarım gibi bu da dört dörtlük tertiplenmemişti, kafiyeli şiirden daha çok serbest vezinle yazılmış şiir gibiydi. Benim için plan, arkasında zekâ olan itici bir güçtür, yani umarım öyledir. Sürücü, istikametin neresi olacağına hareket halindeyken karar verecek.

Çok farklı suçlar vardır, sosyal mutabakatta da farklılıklar olduğu gibi. Görünüşteki namuslu halin, kötü şeyleri karanlığa döktüğü gizli yerleri olduğu gibi, kanun dışı olanların da karanlık hayatlarında, bazen gizlenmiş dürüstlük ve saf idealler bulunabilir. Kötülük ve iyiliği iki farklı eyalet gibi düşünebiliriz ama onların belirlenmiş sabit sınırları yoktur. Herhangi birimiz, birinden diğerine herhangi bir şey beyan etmeden geçebilir. Hepimiz, bize her iki tarafta özgürce seyahat izni kazandıran ebeveynlerden dünyaya gelmişiz.

Eddie Foley, çifte vatandaşlığa ilginç bir örnekti. Görünüşe göre eşi kusursuz bir iffet abidesiyken kendisi bir suçluydu. Eddie ile evlenmesi saflık olabilir ama dürüst bir kadındı. Öğretmen olan bir kızı ve ziraat bölümünde okuyan bir oğlu vardı. Ailesine olan sevgisinde yalan yoktu. Şöhretinde, çapkınlığına dair en küçük bir ima bile yoktu. Denilene göre çok televizyon izlermiş. Kültürel ilgi alanları da yok değilmiş. Eşiyle beraber çok sık gittikleri Glasgow Sineması'na üye olduklarını biliyordum. Bir keresinde bana torun beklediklerini söylemişti.

Özel yaşantısında örnek bir vatandaştı. İşteyken farklıydı. İşi kötülüğe imkân tanıyan bir işti. Hiç silah kullanmamıştı. Onun yaptığı, sadece mermi yatağını yağlamaktı. Matt Mason ile birlikte çalışmaya başlayalı çok uzun zaman olmuştu. Mason adamlarını iyi tanırdı. Eddie'nin ne yapacağını, ne yapmayacağını, işinin narin doğasını bilirdi. Eddie asla şiddet içeren eylemlerde bulunmazdı. Hiçbir ciddi suça şahit olmamıştı. Aşırı şiddet ve ölümün, onun hayatında yeri yoktu. Ama insanları tanıyan iyi bir idareciydi. Kendisine söylenen işi tamamlayan bir iş bitiriciydi, karşılığında da maaşını alırdı.

Anlaşmalara uyum sağlamaktaki sınırsızlığımız beni hayrete düşürür. Sadece alt kısmında dışarıyı görebilmek için bir delik olan bir kutuda bir çocuk yetiştirin, sanırım o çocuk hayatının büyük bir bölümünü amuda kalkarak yaşamayı öğrenir, çünkü dünyayı ancak bu şekilde görebilmektedir. Eddie Foley'in hayatıyla yaptığı anlaşma onu türünün içinde saygın bir örnek yapıyordu. Faili meçhul suçları, kargaşaları organize eden ilgili bir koca, şefkatli bir baba ve nazik bir vatandaştı. Eve kapatılmış medeni bir vicdanla birlikte soyut bir şiddeti vardı.

Bunu nasıl başardığını çok defa merak etmişimdir, hayatını ikiye bölen çelişki boşluğunun üstündeki gergin ipte bir ileri bir geri nasıl yürüyebiliyordu. Rico'ya yaklaşırken belki de o kadar tuhaf bir durum olmadığını düşündüm, tamam uç noktada olan bir durumdu ama tuhaf değildi. Muhtemelen kendi güvenliğini garantiye almanın bedeli, başkalarına karşı vicdanını köreltiyordu. Bu da onu tuhaf yapmaz. Bu durum onu birçok kişiden biri yapar; yaşantımıza yabancı olan anlaşılmaz bir ifade değil, sadece italik harflerle yazılan ama kamuya ait olan bir ifade. Bunun büyük veya küçük ölçüde olması kişinin tercihine bağlı. Kazananlar, kaybedenleri kaynak olarak kullanır. Sistem böyle işliyor. Eddie'nin yaptığı sisteme ayak uydurmaktı.

Onun güvenliği başkalarının tehlikede olmasıydı. Birçoğumuzda olduğu gibi onun da güvenliği, zayıf noktası olabilirdi. Dikkatli bir insandı. Ailesini bir kenarda, güven içinde tutardı. Matt Mason'a yardım ederdi ama bunu yaptığını belli etmezdi. O kapıları açardı. Yapılacak işi halletmek için başkaları o kapılardan geçerdi. Küçük şeylerle Eddie'ye suçüstü yapamazdınız. Ama eğer Mason düşerse, o zaman Eddie enkazın altında kalabilirdi. Merak ediyordum acaba onu böyle korkutabilecek miydim?

Eddie işinde çok dikkatli olduğu için hiç hapse girmemişti. Mahkemelik de olmamıştı. Karmaşık bir güvenlik sistemi bazen bir tuzağa dönüşebilir. Başkaları girmesin diye o kadar zaman harcarsınız ki kendinizin de artık oradan çıkamayacak hale geldiğinizi fark edemezsiniz. Eddie'nin kendisi için kurduğu yaşamın dışında hayatta kalabileceğini zannetmiyorum. O yaşantıya kendini alıştırmıştı. Hapse girmesi onu yıkardı. Suçlu bulunması da ailesini mahvederdi. Bu şeylerin düşüncesinin bile onu nasıl etkileyeceğini merak ediyordum. Göreceğiz bakalım.

Oradaydı. Pencereden gördüm, arka taraflardaki bir masada yüzü bana dönük oturmuştu. Menü levhasının önünde durup onu izledim. Camdaki Riko kelimesinin sonundaki "O" harfinin içinden görüntüsü sanki onun resim çerçevesi gibiydi, aile albümündeki baba fotoğrafı gibi. Gözlüklerini takmış gazete okuyordu. İçeri girdim.

Riko kahvaltı servisi için sabah erkenden açılan bir bardı. İçerisi aydınlık ve ferahtı. Üstü metal, basit masalar, duvardaki mozaik tablolar, bankonun arkasındaki şişeler bir barda olmanın verdiği medeniyet hissini açığa vuruyordu. Gazete rafı acele etmenin yersiz olduğunu gösteriyordu. Mekân, sabahların çok da kötü olmadığı duygusunu veriyordu. Eddie Foley'e de bu hissi verdiği besbelliydi. Burası onun geç saatte sakin bir kahvaltı yapmak için düzenli olarak geldiği yerdi.

Masasına ulaştığımda başını kaldırmadı. Bir kruvasanı yarılamış, kahve fincanı da neredeyse boşalmıştı. Okuduğu gazete *Daily Mail*'di.

"Haberlerde ne var, Eddie?" dedim.

Gözlüklerinden yukarı doğru baktı. Gözlerinde muhtemelen temkin gibi bir şey belirip kayboldu. Gülümsedi. Güzel bir gülüşü, çocukların seveceği türden bir bakışı vardı.

"Jack" dedi, "bana katılır mısın?"

"Ah, evet."

"Çoktandır görmemiştim seni."

"Sakin yaşıyorum."

Karşısına geçip oturdum, koyu saçlı bir kadın garson gelip siparişimi aldı. O kadar çekici ve doğal bir hoşluğu vardı ki sadece onu görmeniz bile güne ödülle başladığınızı hissettirirdi size. Kahve sipariş ettim.

"Siz Bay Foley?" dedi. "Bir ihtiyacınız var mı?"

"Kahvemi tazeler misin, Jennifer? Kahvesini benim hesabıma ekle." Garson adisyonu alıp gitti. Eddie tek eliyle gazetesini katlayıp masanın kenarına itti. Gözlüğünü çıkarıp yumuşak deri kılıfa dikkatlice yerleştirdi, sonra iç cebine koydu. Böyle daha az babacan görünüyordu.

"Şey" dedi. "Kardeşini duydum. Üzgünüm. Kötü oldu."

"Evet."

Birden son birkaç gündür Scott'ı farklı bir şekilde düşündüğümü anladım. Saplantım acımı sahiplenmişti. Gözyaşlarını durdurmanın bir yolu da buydu.

"Yazık oldu."

"Öyle oldu" dedim. "Ama arabanın ona çarpmasından daha çok o arabaya çarptı. Laidlawlar dikkatsiz olabiliyorlar, Eddie."

"Hepsi değil."

"Bak. Ben sigorta rizikosu olarak herhangi bir madalya kazanabileceğimi sanmıyorum."

Jennifer kahveleri getirdi. Ben kahveme süt ve şeker ekledim. Eddie bir şey koymadı. Bir parça kruvasan koparıp çiğnemeye başladı.

"Bir şey yemek ister misin?" dedi.

"Ben yedim, teşekkürler. Sende ne var ne yok Eddie?"

"Her zamanki gibi Jack, aynı. Ama sen bunu biliyorsun zaten, değil mi?"

"Hım?"

"Jack. Ne zaman senin arkadaş listende yer almaya başladım ki?"

"Bu doğru."

"Öyleyse konu nedir?"

Jennifer yeni hesabı getirdi. Eddie'nin önüne bırakıp gitti. Uzanıp hesaba baktım. Sanki eriyip giden soluk mavi mürekkeple basılmıştı. Zar zor okuyabildim. 5.50 sterlin yazıyordu.

"Ben öderim, Jack" dedi.

"Tamam."

Beni izliyordu. Hesap kâğıdını elimde tutmaya devam ettim, inceliyordum.

"Bu hesap hatalı, Eddie" dedim.

Elimden aldı ve baktı. Gözlüğünü çıkarması gerekti. Küçük sütundaki rakamları kendince hesapladı.

"Hayır, hesap doğru" dedi.

"Hesap yanlış."

Gözlüğünün üzerinden bana baktı.

"Anlamak için bu kahrolası görme kabiliyetinden daha fazlası lazım Eddie Foley" dedim. "Ve bunun bedelini ödeyeceksin."

Sağ eliyle gözlüğünü ağır ağır çıkardı. Etrafına bakındı. Sonra bana baktı. Kafamı salladım.

"Şimdi hesabı paylaşma zamanı" dedim.

Elini masanın üzerindeki gözlüğünden yavaşça çekti.

"Nedir bu şimdi?" dedi.

"Önümüzdeki birkaç gün içinde kepenk indirecek olan çalıştığın firmayla ilgili. Tasfiye memuru da benim."

Bana bakmak için başını hafifçe yana çevirdi. Sözlerimin arkasındaki şakayı görmeye çalışıyor gibiydi.

"Yeterlilik belgeni görebilir miyim lütfen?" dedi gülümseyerek.

"Görüyorsun zaten. Benim. İster inan ister inanma. Ve kes gülmeyi, Eddie. Gülme. Yoksa dişlerini dökerim."

Onu ikna eden şey tehdidimin tuhaflığıydı. Daha önce hiç böyle konuşmamıştık, konuşmalarımız ya dostane ya da ikimizin mutabık olduğu şaka yollu bir düşmanlık tarzındaydı. Şu anda görüşme şartlarımızı değiştirdiğimi biliyordu artık. Ne olduğunu anlamaya çalışan gözlerine baktım.

"Ne oldu?" dedi.

"Ne olduğunu sen biliyorsun? Her zaman bildiğin gibi. Farklı olan şey şimdi benim de biliyor olmam."

Rahat nefes alamıyordu.

"Ne gibi?" dedi.

"Patronun kaybetti, Eddie. Piyasada yanlış işler yapmakla ilgili. Son üç ayda iki kişi öldürdü. Sanırım buna haddini aşmak denir. Kendini ne zannediyor? Hun İmparatoru Atilla mı?"

"Ne hakkında konuştuğunu bilmiyorum."

"Ben bildiğim sürece sorun yok."

"Ben bilmiyorum. Gerçekten bilmiyorum."

"Dan Scoular. Meece Rooney."

"Ne hakkında konuştuğunu bilmiyorum."

"Hey! Bunun ne olduğunu sanıyorsun? Lazımlık mı? Boktan şeyleri başkasına anlat."

"Ama ben..."

"Eddie!"

Dondu kaldı. Gözleri, kapana kısılmış bir fareninki gibi gergindi.

"Yapma bunu. Polise küçük yalanlar söylemenin zamanı geçti. İstersen sessiz kalabilirsin. Ama burada oturup ikimizin bildiği boktan şeyler konuşmaya gerek yok."

Yavaşça olduğu yere çöküverdi. Masaya bakıyordu.

"Dinle. Seninle ilgili bir varsayımda bulunuyorum. Aslında işleri yapan sen değilsin. İşlere doğrudan dahil olmadın. Eğer yanılıyorsam söyle. Ben şu kapıdan çıkınca hemen uzak bir yerlere kaçman senin için daha iyi olur. Çünkü aradığım kişi sen olacaksın. Ama senin işin içinde olmadığını düşünüyorum."

Konuşacak takati kalmamıştı. Sanki kafasında avukatını görüyor gibi bakıyordu.

"Çünkü senin ne gibi olduğunu biliyorum. Peki, senin hakkında ne düşünüyorum biliyor musun Eddie? Dachau* veya benzeri bir yerdeki bakım işçisi gibisin. Duşlardan su yerine gaz akışını sağlayan kişi olabilirsin. Kapıların düzgün bir şekilde kapandığını kontrol eden kişi de olabilirsin. Ama

---

* Nazi Almanya'sında açılan ilk toplama kampı. (ç.n.)

kimseyi doğrudan öldürmezsin. Bu yönüyle iyisin. İşini yapıp evine gidiyorsun ve olanları unutuyorsun. Yani çok az kimse böyle yapar. O tür yerlerde. Eve gidip çocuklarla oynar. Ve gerisini unutur."

Parmaklarıyla gözlüğüne dokunuyordu.

"Ha! Bunu sana hatırlatmaya geldim Eddie. Küçük evinde oynamayı bırakmanın zamanı geldi. Buna mecbursun. Şimdi ödeşmenin iki yolu var. Zorla veya kendi iradenle. İlki pahalıya mal olur. Matt Mason'ı tutuklayacağım. Olanlardan sorumlu olduğunu biliyorum. Ama altındaki kişilerin kim olduğunu bilmiyorum. Ama bulacağım. Yoluma çıkarsan, sen de kodese gireceksin. Her şeyini kaybedersin. Yaşam tarzın. Ailenin senin hakkındaki düşünceleri. Birçok şey. İşbirliği yaparsan ailenin sana karşı tutumunda bir değişim olmayacak. Hapse girmeyeceksin. Hepsi bu."

Eliyle kavradığı gözlüğün camları buğulanıyordu.

"Haklısın Eddie. Benim arkadaş listemde yoksun. Seni sevmiyorum. Başkalarının hayatındaki kalıcı grip virüsü gibisin. Onları savunmasız bırakıyorsun. Ama Mason kanser gibidir. O alçak herifi kesip atacağım. Ya ameliyatın parçası olursun ya da tümörün. Başka seçeneğin yok."

Kahvemi yudumlamak istedim ama soğumaya başlamıştı. Bir sigara yaktım. Bu aralar Eddie'nin içmediğini biliyordum. Belki böylece torunlarının doğumunu görebilecekti. Ben söyleyeceğimi söylemiştim. O anlayacağını anlamıştı. Bu yönde devam edecektim artık nereye kadar giderse. Bir süre sigaramı içtim.

"Hiçbir konuda aynı fikirde değilim" dedi Eddie. "Ama biraz daha açık konuşabilir misin?"

"Seni bu işe karıştırmadan bunu yapmamın bir yolu var. Sadece sen ve ben bileceğiz. Ve belki güvenebileceğimi bildiğim bir iş arkadaşım."

"Peki ya ben ona güvenmiyorsam?"

"Hey Eddie. Anlaşmayı yapan benim. İster imzala ister imzalama. Hepsi bu. Burada pazarlık şansın olduğunu kim söyledi? Diğer insanların seçme şansını elinden aldığında bu şansını kaybettin. Ya benim yanımda yer alırsın ya da o düzenli hayatını bir daha düzelmemek üzere darmadağın ederim. Diğer insanların hayatlarının mahvolmasına, öldürülmelerine yardım ettiğin gibi."

Kahvesine, sonra gazetesine baktı.

"Öyleyse ne olacak?" dedi.

"Ben de henüz bilmiyorum. Önümüzdeki iki veya üç günde bağlantı kuracağız. Bana numaranı ver. David Ewart diye biri sana mesaj bırakırsa, anla ki o benimdir. Bana hemen dönmezsen anlaşmayı bozduğunu anlarım. Ama bana dönersen, beni kendi ismimle Grosvenor'dan ararsın."

"Ne tür bir anlaşma bu?"

"Şimdilik yapabileceğim tek anlaşma bu."

"Ama benden ne istediğini bile bilmiyorum."

"Ben de bilmiyorum. Sana ihtiyacım olması durumunda orada olman yeterli."

"Ne için?"

"Her ne olursa, anlaşmamızın şartlarına uygun olarak. Kimse senin işe karıştığını bilmeyecek."

"Benden ne istediğini sen de bilmiyorken bunu nasıl söyleyebiliyorsun?"

"Çünkü söylersem bir karar vermeye çalışabilirsin. İşine gelmiyorsa anlaşmadan vazgeçebilirsin. Ben de senin hayatını harcamak zorunda kalırım. Hesabın ödenmiş olur."

"Ha! Teşekkürler. David Ewart mı demiştin?"

"David Ewart. Temiz bir isim."

Gözlüğü kılıfına koyup cebine bıraktı. Sonra geri çıkarıp gözlüğünü taktı. Masanın kenarındaki gazeteye uzanıp sayfasından bir parça kopardı. Üstüne telefon numarasını yazıp bana uzattı. Kâğıdı kontrol ettim, düzgün bir şekilde katlayıp spor ceketimin cebine koydum. Eddie gözlüğü cebine koydu. Birlikte oturuyorduk ama farklı duygular içindeydik.

Olanlarla ilgili kendimi kandırmaya gerek yoktu. Şu ana kadar olanların bir anlamı yoktu. Eddie'nin yaptığı şey zaman kazanmaktı. Bana bütün verdiği, bir telefon numarasıydı. Rehberden de bulabilirdim. Yaptığı hareket tokalaşma mıydı el sallama mıydı kimse bilemezdi, kendisi bile. Ama en azından güvenli evinde soğuk hava akımı oluşmasını sağlamıştım. Evde nerede olduğunu bilmediği kırık bir cam vardı. Yerini tespit edip onun için yapabileceği bir şey var mı diye bir süre evin çevresinde dolanacaktı.

"Peki ya Matt Mason?" dedim. "Şimdi neler yapıyor?"

Eddie'nin bakışları geri çekilmemi söylüyordu. Henüz benim için çalışmıyordu.

"Glasgow'da mı?"

"Tayland'da değil."

"Yaptığı bir şey var mı?"

"Ha, evet" dedi Eddie. "Yarın büyük bir iş var."

"Nedir?"

"Bir çocuk partisi?"

"Bir ne?"

"Çocuk partisi. Matt'in ikiz kız yeğenleri var. Yarın sekiz yaşına basıyorlar. Onlara bayılıyor. Onlar için evde büyük bir parti veriyor. Çocukların ebeveynlerinkinden daha büyük bir evi var. Millie de gidecek." Millie Eddie'nin eşiydi. "İlk defa o eve gidecek."

"Sen gitmiyor musun?"

"Benim futbol maçına gitmem lazım. Çoktandır bir maç izleyemedim."

"Bir çocuk partisi? Güzel."

"Öyle" dedi Eddie. "Çocuklar için çok eğlenceli olacak. İkizlerin bütün arkadaşları. Bazı ebeveynler. Bir ev dolusu insan. Baskın yapmayı planlamıyorsun değil mi?"

Sigaramı söndürdüm.

"Tamam, hesabı ödeyebilirsin Eddie."

"Zaten öyle demiştik."

Birbirimize baktık.

"Eddie" dedim. "Burada ne olduğunu biliyorum. İkimizin arasında. Buradan Matt Mason'a gidip her şeyi anlatabilirsin. Arkasını kollamasını söyleyebilirsin. Bu senin seçimin. Ama bu aptallık olur. Neden biliyor musun? Bu konuda ciddiyimdir veya değilimdir. Eğer ciddiysem ve sen bunu ona anlatmazsan, ailenin huzurunu kaçırmamış olursun. Eğer ciddiysem ve sen bunu ona anlatırsan, biliyorsun senin hayatın biter. Eğer ciddi değilsem zaten, kimsenin bunu bilmesine gerek var mı? Bu konuşma hiç gerçekleşmemiş olabilir. Son bir tüyo. Ciddiyim Eddie. Dan Scoular'ı tanımazdım. Keşke tanısaydım. Ama onu seven insanları seviyorum. Bu bana yeter. Onların söylediklerine inanırım. Dan Scoular öldü. Matt Mason'ın geleceğini Dan'in mezarına bir buket çiçek gibi sereceğim. O çiçek buketinin bir parçası olup olmamak sana kalmış. Kahve için teşekkürler."

Ben dışarı çıkarken Jennifer hoşça kal dedi ve el salladı. Eddie'nin ona iyi bir bahşiş vereceğinden emindim. Cömert bir insandı.

yirmi dokuz

Avcılığın büyük bir kısmı beklemektir galiba, peşinde olduğunuz şeyin hayvan mı, insan mı veya bir bilgi mi olduğunun önemi yoktur. Tom Docherty'nin yazarlığa nasıl başladığını anlattığını hatırladım. Bir mektubunda yazmıştı, bana hayatı boyunca yazdığı tek mektup. Şaka yollu, mektup felci dediği şeyden mustaripti. O zaman Paris'teydi ve umutsuz bir karamsarlık içindeydi.

"Yazmak mı? Ne gerek var? Yazınca işte yaptığın şey budur. Tek başına gidersin. Mevcut olan ne varsa kendine onlardan saklanacak bir yer yaparsın; bozulan ilişkilerden, biriktirdiğin acılardan, güzel hatıralardan, her gün isteyerek yaptığın işlerden. Sonra beklersin. Bir sürü değişik yem denersin. Her şeyin elinden kaçmasına göz yumarsın; ne kadar güzel göründüğü veya onu yakalama neticesinde alacağın övgünün bir önemi yoktur ama beklediğin, elde etmen gerektiğini bildiğin şeyi gözlersin. Onu kaybetmektense kendini kaybetmeye hazırsındır. Bu esnada eline geçen ne varsa onlarla beslenirsin, kendi basit yiyeceklerinle."

Otele dönerken onu düşünüyordum. Hayatımdaki varlığının güzel yanlarından biri bölük pörçük düşüncelerin harika bir tamamlayıcısı olmasıydı. Ona muğlak bir algınızı anlatın, onu alır üstündeki pisliklerden arındırır, nasıl işlediğini göstererek size geri verir. Sizi, kendinize anlatır.

Şimdi farkında olmasa da benim için bunu yapıyordu. Onun kendi durumunu ifade şekli, benim içinde olduğum durumu aydınlatıyordu. Eddie Foley yemin bir parçasıydı. Ama bu yeme gelecek şey benim gerçekten peşinde olduğum av değildi. Kuşkusuz Matt Mason'ı istiyordum. Ama o güzergâhımdaki bir duraktı sadece, varış noktası değildi. Onu yakalarsak, Brian ve Bob'un payına düşecekti. Onların avladığı kişi oydu. Onun övgüsü onlara kalsın.

Ben daha büyük bir şey bekliyordum, en azından benim şartlarıma göre büyük. Sadece iki hayatı söndüren birini aramıyordum, birçok hayatı söndüren bir şeyin peşindeydim. Hayatı sönenler, etrafta hareket edecek halde terk edilmiş olsalar bile. David Ewart'a bozgunun kaynağını, Dave Lyons'a vicdansız sertliğin ne olduğunu, Anna'ya açgözlü çıkarcılığı göstermek istiyordum. Scott'ın idealizminin ölümü intihar mıydı, cinayet miydi?

Otelin alt katındaki lokantada öğle yemeğini yerken Tom'un, hakkında yazdığı yalnızlık duygusunun yansımasını yaşıyordum. Marty Bleasdale ile ilgili bazı ipuçları bulduklarına dair Brian Harkness'tan bir mesaj vardı. Bu şekilde mesajlaşma beni takımın bir parçası yapacağı yerde kendimi daha yalnız hissetmeme neden olmuştu. Bob ile Brian'ın yaptıklarını düşündüm, benimkinden farklı bir hedefin peşinde olduklarını biliyordum. Sahte bir yakınlık, gerçek uzaklık ölçüsüne dönüşür.

Yemekten önce Jan'ı aramam, bu duygunun yoğunlaşmasına neden olmuştu. Restorandan aradım, oradaydı, konuşabilecekti ama çok uzun değil. Bu akşam Bona Sospira'da akşam yemeği için sözleştik.

"Seni nasıl tanıyacağım?" dedi.

"Jan, sadece dört gün oldu."

"Uzun bir dört gün benim için. Bak sana ne diyeceğim. Neden sadece kendin gibi gelmiyorsun? Umarım şimdiye kadar kim olduğuna karar vermişsindir."

Vermiş miydim? Belki, Tom'un anlayışına göre, peşinde olduğum şeyi kaybetmekten daha çok kendimi, en azından kısmen kendimi tanıma duygumu kaybetmiştim. Jan ile arama sadece zaman değil duygusal mesafe de koymuştum. Belli ki bunu hissetmişti. Ben de öyle. Onu görmeyi çok istiyordum ama aslında ne kadar görüşebileceğimizden emin değildi. Scott'ın yaşam koşullarını incelerken kendi durumumu da incelemiştim bir anlamda. Kişisel bir vizyona ulaşmak için ödediğiniz bedel birlikte yaşamak zorunda olduğunuz yalnızlıktır. Ve ben bu bedelin bana doğru yola çıktığından şüpheleniyordum.

Restorana göz gezdirdim. Olgun bir yavaşlıkla yemek yiyen yaşlı bir çift, normalde ailevi olması gereken bir deneyimde, restoranın havasına uygun davranmayı başaran çocukları olan bir aile, işkadını olduklarını sandığım üç kadın, Glasgow'u Miami ile karıştırdıkları elbiselerinden anlaşılan Amerikalı bir çift gördüm. Yaptıkları sıradan şeylerdeki belirgin bütünlük, daha bir yalnız ve yabancı hissetmeme neden oldu.

Oteldeki odama çıkmak da fayda etmedi. Kendimi, otel odası çekmecelerine bırakılan İncillerin bendeki karşılığı olan kimliğim için bir ipucu bulabilmek umuduyla çekmeceleri karıştırırken buldum. Durumuma yeterince uygun olarak bulduğum şey boşluktu. Bu durum yine Tom Docherty'yi hatırlattı bana. Otel odalarında çok yazmıştı. Otel odalarıyla ilgili teorisi şöyleydi: Çok steril ve anonim olmaları, yazmasını sağlıyormuş; boşluğa bir tepki olarak kendi varlığını ispatlamak için. Otele ait kalem ve kâğıtlara baktım. Ama telefonu tercih ettim.

Bugün BBC'yi üçüncü arayışımdı. Michael Preston oraday-sa eğer, yalnızca birkaç yüz metre uzaktaydım. Kaçmadan onu orada yakalayabilirdim. Ama görünüşe göre Bay Preston hâlâ stüdyo dışında, Glasgow'da bir yerlerdeydi. Nerede olduğunu bana söyleyemezlermiş.

Yedek yakıt deposuna geçiş yapan bir şoför gibi ikinci derecedeki saplantıma döndüm. Eddie Foley'in söylediği bir şey ilgimi çekmişti. Kafamda henüz olgunlaşmamış Matt Mason'ı yakalama kararlılığımı, imkân dahilindeki karışık bir yönteme indirgeme sürecini başlatmıştı.

Edek Bialecki'yi aradım. Edek ses kayıtçısı ve teknisyeniy-di. Genel anlamda gerçekleri görmesi, belli bir ekonomik sıkıntıya girmesi onu serbest çalışmaya özendirmeden önce, uzun yıllar BBC için çalışmıştı. Bağımsız şirketler için çalışı-yor, bazen de belli özel işler için BBC ile kontrat yapıyordu. Babası, 1940'ların başında Polonyalı bir tutsakmış, İskoç bir kızla evlenmek için burada kalmış. Edek'in hayatında üç aşkı var: eşi, çocukları ve makineler. Eşi ve çocukları makinele-rin seviyesine ulaşmak için mücadele etmek durumunda kalıyorlardı bazen. Jacqueline onun manyaklığını belli bir ölçüde frenlemeye çalışırdı. Bir defasında bana ciddi olarak, "Evliliğimiz yine tehlikede. Yeni bir konsol gördü" demişti. Jacqueline'in Edek'in konuşma tarzına da ilginç bir etkisi vardı. Edek oldum olası kötü bir küfürbaz olmuştur; bu konu evlendikten sonra bir anlaşmaya varıncaya kadar aralarında kavgalara neden olmuştu. Edek'in diyete girmiş küfretme alışkanlığı artık her defasında yalnızca bir kere küfretmesine izin veriyordu. Bazen "Lanet Olası Edek" diye anılması-nın nedeni buydu. Jacqueline iradesi güçlü bir kadındı. Ses tonundan bunu anlardınız. Bir merhaba demesi yeterdi.

"Alo Jacqueline" dedim. "Ben Jack Laidlaw. Neden işte değilsin?"

Serbest çalışan bir film editörüydü.

"Jack. Çalıştığını bildiğin başka bir film editörü var mı?"

"Başka film editörü tanımıyorum."

"Muhtemelen birer birer ölmüşlerdir. Edek'i arıyorsan bugün çalışıyor. Tanrı'ya şükür."

"Ne iş yapıyor?"

"Black Cat stüdyosunda. Bir tartışma programı. Ama kaydı şimdi yapmayacaklar. Düzenlemeyi yapıyorlar. Programı bugün öğleden sonra yapacaklar."

"Ona oradan ulaşmaya çalışırım."

"Öyle yap. Bu arada kanepe hâlâ burada."

Birkaç geceyi orada geçirdiğim bir dönem olmuştu; Jacqueline ve Edek ile dünyanın birçok ahvalini tartışmıştık.

"Bir ara uğramaya çalışırım."

"İyi. Önceden haber verirsen bir içki imalathanesi satın alırız. Son defasında Edek'in kendine gelmesi üç gün sürmüştü. Görüşürüz."

Edek, Black Cat stüdyosundaydı ve telefona gelebilecekti.

"Alo, sen misin Lanet Olası Edek? Ben Jack Laidlaw."

"Senin tarzın pek uymuyor" dedi. "Zamanlamayı iyi yapamıyorsun. Söylesene nerelerdesin?"

"Ben de tam emin değilim. Gerektiğinde seni arayabilir miyim onu bilmek istedim."

"Profesyonel anlamda mı?"

"Aynen öyle."

"Peki, neyle ilgili?"

"Ben de tam olarak bilmiyorum şimdilik. Belki de gerek kalmayacak. Ama bir şey üzerinde çalışıyorum. Eğer işler düşündüğüm gibi olursa bana gerçek bir iyilik yapabilirsin. Birkaç saatten fazla sürmez. Buna var mısın?"

Kısa bir sessizlik oldu.

"Şey, gizemleri severim" dedi Edek. "Bayım, sen gerçek bir dedektif misin? Bir suçluyu yakalamana veya başka bir şeye yardımım dokunur mu? Sana yardım edersem eve bir tabanca alabilir miyim? Oynamak için. Sadece hafta sonu için."

"Teşekkür ederim Edek" dedim. "Bu bir evet mi hayır mı?"

"İkisi de olabilir. Hadi ama Jack. Bir kere olsun benden ne istediğini bilerek arasan olmaz mı? Bir silahlı çatışmayı kaydetmemi istiyorsan, unut gitsin. O mermiler sekebilirler. Şimdi gitmem lazım. Bağlantıyı kesme, tamam mı? Ha burada. Bir ara buluşup bir şeyler içmeye veya bir şeyler yapmaya ne dersin? Bazen basit bir şeyler yapmak da hoşuma gidiyor."

"Tamam, yaparız" dedim. "Peki, sana nereden ulaşabilirim?"

"Yarın bütün gün evde olacağım. Lanet evde, lanet mutluluk."

Şehirde çevremde olup bitenlerle kopukluk hissediyordum, Edek ile konuşmamın bu duyguma kayda değer bir etkisi olmadı. Hâlâ bir şeylerin olması beklentisi içindeydim ve hâlâ bu beklentinin ne olduğundan emin değildim. Ama Edek'le görüşmek aklıma başka bir fikrin gelmesine neden oldu.

BBC'de çalışan bir kadınla tanıştırmıştı beni. Onunla Ubiquitous Chip restoranındayken gelmişti. Ondan sonra da birkaç defa orada karşılaşmıştık ve bir hayli sohbet etmiştik. BBC'yi arayıp Naima Akhbar'ı sordum. Telefonu aldığında, beni zihinsel haritasında bir yere yerleştirmesi biraz vakit aldı. Ama beni tanıdığında çıkardığı ses coşkuluydu. Ona Michael Preston'un bugün nerede çekim yaptığını bulmaya çalıştığımı anlattım. Kardeşimi tanıdığını ve ona iletmem gereken bir mesaj olduğunu söyledim. Acelem olduğunu da ekledim. Naima ne yapabileceğine bakıp beni geri arayacaktı. Otel numaramı verdim.

Yatağa uzanıp bir sigara yaktım. Kendi kendime, "Hadi, hadi, hadi ama" derken Naima'dan karşılık geldi. Telefon çaldı.

"Merhaba Jack."

"Naima. Güzel kız. Ne buldun?"

"Güneşli Drumchapel" dedi. "İskoçya'daki işsizlikle ilgili bir program. Çekim listesine baktım. Bu öğleden sonra Drumchapel'de çekim yapılması gerekiyor. Çekim listesine göre hareket ediyorlarsa tabii. Ki bu her zaman olan bir şey değil."

"Yani sokaklarda mı, bir evde mi, nerede?"

Bana adresi verdi.

"İşsiz bir genç varmış. Michael Preston onunla röportaj yapacak. Çekim programına göre saat ikide başlamaları gerekiyor. Şimdi orada olmalılar. Ama böyle şeylerin ön hazırlığı çok zaman alır."

"Naima. Sana son zamanlarda seni sevdiğimi söylemiş miydim?"

"Bir gün Chip'teyken söyleyebilirsin."

"Uzun uzadıya."

"Hı-hı. Orada görüşürüz o zaman. Kendine iyi bak."

"Teşekkürler Naima."

OTUZ

Drumchapel'i biliyordum, namı diğer Drum. Orada çok kişi bölgenin kötü namı konusundaki belirsizlikle mücadele ediyordu. Geçmişte sosyal gelişmişliğin göstergesi olan sosyal konutlar şimdilerde yıpranmış, mahrumiyetin göstergesine dönüşmüştü. Bugün, mekânın reddedilmiş ruhu gibi ortalıkta aylak aylak dolaşan köpekler gördüm. İlk defa vahşice hırpalanmış bir ceset olarak gördüğüm Jennifer Lawson da burada yaşamıştı. Bölge bana bir şeyleri çağrıştırdırıyordu ama Michael Preston bunlardan biri değildi.

Ama yine de ona karşı sezgilerim vardı. Televizyon, yabancıları bize aşina kılabiliyor. Ekrandaki yüzlere bakarken arkadaşlarımızın yüzüne baktığımızdan daha çok yoğunlaşarak bakıyoruz. Kibar, çok güzel konuşan bir insandı ve görünüşe göre bu meziyetini kendi kariyerinin dışındaki şeylerin hizmetine de sunmuştu. Gazetede onunla ilgili okuduğum bir makalede tam olarak inanmadığı hiçbir programı yapmadığı ileri sürülmüştü. Onu her zaman sevmişimdir. Samimi bir görünüşü ve doğal konuşma ritmine sahip bir ses tonu vardı; vurgulamaları bilgisayar tarafından yapılmış, mekanik bir kutudan gelen bir ses gibi değildi. Halka seslenişinde dürüst bir ton vardı. Eğer kişisel hayatındaki ses tonu da böyleyse onunla sohbet etmek Dave Lyons'la sohbet etmekten daha verimli olacaktı.

Arabayla bir zamanlar Jennifer Lawson'un yaşadığı Ardmore Crescent'i geçtim. Brian Harkness ile birlikte çalıştığım ilk davaydı, feci bir ölümün tuhaf güzelliği, Brian'la çalışmaktı. Düş kırıklığı üreten bir sanayi bölgesine benzeyen sokakların soğuk şekilleri arasında yolumu bulmaya çalışıyordum. İkisi steyşın, üç arabanın park ettiği yeri görünce evi bulduğumu anladım. Birilerinin ziyaretçisi vardı, o ziyaretçilerin de büyük ekipmanları için geniş araçlara. Arabayı kilitlerken üst katlardaki bir evden yayılan televizyon ışığını gördüm.

Evin dış kapısı aralıktı. Kapıyı ittiğimde genç bir adamın merdivenlerden aşağı indiğini gördüm. Üstünde kot pantolon, süveter ve Barbour mont vardı. Elinde bir film kutusu tutuyordu. Yanımdan geçerken başıyla selam verdi. BBC ekibindendi ve burada yaşadığımı düşündüğü açıktı. Bana bahşettiği, binada rahatça hareket etme özgürlüğünü kabul etmeye karar verdim.

Halı döşenmemiş merdivenler, uzun, loş bir koridora çıkıyordu, koridorun sonunda hafif açık bir kapı vardı. Kapının ardından sesler geliyordu. Koridora ayak bastığımda ahşap zemin gıcırdadı, kimsecikler yoktu. Oturma odasına açılan kapıyı açıp içeri girdim.

Zamanın tuhaf görüntüsü: imkânsızlıklarla düzenlenmiş bir tür tiyatro, tasarımcı yoksunluğu. Oda o kadar perişan bir haldeydi ki bir iç dekorasyondan söz etmek zordu, Çocukların insanların attığı eski eşyaları bir araya getirerek inşa ettikleri yapmacık evler gibiydi. Eski ve başarısız dekorasyon denemelerinden kalan çiziklerle dolu duvarlar, kargacık burgacık duvar yazılarıyla kaplıydı. Çıplak zeminin orta yerinde, bilinmezlik denizinde batan bir kimlik salı gibi uzanan bir halı parçası vardı. Bütün mobilya, patlak bir koltuk ve iki sandalyeden ibaretti, sanki eve teslimatı yapılmamış ama bir kenara atılmış gibiydiler.

Öte yandan buradaki yoksulluğu çevreleyen çok pahalı bir ekipman vardı; bu ekipmanın parasıyla bu oda çok gösterişli bir yere dönüşebilirdi: güçlü ışıklandırma, ses kayıt makineleri, bir tripoda monte edilmiş oldukça etkileyici bir kamera. Odada bulunan yarım düzineden fazla insandan bazılarının ekipmandan sorumlu olduğu açıktı. Diğer iki genç şovu izlemeye gelen arkadaşlardı. Belli ki her iki grup da benim diğer taraftan olduğumu düşünüyordu ve oradaki varlığım neredeyse hiç dikkat çekmiyordu.

Kameranın yanında metal bir kutunun üstüne oturan Michael Preston, kameranın görüş alanında değildi. Topluluğun ilgi odağı olan kişiler Preston'un karşısında koltukta oturmuşlardı. Bunlar, on sekiz yaşlarında bir genç ve ancak o yaşlarda olabilecek genç bir kızdı. İkisinin ortasında, belki de bir yaşında olan bir kız çocuğu vardı. Odanın ortamına gerçekten uyum sağlayan biri varsa o da küçük çocuktu, içinde bulunduğu ortam onu tarif ediyordu. Solgun yüzü, ağzının kenarında belli belirsiz yaralar, gözlerinde çocuksu olmayan bir halsizlik... Etrafındaki hareketleri geriden takip ediyordu, geçit törenini takip eden bir kötürüm gibiydi. Bu odada birilerinin yaşıyor olduğu gerçeğine yeterince duyarsız olan bir insan bile, kız çocuğunun yüzüne yansıyan anlamı kaçıramazdı.

Michael Preston'un odaya girdiğimde devam etmekte olan röportajından öğrendiğim kadarıyla, genç kızla oğlan küçük kızın ebeveynleriymiş. Anne solgun ve utangaçtı, çok fazla konuşmuyordu. Babanın genç yüzüne bir kere bakmak bile üzülerek şimdiden bir hücre ayırtabileceklerini düşündürdü bana. Birkaç yıl boş kalabilir ama ileride ihtiyaç olacaktı. Yüz ifadesini sevdim. "Ee nolmuş?" der gibi bakıyordu.

Kazanmak için doğmamış olduğunu anlayacak kadar görmüş geçirmişti. Hiçbir zaman parası olmayacaksa eğer, hiç olmazsa bir tarzı olabilirdi. Eski gibi görünen şapka bunun bir parçasıydı. Altındaki ifade yabancı olan herkese şöyle der gibiydi: "Bana göre hava hoş."

İsimlerinin Julian ve Marlene olduğu anlaşılıyordu. Farklı sosyal konutlarda, birbirinden habersiz paylaşılan hangi rüyaların bu dokunaklı isimlerin doğmasına neden olduğunu merak ediyordum. Size Julian ve Marlene isimlerini veriyoruz, bu isimlere uygun, olan ortak büyüyle gizemli bir şekilde büyüyerek bizden farklı olacaksınız. Ama aradaki tek fark muhtemelen şöyleydi: Ebeveynlerinin fakirliği en azından ortak değerlerden dolayı birbirlerine destek veren uyumlu bir topluluğun parçasıydı, ama onlarınki yalnızca geniş çaplı bir köksüzlüğün parçası haline gelebiliyordu. Büyü beklendiği gibi işlememişti. Çünkü büyünün fırsat ve sosyal adalet gibi ana katkı maddeleri eksik kalmıştı.

Michael röportajı bir güven ortamı oluşturarak, nazik bir şekilde idare ediyordu. Aksanı yavaş yavaş değişerek Julian'ın aksanından ayırt edilemez bir hal aldı. Onu böyle kanlı canlı görmek onun hakkındaki sezgilerimle pek uyuşmamıştı. Daha kısa boylu ve zayıf görünüyordu. Ama zaten şöhret ödünç alınan bir elbisedir. Şöhretin kimseye tam olarak uyduğunu zannetmiyorum.

Julian'ı dinlerken umutsuzluğun sıradanlığını duydum. Beyhudelik onun o kadar aşina olduğu bir kavramdı ki ağzında gelişigüzel bir deyime dönüşmüştü. Geçici olarak çalışmış olduğu işten, geçimlerini sağlamaya çalıştıkları az miktardaki paradan, bölgedeki saldırı ve gasp olaylarından, çocuk yetiştirmedeki yetersizliklerinden konuşuyordu. Durumunun dehşetini örten iki şey vardı: Kendi kendini baltalayan ukala tutumu ve kameranın aracı olduğu zorunluluklar. Hayatı, bir parça televizyon programına dönüştürülüyordu.

Hayat gerçeğinin, izlenebilir bir esere dönüştürülme yöntemini, kameramanın aniden, "Ah Tanrım! Hayır. Durun" dediğinde anladım. "Kameranın ekranında bir saç teli var" dedi. Kameramandan yayılan dram havası Michael Preston'ın oluşturmaya çalıştırdığı doğal atmosferi darmadağın etmişti. Röportaj kaldığı yerden devam ederken, Marlene kameranın hareketleri karşısında dehşete düşmüş gibiydi; sanki kameradan bu defa bir kafa dolusu saç çıkacak gibi bakıyordu. Julian'dan son söylediği şeyi tekrar etmesi istenince bu defa konuşmak yerine oynamaya başladı.

Röportajı sonuna kadar izleyince bu hafta, birkaç defa bulunduğum yeri fark ettiğimi hissettim: Öyle bir yer ki, orada insanlar gereksiz şeylerin olduğunu ve olmaya devam ettiğini bilir ama bildikleri gerçeğe hitabet dersleri vermeye çalışarak, içeriğin değil şeklin ölçüt olmasını sağlamaya çalışırlar. Burada ortaya çıkan gerçeği şekillendirmede, merkezi önemi olan kişi hakkında endişelenmeye başladım. Michael Preston'un, bana, öğrenmeye çalıştığım şeyin özenle paketlenmiş versiyonunu vermesini istemiyordum. "Bu kadarı bize yeter, kes" der demez ona doğru yürüdüm. Oturduğu kutudan doğrulurken yanına varmıştım.

"Bay Preston" dedim. "Ben Jack Laidlaw."

Gözlerini bir an röportaj yaptığı kişilerden ayırdı. Çocuğa baktı, bana baktı.

"Motivasyonunun ne kadar kusursuz olduğunu düşünürsen düşün" dedi. Kendi kendine konuşuyordu. "Bu işlerde her zaman insanları istismar ettiğini düşünürsün. Sen Scott'ın kardeşisin."

"Doğru. Seninle bir dakika konuşabilir miyiz?'

"Şey, sadece bir dakika. Dışarıda bir çekim için hazırlık yapmamız gerekiyor. Notlarıma bakmam lazım."

Ekip, aletleri toparlarken biz mutfağa doğru yürüdük. Salondan daha iç açıcı bir durumda değildi. Burada pişirilen ana yemeğin, ortamın ağır havası olduğuna inanabilirdiniz. Odayı birkaç dakikalığına dikizlemek için talan ettikten sonra yola çıkmak üzere hazırlanan teknisyenlerin seslerini işitiyorduk. Her tarafından refah yayılan bu adamla, dezavantajlı bu yerde ayakta dikilince, bu aralar karşılaştığım farklı yaşamların sonunda bir araya toplandığını hissediyordum. Umum dürüstlük şahsi ithamla karşılaşıyordu. Sanki Dave Lyons, Dan Scoular ile tanıştırılıyordu. Ama konuşacaklar mıydı?

"Beni burada nasıl buldun?" dedi.

"BBC'den."

"Ezeli düşmandan, beklendiği gibi" dedi. "Polis dedektifi arıyor dediler. Israrcı birisin."

"Öyle olmam gerekiyor."

"Seni bekliyordum" dedi. "Ama Drumchapel'deki bir evde değil."

"Dave Lyons haber vermiştir sanırım."

"Doğru."

Bunu kabullenişindeki dürüstlük umut vericiydi.

"O zaman ne hakkında konuşmak istediğimi de biliyorsundur."

"Biliyorum. Konuşacağız ama burada değil. Ve şimdi de değil."

"Neden olmasın?"

"Uzun hikâye. Bu programı bitirmem için baskı yapıyorlar. Bugün yapmam gereken bir röportaj daha var. Yayına hazırlamak için de akşam çalışmamız lazım. Yarın da işim var."

Umudumu kaybetmeye başladım. Bunu yüzümden okumuş olmalıydı. Elindeki notlardan bir tanesinin arkasına bir şeyler yazdı. Kâğıdı yırtıp bana verdi.

"Bu benim adresim" dedi. "Yarın. İkindi vakti veya akşama doğru beni orada bulabilirsin. Eşim Bev, bir akşam partisi verecek. Partiden önce seninle konuşabilirim."

Israrcı olmayı düşündüm ama çok şansım yoktu.

"Anlatacaklarını diğerleriyle eşleştirmeyeceksin değil mi?" dedim.

Bana bakışı sert ve gururluydu.

"Dinle" dedi. "Ben kendime aitim. Ağzımı açtığımda dökülen sözler benimdir. Arkamdan sufle veren biri yok."

"Bay Preston" dedim. "Umarım bu dediğin doğrudur. Uzun yoldan geldim. Ve bu beni yormaya başladı. Birinin benimle doğru dürüst konuşması iyi olacak. Umarım bu kişi sensindir."

"Yarın bunu göreceksin değil mi? Şimdi gitmem lazım."

Görünüşe göre sorunlarını anlatacak bir yer arayışında olan ve bir televizyon programına çıkmanın gergin hoşnutluğunu yaşayan Julian ve Marlene ile kısa ve nazik bir konuşma yaptı. Kızlarının seyrek saçlarını okşadı. Onunla dışarı çıktığımda kamera yolun ortasında çekime hazır hale getirilmişti bile. Kaldırımda pozisyonunu aldı. Ben arabama doğru yürüdüm. Kapıyı açtım ama içine girmeden dışarıda bekledim. Birisi herhangi bir aracın gelip gelmediğini kontrol ettikten sonra Michael kameraya doğru konuşmaya başladı.

"Her toplumsal sözleşme iki yönlü bir anlaşmadır" dedi. "İnsanların ekonomiye hizmet etmelerini sağlar toplumsal sözleşme. Ama ekonomi de insanlara hizmet etmelidir. Toplumun bir kesiminin bugününü göz ardı edersek bütün toplumun geleceğini göz ardı etmiş oluruz. Varlıklı ailelerin çocukları sadece ailelerinin zenginliğine varis olmayacaklardır. Diğer yoksul ailelerin fakirliğine de varis olacaklardır. Bencillik bile, eğer akıllıca hareket edecekse, herkesin refahıyla ilgilenmelidir. Kötü yerler sadece fakirlere miras kalmayacak. Hepimize kalacak."

Konuşması güçlü ve netti; tam o sırada kaldırımda bekleyen üç çocuktan biri, "Sen kafayı üşütmüşsün" diye bağırdı. Karşısında belli bir kimse yokken konuşan adamın görüntüsü, belli ki çocuğa anlaşılmaz gelmişti. Çekimin tekrarlanacağı belliydi. Arabaya binip oradan uzaklaştım. Düşündüm de Michael Preston açık konuşan bir insandı. Bu tarzının bir gecede değişmemesini umuyordum.

otuz bir

Bir keresinde Marty Bleasdale'in, bir barda alevlenmek üzere olan bir olayı bertaraf ettiğini görmüştüm. Onunla kavgaya tutuşan adam onu tehdit etmeye başlamıştı.

"Daha önce kimse sana söyledi mi" dedi Marty; çevredekiler söyleyeceği hakaret dolu cümleyi beklerken, "bir piyanistin parmakları gibi parmakların olduğunu?" diye devam etti.

Cümlesi o kadar ilgisiz bir yerden geldi ki, karşısındaki adam bir uzaylının alana iniş yaptığını düşündü. Ama konuşmayı oluşturmaya çalıştığı duruma uygun bir biçimde devam ettirmeyi başardı:

"Her hâlükârda senin üstünde bir melodi tıngırdatabilirim."

"İstek parçası alıyor musun?" dedi Marty. "Prokofiyev'i severim. *Romeo ve Juliet*'ten bir şey de olabilir."

Gerginlik yerini kahkahaya bırakmıştı. Adam önce tereddüt etti, sonra o da gülmeye başladı. Bu olay, bir tehdidin rastgele denebilecek bir biçimde savuşturulması gibi görünse de Marty'de var olan iki özelliği gösteriyordu. Birincisi, insanlara nasıl davranacağını bilme becerisi. Yıllarca sosyal hizmet görevlisi olarak çalışmasının, insanlara bir yararı dokunmadığını düşünebilirdi ama kendisini kolay kolay eli ayağına dolaşmayacak biri yaptığı kesindi. Adamın saldırganlığını gülme yoluyla savuşturmayı başarmakla kalmamış, bunu kendi yöntemiyle yaptırmıştı. Adam kendine geldiğinde ne olduğu hakkında net bir fikri yoktu.

İkinci özelliği ise soğukkanlılığıydı. Patlamaya hazır bir duruma bomba imha uzmanı sakinliğinde yaklaşıyordu; bu konudaki teknikleri işe yaramazsa ortaya çıkacak sonuçlara hazırdı. Sanırım karşıdaki adam bunu anlamıştı. Bu tuhaf konuşmaların sahibinin sert bir yüzü, atkuyruğu saçları ve insanların düşüncelerini umursamadığını ele veren giyim tarzı vardı; gözlerinde ise bir titreme yoktu. Marty'nin kendine özgü bir tarzı vardı. Olayları kendi istediği koşullarda ele aldığı izlenimini veriyordu.

Bu yüzden otelde aldığım mesajda Marty'nin Getaway'de yeni bir grupla prova yaptığı haberi ruhumda bir heyecana neden oldu. Marty ile yapacağım konuşmada ortaya çıkacak herhangi bir sonucun ruh halime bir zararı dokunmayacaktı. Barın uzun merdivenlerden aşağı inerek vardığım zemin katında yegâne müşterilerin Brian ve Bob olduğunu gördüm. Bira içiyorlardı. Mekânın arka tarafındaki prova odasından yükselip alçalmaya başlayan sesler, bir kakofoniye dönüşüyordu.

"Bu gelen bizim mutlu gezgin" dedi Bob.

"Affedersiniz bayım" dedi Brian. "Beni en yakın katile yönlendirebilir misiniz?"

Brian'ın alaylı cümlesi bir ara benim yaptığım bir şakanın yansımasıydı. Barın sahibi Ricky Barr yanımıza geldi.

"Jack, nihayet" dedi, "kültürün olduğu bir yere gelmeye karar verdin."

"Kültürden kastın Marty Bleasdale ise..." dedim.

Ricky, başarının cisimleşmiş örneklerinden biriydi. Getaway'i satın almadan önce müzik işinde çok para kazanmıştı. Şimdi bu yerde müziğin her alanında tutunmaya çalışan müzisyenlere bir mekân olanağı sağlıyor, prova ve kayıt yapma olanağı da sunuyordu. Tutkularını gerçekleştirmişti, mutlu bir aile hayatı vardı ve ihtiyacından fazlasını paylaşmaya hevesli bir insandı.

"Ne içersiniz?" dedi.

Brian ile Bob'a bira bana da viski ile su getirdi.

"Bakayım orkestra şefine biraz müsaade edecekler mi" dedi.

"Marty ile kendi başıma konuşacağım" dedim Brian ve Bob'a.

"Oho" dedi Bob. "Görüşmeyi biz hazırlayalım, sonra da odadan dışarı atılalım."

"Marty neye benzer biliyor musun?" dedim. "Bir polis onu gerer. Üç polis onu galeyana getirebilir."

"Tamam" dedi Brian. "Serviş dışı olmaktan yalnızca mutluluk duyarız."

"Kim dedi servis dışı olduğunuzu? Marty'nin ruh haline bağlı. Bana hiçbir şey anlatmayabilir de."

Barın diğer ucuna gidip oturdum. Ricky ile prova odasından çıkan Marty, Bob ile Brian'ı süzdü. Marty'nin üstünde bol bir gömlek, kot pantolon ve kovboy botları vardı. Boynuna hoş, ipek bir fular takmıştı.

Masama otururken, "Çevrem kuşatılmış hissediyorum. Bir kalabalık var, hı?" dedi.

"Onlar işin içinde değil Marty. Sadece ikimiz."

"Bu iyi."

Ricky ona bir içki getirdi.

"Bu nedir?" dedim.

"Jack Daniels" dedi Marty. "Öğleden sonra içtiğim şey bu. Saate göre zevkim değişiyor. Bu dünyada her şeyi denemek lazım."

Prova odasından sesler gelmeye devam ediyordu.

"Prova mı?" dedim.

"Ne?"

"Caz provası yaptığını bilmiyordum."

"Yarın ilk defa birlikte çalacağız."

"Ama senin cazı doğaçlama çaldığını sanıyordum."

"Ha, sen öyle mi yapıyorsun? Biz alanı sadece çitle çeviriyoruz. Güllerin yetişeceği alan olsun diye. Başıboş güllerin."

"Hım."

"Jack, kendine bir iyilik yap. Bu konuyu anlıyormuş gibi yapma. Sadece gel ve dinle."

"Gelmeye çalışırım."

"Her neyse, buraya bir gala yazısı yazmak için gelmedin. Değil mi?"

"Melanie McHarg'ı bulmak istiyorum" dedim.

"Melanie kim?"

"Marty, kendine bir iyilik yap. Bu konuda zekiymiş gibi yapma."

İçkilerimizi yudumlayıp birbirimize gülümsedik; Marty etrafına bakındı.

"Onu görmüşlüğüm var" dedi. " Ne olmuş yani?"

"O nerede?"

"Thelonious Monk'u da gördüm. Onun da nerede olduğunu söylememi ister misin?"

"Onu sonraya saklayabilirsin. Melanie'yi bulmam lazım Marty."

"Sana iyi şanslar. Ben onun yerinde olsaydım beni bulamazdın. Son zamanlarda başı yeterince derde girmiş zaten. Ben olsaydım kaçar saklanırdım."

"Ama onun kaçıp sığınacağı yerlerden biri sensin, değil mi?"

"Bu adreste öyle biri yok" dedi. "Şimdi klarnetime dönmem lazım."

"Gitmeden önce" dedim.

Brian Harkness'ın ve Bob Lilley'in gülüşüp kafalarını salladıklarını görebiliyordum. Ricky tezgâhın karşısında dikilmiş bir gazete okuyordu. Prova odasındaki caz grubu benim anlamadığım işitsel şekiller oluşturuyordu. Bu üç gizemli meşguliyet içinde, anlamların kendilerini nasıl alıkoyduğunu, kendi yaygınlığının sınırsız sıradanlığı içinde nasıl gizlendiğini hissettim. İçinde bulunduğum bu anın da kendisini açığa vermeden saklanmasına müsaade etseydim, Betty Scoular'ın bildiği gerçeğin, belki de asla duyulmayacaktı. Marty'yi sıkıştırmanın tek yolu gerçeği söylemekti. Onun dışındaki her şeyi savuşturabilirdi.

"Onunla konuşmak istiyorum çünkü açıkça görünüyor ki Meece Rooney'i temizleyen kişi Matt Mason. Başka birini daha öldürmüş görünüyor. Yaklaşık üç ay önce. Melanie, Matt Mason'ı yakalamamız için yardım edebilir. Sanırım böylece kendisine de yardım etmiş olur. Geçmişiyle yüzleşmek ve bir geleceği olup olmadığını görmek isteyebilir. Kendi hayatının kurbanı olmayı bırakabilirse ki görünüşe göre öyle de olmuş ve bunun bedelini ödemiş, artık hayatına kendi istediği gibi bir şekil verebilir. Bunun ona yardımı dokunabilir. Buna rehabilitasyon diyorlar sanırım."

Marty'nin sosyal hizmet çalışanı içgüdülerinin tümüyle ölmemiş olduğunu umuyordum. Ne kadar güvenilir olduğumu anlamaya çalışırcasına bana bakıyordu.

"Hangi açıdan yardımı dokunabilir?" dedi.

"Bir fikrim var. Bizim için yapabileceği bir şey."

"Nedir o?"

"Benim ondan yapmasını isteyeceğim, onun da evet ya da hayır diyeceği bir şey. Senin karar vereceğin bir şey değil Marty."

"Onu zorlayacak mısın?"

"Zorlama yok. Sadece soracağım ve kararı ona bırakacağım."

"Uyuşturucuyu birden bırakmanın etkisinden kurtulmaya çalışıyor, biliyorsun. Çok iyi durumda değil. Şimdi üstüne ince bir dal bıraksan, üstüne devrilen bir ağaç gibi olur. Çekilin ağaç geliyooor. Kararı tamamen ona bırakman lazım."

"Anlaştık."

"Göreceğiz."

Jack Daniels'ını bitirdi.

"Acele etmen gerekiyor Marty" dedim. "Zamanımız kısıtlı."

"Senin düşündüğünden de hem de" dedi Marty. "Melanie yarın Kanada'ya gidiyor."

"O zaman bugün onunla konuşmama izin ver."

Bunu biraz düşündü. Başını salladı.

"Mümkün değil. Melanie'nin seçme hakkını elinden almış oluruz. Kendini baskı altında hissedebilir. Benim yapacağım şey onunla bu akşam konuşmak. Görüşmek isterse sana haber veririm. Hepsi bu."

"Bu yetmeyebilir. Bu işi halletmek için şansımız kalmayabilir. Onu yarına kadar göremeyecek miyim?"

"Jack. Belki de hiç göremeyeceksin. Sana nasıl ulaşırım?"

Oteldeki oda numaramı verdim. Sonra aklıma gelince Jan'ın numarasını da verdim. Provaya giderken bana döndü.

"Ha! Jack" dedi. "Peşime kimseyi takmaya kalkışma."

"Gölgen bile peşinden gelmeye çekinirken, bunu kime yaptırabilirim ki?" dedim.

Brian ile Bob'un yanına gittim. Marty ile yaptığımız plandaki belirsizlik onları etkilememişti. Beni de pek etkilememişti. Müzik, benim süregelen belirsizliğimi yansıtıyordu: Bir araya getirmeye çalıştığım bütün farklı parçaları halen kaynaştıramamıştım, halen onları bir arada tutacak zamanlama ve ara bağlantı arayışı içindeydim. Bu belirsizliğin bir parçası da Jan'dı. Marty'ye onun telefonunu verme küstahlığını nasıl yapmıştım? Jan'ın ne karar verdiğini bilmiyordum. Belki bu akşamki yemekten sonra ona ancak kartpostal yollamakla yetinmek zorunda kalacaktım.

otuz iki

Özel yaşantımızda yaptığı çağrışımdan dolayı, hayal dünyamızın üzerinde hak iddia ettiği kamusal alanlar vardır. La Bona Sospira benim için öyle yerlerden biriydi. Jan ile ilk defa yemek yediğimiz yerdi. Ondan sonra oraya sık sık gitmiştik.

Etkileyici bir görüntüsü olmayan dar ön kapıdan girince tam olarak bar diyemeyeceğimiz bir bekleme odası karşılardı sizi. O odadan her zaman hoşlanmışımdır. İki kültür arasındaki bir köprü gibiydi. Oraya bir Glasgow sokağından gelirdiniz ve bekleme odası size derdi ki: Tamam, sen bir İskoçsun ve içecek bir şey istiyorsan içebilirsin ama biz İtalyan'ız ve burada içeceğin içki ciddi bir yemeğin başlangıcı olacaktır. Küçük bardak askılığı heyecanlanmamanızı söylüyordu. Dekor sıradandı ama ne fark ederdi ki? Hayallerinizin size eşlik ettiği her mekân özeldir.

Burası bazı hayallerimi yanımda getirdiğim bir yerdi. Bu gece o hayallerin daha fazla yaşayabileceğinden emin değildim. Jan'la buluşacak olmak beni geriyordu. Onu seviyordum, ona ihtiyacım vardı, onun da beni sevdiğini düşünüyordum ama ihtiyacı olan şeyin ben olduğumu sanmıyordum. Bu beni endişelendiriyordu çünkü birçok romantik hikâyenin aksine, insanların çoğu sonunda istediğiyle değil ihtiyacı olanla yoluna devam ederdi. Meece Rooney'i düşünün mesela. Uyuşturucu satıcılarının işlerinde iyi olmasının nedeni budur.

Her zaman dövme pirinçten yapılmış olduğunu varsaydığım masalardan birine oturdum. Metalleri birbirinden pek ayıramazdım. Ama bunların dövme pirinç olduğunu düşünmüşümdür her zaman. Kararsız hissediyordum. Guido yanıma geldi, genellikle gelir zaten.

"Jacko" dedi. "Seni görmek güzel."

"Burada olmak da güzel, Guido."

"Muhteşem Jan da gelecek mi?"

"Öyle görünüyor."

"Menüleri getireyim. Ama önce içecek bir şey getireyim. Biraz Antiquary var." Üçüncü heceyi uzattı gibi. "Senin için."

"Harika. Marcella iyi mi?"

"Marcella fazla iyi. Çok güçlü bir kadın, beni korkutuyor."

Guido gitti; iki menü, kısa ve kalınca bir bardak Antiquary ile bir sürahi su getirdi. Arabayı otelde bırakmıştım. Viski bardağının üstünü suyla doldurdum.

Menüye baktım. Yiyecekler özgündü ama fiyatlar da öyle. Bir defasında ikisi arasındaki bağlantıyı Guido'ya sormuştum ama bir daha da sormam.

"Volvo istiyorsan" demişti, "Volvo alırsın. Alfa Romeo istiyorsan, Alfa Romeo parası ödersin."

Düşündüm de sorunum, uzun zamandır gücümü aşan Alfa Romeo'lardan almamdı. Finansal durumum bir felaketti. Bu konudaki tek şansım, ev sahibim Freddie'yi uzun zamandır tanıyor olmamdı. Benden aldığı kira komik denecek ölçüde azdı. Bunun dışındaki her şey kriz durumundaydı. Ena ve çocuklar için kenara koyduğum miktardan artakalan para akbabaları besleyen bir leş gibiydi. Akbabalar bir süredir devamlı üstümde daireler çiziyorlardı, benim onlara karşı düşündüğüm sinsi plan ise onları görmezden gelmekti. Sonunda çürüyen borç yığını üstüne devrildiğimde, şüphesiz gelip beni alacaklardı. O zamana kadar koşmaya devam.

Ben viskimi içmeye başlarken Jan içeri girdi. Ben onu öpüp, yanağındaki akşam serinliğinin tadını alırken, Guido sadece kadınları hedef alan güdümlü bir füze gibi çıkageldi. Küçük tombulluğu ile kızı kuşattı. Jan sevimli iltifatlara boğulmaktan memnundu. Sanırım bir insan başınızdan aşağı çiçekler dökünce çiçeklerin plastikten olduğunu dile getirmeniz kabalık olur.

Ama itiraf etmeliyim ki iltifatları hak ediyordu. Guido Jan'ın üstündeki gri yün montu bir matador pelerini gibi dikkatle çıkardığında, altında düz, üstüne oturan siyah elbise adeta her şeyin yerli yerinde olduğunu ilan ediyordu. Oturduğunda masanın çevresi aydınlandı.

"Olağanüstü görünüyorsun" dedim.

"Öyle hissediyorum" dedi. "Sen de yorgun görünüyorsun."

"Öyle hissetmiyorum."

Donuk bir gülümseme geçti aramızda. Kaçak güreşiyorduk. Çok az insan birbirine yabancılaşan bir çiftten daha mesafelidir.

"Bu hafta nasıl geçti?"

Soruma cevap veremeden Guido, Kampari ve sodasını Şiba Kraliçesine sunulan yakut gibi törensel bir sunum yapmak üzere çıkageldi, bir yaygara kopardı ve Jan yaygarasını zarif bir biçimde onayladı.

"Bu hafta?" dedi, Guido ayrılırken. "İnanılmaz. Dün gece kapattığımızı biliyor musun?"

"Pardon?"

"Restoranı. Dün kapattık. Yenilemek için. Üstesinden gelebileceğimizden daha çok müşteri geliyordu. Restoranı kafe salonuna kadar genişletiyoruz. O zaman bile yer sıkıntısı çekebiliriz."

Bütün bunların benim için sürpriz olduğunu söylemedim çünkü muhtemelen benden kaynaklanıyordu. Bir aylığına suya dalarsanız gelişmelerin hızına yetişmeyi beklemezsiniz. Ama önceden bu konuyla ilgili bir imada bile bulunmaması, kasti bir politika olduğunu gösteriyordu.

"Bana göre" dedim, "tam olarak kapatılması gereken gün cumartesi olmalıydı. Şimdi haftanın en verimli iki gecesi boşa gitmiş olacak."

"Bunu göze alıyoruz. İşler inanılmaz iyi gidiyor. Perşembe günü kapatmamızın nedenine gelince. Ne biliyor musun? Dekoratörler gelmeden önce restoranı hazırlamak için son bir defa temizlik yapmak. Yarın akşam bir parti veriyoruz. Bize yardım edenler ve bazı devamlı müşterilerimiz davetli. Dünyanın en büyük sığır burginyonunu yapacağız. Güzel bir gece olacak. Sen de gelmelisin."

Daveti tümüyle bir kartvizit sıcaklığındaydı.

"Peki, ya sen nasılsın?" dedi.

Bir desteğe ihtiyacı varmış gibi kamparisine doğru eğildi; onda ani bir durgunluk fark ettim. Gözlerini masaya dikmişti. Durumundaki savunmasızlık, bir an cazibesinin arkasındaki kırılgan kadını görmeme neden oldu ve o anda ona karşı hissettiğim yoğun duygular canlandı. Bir defasında birlikte olduktan sonra Jan bana, "Kendimden korkmama neden oluyorsun" demişti. Ne demek istediğini anlamıştım çünkü ben de öyle hissediyordum. Paylaştığımız o anlar faydacılığa bir meydan okumaydı ve onun için bunu gün ışığıyla bağdaştırması zordu. Şimdi de bağdaştırmakta zorlandığım bir duygu vardı. Bu saçmalıkları konuşmaktansa metal kaplı bu masada onunla olmayı tercih ederdim. Kafasını kaldırdı; bu gece buluştuğumuzdan beri ilk defa doğrudan birbirimize bakıyorduk. Gözlerimiz karşılıklı bir itirafı dile getiriyordu: Müşterek bir tutkuyu paylaşıyorduk. Bunun farkına varması tekrar savunmaya geçmesine neden oldu. Bakışlarını kaçırdı.

"Peki, ya sen?" dedi. "İşlerini hallettin mi?"

"Üstünde çalışıyorum."

"Ah! Hâlâ mı?"

"Hâlâ."

İçkisini yudumlarken etrafına bakındı. Gözlerimizin vardığı uzlaşmadan uzaklaşmıştı. Bu uzlaşı için benim hâlâ yerine getiremediğim şartların olduğunu hatırlamıştı.

"Pekâlâ" dedi. "Bu süre zarfında bazılarımızın yaşamaya devam etmesi gerek."

"Sanırım hepimizin yapmaya çalıştığı şey de bu zaten."

"Kastettiğim gerçek dünya. Sen çok hayali bir dünyadasın."

Bunun ilginç bir gözlem olduğunu fark ettim. Jan'ın farklı tarzdaki hayatına, kişisel meşguliyetlerine saygı duyuyordum. Ama bir restoranı başarılı bir şekilde işletmesinin, onu, gerçeğin doğası konusunda uzman yaptığı düşüncesini kabullenmeye henüz hazır değildim.

"Dünya dönmeye devam ediyor, Jack" dedi.

"Evet. Ama nereye? Beni endişelendiren şey de bu."

İçkisinden bir yudum daha aldı ve oradan geçen Guido'ya gülümsedi; tekrar meşgul ve başarılı iş kadınına dönüşüverdi. Paylaştığımız tutkulu bakış sokaktaki yakışıklı bir serseri ile Daimler arabasıyla kırmızı ışıkta kısa bir süreliğine bekleyen seçkin kadın arasında da vuku bulabilirdi. Menüyü açtı.

"Kampari güzelmiş" dedi.

Her gecenin bir motifi vardır. Bizimki kaçamak, yapmacık davranışlar ve burada restoranda birbirimizin elbiselerini çıkarma dürtüsüydü. Yemek boyunca yaşamla ilgili konularda ciddi ciddi konuşmaya çalıştık ama konuşmamız bir şekilde dolambaçlı bir halde kalmaya devam ediyordu.

Tarafsız bir bölgede görüşme kabiliyetimiz yok gibi görünüyordu. Birbirimizin durumuna bakıp ona göre kendi pozisyonumuzu güçlendirmeye çalışıyorduk. Birbirimize öylesine üstünlük sağlamaya çalışıyorduk ki, bir daha bir araya gelebilecek miydik merak ediyordum.

Sordum, "Betsy nasıl?"

"Umduğundan daha iyi" diye cevapladı Jan.

Jan dedi ki, "Morag Harkness ile bir hayli konuşmuşsun gibi."

Dedim ki, "Çünkü telefonlara o bakıyor."

Sonra yine dedim ki, "Barry Murdoch ortalıkta çok dolandı mı?"

"Barry Murdoch her zaman ortalıkta" dedi Jan. "Ne olmuş? Ben etrafta olmayanları da biliyorum."

"Anna konusunda çok ateşlisin" dedi Jan. "Ona karşı içinde bir şey olmadığından emin misin?"

"Var" dedim. "Makineli tüfek denen bir şey."

Bir dakika içerisinde neşeli bir yemekten, kılıç dansına geçince bastığın yere dikkat etmen gerekiyordu, aksi takdirde bir yerini kanarken bulabilirdin. Bu durum yemek boyunca devam etti. Gerçekten yaptığımız şeyin, bütün bir geceyi âşıkların bazen birbirlerine attıkları uzun, şüpheli bakışlarla harcamak olduğunu düşünüyordum ve bu durum kabaca, bununla ne halt ediyorum, şeklinde ifade edilebilirdi. Görüşememmeiz ikimizin de bir diğerinin farklı yönlerine odaklanmamıza neden olmuştu muhtemelen. Jan arada bana tuhaf bir şeye bakarmışçasına bakıyordu: "Daha önce iki tane burnun olduğunu fark etmemişim." Kuşkusuz ben de arada aynısını yapıyordum.

Jan'ın fark ettiği şey, sanırım benimle olan ilişkisinin benim sivriliklerimi umduğu gibi yumuşatamamış olmasıydı. Gerektiğinde yemeğin yanında Pinot Grigio şarabını sipariş verebiliyordum ama halen onun yanında sokaklardan konuşuyor ve ara sıra küfrediyordum. Shakespeare'e değinebilirdim ama o konuyu da Meece Rooney veya Frankie White'a bağlayabilirdim. Bu her zaman Jan'ın canını sıkmıştır. Karakterimi farklı toplumsal kimliklere göre sınıflandırmayı kabul etmiyordum. Hangi ortama girersem gireyim, ben aynı kişiydim. Nezaket ve dikkat gerektiren durumlara uyum sağlardım, rahatsız olacağını düşündüğüm birinin yanında küfürlü konuşmamaya gayret etmek veya anlayabileceğini düşünmediğim birinin yanında büyük laflar konuşmamaya çabalamak gibi. Ama olmadığım bir insan gibi davranamazdım.

Jan ile bu konuda çok tartışırdık. Bir keresinde Tom Docherty ile içerken bu durumu ona sordum. Sözkonusu kişinin Jan olduğunu belirtmeden. Bunu genel bir durum olarak ifade ettim. Tom birçok konuyu olduğu gibi bunu da yazma ile ilişkilendirdi.

Başkan Tom'un kısa söylemlerinden bir tanesi daha: "Bu edebi eleştiri gibidir. Neredeyse hepsi etiketle ilgilidir. Bir sürü suratsız zırvalık, ses tonundan dolayı çok övgü alır. Baştan sona 'Ben ciddiyim, ben kültürlüyüm' deyip durur. Saçmalık. Ciddi ve kültürlü olan, bunu belirtme ihtiyacı bile duymaz. Onlar da kendiliğinden süzülür. Onlar sadece yapar, üretir. Bunu genellikle gülerek, küfrederek yaparlar. İnsanlar için de aynısı geçerli. 'Söylenecek, söylenmeyecek şeyler vardır, Söylenecek zaman, söylenmeyecek zaman vardır.' Biraz daha saçmalık. Dildeki etiket düşüncesi temel olarak paylaşmamız gereken gerçeklerin etrafını çitle çevirmektir. Yalnızca tek bir ciddi insan etiketi vardır ve bu hepimizi kapsar: Bulabileceğin en cömert haliyle gerçeğin kendisi."

Tam bana uygun bir yaklaşım. Belki de bunun için felsefe okuyan bir polistim. Hem Albert Camus'yü hem de Matt

Mason'ı anlayabiliyordum. Anlamam da gerekir. İkisi de yaşantımızla ilgili önemli şeyler söylüyordu. İkisi de aynı dünyanın parçalarıydı. Bu, benim de dünyamdı. Seçilebilecek tek bir dünya vardı.

Sanırım Jan'da fark ettiğim şey bu tutuma ne denli yabancı olduğuydu. Sokaklardan onun hayatına doğru estirdiğim rüzgârlara daha anlayışlı olduğu bir dönem vardı. Ama son zamanlarda esintinin kesilmesi için kapıyı kapatmamı, daha bir sabırsızlıkla bekliyordu. Bunu yapmayacaktım. Bu gece bunu anlamış gibiydi. Beni ilgilendiren şeyleri bezgin bir sessizlikle dinliyordu. Ben de onları anlatmayı bıraktım.

Hakkında konuştuğum tüm kişilerin ve bazılarının karıştığı tüm tuhaf olayların oturduğumuz bu ışıltılı ve güzel mekânla, birlikte geçirmemiz muhtemel yaşamla hiçbir ciddi bağlantısının olmadığını düşündüğünü görebiliyordum. Ben öyle düşünmüyordum. Bu yerin diğer yerlerle bağlantısı vardı. O ve benim beraber gittiğimiz her yerin bağlantısı olacaktı. Onunla burada oturup yemeğin keyfini çıkarıp ona bakmaktan zevk alabilirdim ama burada aldığım zevkin diğer şeyleri silmesini veya bir şekilde önemsiz kılmasını sağlayamazdım. Bu gece bütün yapmak istediğim şey onunla olmaktı. Ama diğer yerlerde olan şeyleri de çok önemsiyordum. Marty Bleasdale'in Melanie McHarg'ı bulmasını ve Melanie McHarg'ın da bana yardım etmesini ümit ediyordum. Dan Scoular'ın ölümüne saygı gösterilmesini, Scott'ın ölümünün anlaşılmasını istiyordum. Bunlar olmazsa, Jan ile yaşayacağım hayat her hâlükârda eksik kalacaktı.

Diğer şeylerin olduğu hikâyeyle, birlikte yazacağımız, iki farklı hikâyede yaşayabileceğimi düşünüyor gibiydi. Bu mümkün değildi. Ben devamlılığı olan tek bir hikâyede yaşayabilirdim; farklı bölümleri olabilirdi ama olay örgüsü tek olan bir hikâyeydi bu, takip edecek algısı olanlar için.

Zihinlerimiz birbirimize yabancıymışız gibi hareket ederken vücutlarımız bir randevu hazırlığındaydı. Bize rağmen olan bir şeydi. Söylediklerinin aksine masanın altında içgüdüsel olarak bacağıma dokundu. Karşı koyma duygumu yitirdim, sadece gözlerine bakmanın tadını çıkarıyordum. Gece boyunca kendimize önceden belirlediğimiz algımız birlikte ama ayrı ayrı çalımlarla ilerlemiş, birlikte olma arzusu onu gizlice takip etmişti, ihtiyacından başka methedecek bir şeyi olmayan bir serseri gibi. Sanırım ikimiz de o serserinin bizimle yüzleşmesi gerektiğini biliyorduk.

Belki de bundan dolayı restorandan çıkınca bir şey içmek üzere bir bara gittik. Yapma isteğini itiraf etmediğimiz şey için birbirimize zaman veriyorduk. İkimiz de biraz sarhoş olmuş ve tarif edemeyeceğim bir rotadan dairesinin de olduğu restorana giden yolu tamamlamıştık.

Restoran, şehrin batı yakasındaki bir sokak arasındaydı. Jan'ın dairesi restoranın üstündeydi ve benim sevdiğim türden metal işi bir balkonu vardı. Dairenin merdivenlerle çıkılan bir dış kapısı ve ayrıca restoranın arka merdivenlerinden de bir girişi vardı. Jan'ın beni neden restoranın içinden götürmeye karar verdiğini bilmiyorum. Zamanında bunun bir mantığı olabilirdi ama şimdi bir anlamı yoktu.

Restoranın içinde hoş bir loşluk vardı. Işık dışarıdaki sokak lambalarından bir tülden süzülür gibi geliyordu. Pembe kumaşla sarmalanmış her masa bir gölette yüzen nilüfer çiçeği gibiydi. Masaların arasında kıvrak bir şekilde yürürken metale değen kaval kemiğimin derisi acı vererek soyuldu. Bağıracağımı sandım. Kısa, sessiz bir hoplamadan sonra aşağı baktım. Her zaman nefret ettiğim bir nesne gördüm.

Büyük metal bir saksıydı. İçinde ağırlıklı olarak demir ve biraz da kâğıt para olan bir saksı. Restoranın kendine özgü bir geleneği olmalıydı. Bundaki amaç çalışan herkesin maaşı yeterince yüksek olduğu için bütün bahşişlerin bu saksıda toplanmasıydı. Biriken paralar yüksek bir meblağa ulaşınca, bir hayır kurumuna bağışlanacaktı. Bu düşüncenin benim için sakıncası yoktu. Ama bundaki aleniyet ve dayatmacı tarzdan nefret ediyordum. Jan için kaygılanmama yetecek bir durumdu. Zaten onunla iletişim kurmaya çalışmaktan tükenmiştim. Ayağımın çarpmasıyla kıpırdayan saksı bir işaretti sanki. Yolumu tıkamıştı. Bu rotadan daha fazla ilerlememem gerektiğini belirtir gibiydi. Jan, çektiğim acıdan habersiz, konuşmaya devam ediyordu.

"Ama burada küçük bir bölmemiz olacak. Kahve salonunun olduğu tarafa doğru. Oda içindeki bir oda gibi olacak. Mahremiyet içinde mahremiyet. Ana bölümden daha gizemli."

"Hey, Malikâne Sahibesi!" dedim.

Bana doğru döndü. Montunu çıkarıp atınca odadaki belirsizlik içindeki tek katıksız varlık Jan'ın bedeniydi. Bana meraklı meraklı bakıyordu.

"Artık yeter" dedim. "Tanrı aşkına, pantolonunu çıkar ve onunla ağzını kapat."

Onun gibi, ben de şoke olmuştum. Ama şaşkınlığı hemen yerini güven duygusuna bıraktı. Rastlantısal durumlara veya kasti yapmacıklığa başvurmadan birbirimize bakıyorduk ve bu meydan okumayı ikimiz de kabullenmiştik. Sanki aramızda artık buğulu bir cam yoktu, Daimler marka bir arabanın camının sessizce açılması da diyebiliriz. Sokaktaki yakışıklı serseri ile yüz yüzeydi. Gülümsedi ve konuşmak için bekledi. Söylediği şey bir sıfattı. Parçalara ayırmaktan özellikle hoşlandığı bir sinek türünü bulan bir örümcek gibi o kelimeyi zevkle söyledi.

"Cinsiyetçi!" dedi yumuşak bir şekilde.

"Tamam" dedim. "Pantolonunu çıkar ve onunla benim ağzımı kapat. Daha iyi. Hangi şekilde gelirse gelsin senin tadını severim. Yeter ki yakınlaşalım."

Gözlerini bana dikti.

"Bu kadar hevesliysen. Nerede olduklarını biliyorsun" dedi.

Bilmeseydim de bulurdum. Ayaktaydı, ürkmüş bir hayvan gibi hareketsiz bir şekilde ayakta dikilmişti, sanki doğamızın esintisine aniden kapılmış ve avın da biz olduğumuzun farkındaydı. Ona doğru yürüdüm. Ona dokunmadım. Ona yakın durdum ve kokusunu içime çektim. Bu kadın kokusu kafamdaki bütün ışıkları her zaman birleştirsin ve duyularım karanlıkta parlayıncaya kadar bana tekrar beklemeyi öğretsin.

Elimi usulca aşağıya uzattım. Parmaklarım ona değmiyordu. İki elimle bacağının üstüne gelen elbisesinin kenarını yakaladım. Elbisesini yavaşça gevşettim. Bir saldırı olmadığından, bir direnme de yoktu. Elbise üstünden aşağı inerken kalçasına takıldı, kalçasının şehveti, görmek veya dokunmaktan daha güçlü bir şekilde beni ele geçirdi. Elbisesi belinde toplanınca elimi çektim ve elbise orada kaldı.

Yarı karanlıkta kalçalarının beyazlığı, çorabının üst tarafından parlıyordu. Bacakları güçlü ve güzeldi. Benim onlara duyduğum derin saygının penceresinden bakıldığında bir tapınağın sütunları da olabilirlerdi pekâlâ. Beyaz sırmalı külotu, arkasındaki bilinmezliği saklıyordu. Diz çöküp yavaşça bacaklarının arasını yalamaya başladım. Hayatımın işini bulmuş gibi kendimi kaptırmıştım. Hafif hafif inlemeye başladı. Çıkardığı ses kısmen zevktendi, kısmen de yakınma barındırıyordu, ininden ayrılmak isteyen ama ayrılmaktan da korkan bir hayvan gibi. Akşam konuşmalarının hepsinin dönüştüğü şey yalayan bir dil, belirsiz sesler, ihtiyacın sesiydi. Titreyen bacakları biraz rahatlayınca birbirinden çok ayrılmamıştı.

İki elimle tuttuğum iç çamaşırını aşağı indirdim. Külotu güzeldi ama arkasında sakladığı şeyle kıyaslanınca çirkin kalıyordu. Bileklerine doğru indirirken ayaklarını külottan sıyırdı, bacaklarıyla beni kavradı, benim yakalanmak isteyeceğim bir tuzak gibi.

Aceleyle birbirimizi soyarken bir tekniğe ihtiyaç duymuyorduk. Bir anda ikimiz de çıplak kalmıştık. İşin geri kalanı bizim yapabileceğimizin ötesinde kendiliğinden gelişti. Şiddetli arzu bir komitenin onayını almak için teklifler sunmaz. Mekanizmadan size uğrayan bir lütuf gibi gelir ve size, "Bunu, bunu, bunu yapacaksın. Ve sonra şunu yapacaksın" der. Biz dediğini yapmıştık. Finali, Jan çıplak bir halde masanın üstüne yayılmış, elleriyle masanın kenarlarını tutarken, havaya kaldırdığı bacaklarının arkasında ben ona çılgınca hizmet ederek yaptık. La Bona Sospira'da masanın üstünde onunla birlikte olma düşüncem, bir kastım olmamasına rağmen burada gerçekleşmişti. Kendimizi kandırmaktan sıyrılacak bir yol bulmuştuk. İkimiz de bundan memnunduk. Zeki dedektif, erkekliğinin nefesi kesilen, sadık kölesiydi. Nazik iş kadını, şimdi kendi haline bırakılmış güzel, misafirperver bir vücuttu. Ah, akşam karanlıkta ne olduğumuzla ilgili gün ışığında söylediğimiz yalanlar. Sonunda ikimiz bir titreme ile boşalırken bundan sağ kurtulamayacağımı düşünmüştüm. O anın şiddeti beni bir fare gibi sallamıştı. Belinin gücü beni içeri çekecek sandım.

Yanına devrildim. Yan yana serilmiştik. Kendini, yaşıyor olduğuna ikna etmeye çalışan biri gibi onu tekrar öptüm. "Ah, sevgilim ah" dedi Jan. Kımıldamıyordu. Masaya kaynaşmış gibi kolları bacakları açık yayılmıştı. İkimiz de konuşmaya başlamadan önce bir süre geçti. Yaşadığımız şeyin yoğunluğunun geçmesini beklememiz gerekiyordu. O duygunun yoğunluğunda konuşmak doğru gelmiyordu. İlk Jan konuştu, bizi normal halimize çağırır gibi.

"Pencerenin kenarındayız" dedi. "Sanırım buradan uzaklaşsak iyi olur."

Onu masada tuttum.

"Hiç şansın yok" dedim. "Seni burada sonsuza dek tutacağım. Gerçekten olduğumuz şeyi kabulleninceye kadar."

"Parti esnasında bu halimiz pek uygun olmaz."

"Umurumda değil. Etrafımızı dekore edebilirler. Mekâna ün kazandırabilir. Trendy bir dekor için nasıl olur?"

"Birileri buna itiraz edebilir."

"Bizim gibi yapmaları daha olası. Veya kendi tarzlarında yaparlar. Burada yeni bir devrim başlatabiliriz. Kendini kabullen. Soyun. Birlikte ol."

"Veya hapse gireriz."

"Sorun yok. Ben polisim."

"Ah, biliyorum."

Yanlış bir cümle kullandım. Bu yakınlaşmayı durduran soğuk bir duş etkisi yaptı. Sorunlarımız yine çevremizi sarmaya başladı. Onları dağıtmaya çalıştım.

"Burası için sağlam masalar almana sevindim."

"Hijyen müfettişi gelmeden önce" dedi, "örtüyü değiştirmeyi unutmasam iyi olacak."

Şakalaşmak çok işe yaramamıştı. Birbirimizi bırakıp elbiselerimizi toplamaya başladık. Masa tekrar öğle yemeklerinde iş anlaşmalarının yapılacağı ve insanların, başarılı olmak ve kendi kendine yetmekle ilgili kurguladıkları rolleri oynayacağı bir yere dönüşmüştü. Biz en azından masaya bir tür insan gerçekliğini lütfetmiştik.

Elbiselerimizle birlikte sorunlarımızı da topladık. Çıplak bir halde üst kattaki daireye çıkarken, yanımıza toplumsal kimliklerimizi, farklı adanmışlıklarımızı, ortak özel amaçlarımızı ve süregiden farklılıklarımızı aldık. Birbirimiz için çıplak kalamazdık. İkilemimizi çözememiştik, onu bir süreliğine konu dışı bırakmıştık. Şimdilik bu durumdan memnunduk.

Üst katta karanlıkta yatağa uzanıp birbirimize sarıldık. Tenimizi paylaştık. Saçlarımıza dokunduk. Gerçekleşmesini ümit ettiğimiz şeyler söyledik. Uykuya dalmadan önce Jan ile paylaştığım kırılgan duygu çadırının bir zamanlar sahip olduğum ev duygusuna en yakın şey olduğunu fark ettim.

Telefon sesi bu çadırı yırtıp geçti.

altıncı bölüm

otuz üç

Şafak vakti, bir baş belası olabilir. Onu görmek isteseniz de istemeseniz de çıkardığı gürültüyle, zaten bildiğiniz birçok şeyi tekrar etmesiyle, dikkatinizi kendisine çekerek konsantrasyonunuzu dağıtmasıyla başınıza üşüşür. Dünya neden âşıkları bir başına bırakmaz ki?

Jan'ı, henüz alışamadığı bir icatmış gibi telefonla boğuştuğunu gördüm. Ahizenin doğru yönünü sonunda bulması da pek işe yaramamış görünüyordu.

"Affedersiniz?", "Ne?", "Kim?" dedi. Sesi boğuk çıkıyordu. Sesine yeni bir güne başlangıcın hazırlığı için birkaç defa ayar verdi. Karşı tarafı dinlerken uykulu gözlerle odanın etrafına bakındı, nerede olduğunu anlamak için tanıdık bir şeyler arıyor gibiydi. Gözleri Jim Dine'ın* farklı renklerdeki kalpler baskısına takıldı.

"Kim dediniz?" dedi ve bekledi. "Kim?"

Döndü, alarm saatine baktı. Sekiz buçuktu.

"Ha, evet" dedi. "Burada."

Bana doğru döndü, telefonu suçlu olduğumu ortaya çıkartan bir kanıtmışçasına bana uzattı. Gözlerinde acı bir sorgulama vardı.

---

* ABD'li ressam. (ç.n.)

"Alo" dedim.

"Jack? Ben Marty Bleasdale." Ekose bir fular gibi, New Castle aksanındaki İskoç izi... "Kusura bakma. Pek de hoş karşılanmayacak bir arama oldu sanırım."

Yanımda uzanmış hayretler içinde tavanla hasbıhal yapan Jan'ın varlığının bilincindeydim.

"Sorun yok" dedim nötr bir tonda, Jan'ın kendi sağlığım hakkında konuştuğumu sanmasını umarak.

"Böyle erken aramamın nedeni şu: Melanie'nin uçuşu bugün. Akşama doğru. Seninle konuşmak istiyor. Senin açından düşününce ne kadar erken olsa o kadar iyi."

"Haklısın Marty" dedim.

Onu görmem gerekiyordu. Kaçırılmayacak bir şanstı. Matt Mason'a yaklaşmamın en kesin yoluydu. Ama aynı zamanda Jan'dan biraz daha uzaklaşmama neden olacak bir yoldu. Durgun duruşuyla durumumuzu değerlendirdiğini hissediyordum.

"Bak ne diyeceğim" dedim. "Sen ve Melanie saat on gibi Grosvenor'a gelebilir misiniz? Benim oraya gelmem için de zaman olur. Tıraş vesaire işler için. Orada konuşabiliriz."

Jan sırtını bana döndü. Marty'ye oda numaramı verdim.

"Orada olacağız."

"Teşekkürler Marty, görüşürüz."

Ahizeyi yerine bıraktım ama görüşmenin etkisi odadaydı hâlâ. Başkalarının varlığı bizi uzaklaştırmıştı. Jan'ın ensesine baktım. Onu yüzüstü bıraktığımı hissetmişçesine beni reddediyordu. Onun kırılmasına üzülmüştüm. Jan'a doğru uzanıp telefonu komodinin üstüne bırakırken saçının kokusunu aldım, teninin narin sıcaklığına dokundum. Ensesini öpmeye başlayıp onu okşadım. Duygusal olarak rahatlayan vücudunun farkındaydım. Ama sesi, yatak odasındaki bilgisayar gibi soğuk ve net çıkıyordu.

"Vaktin olduğuna emin misin?"

"Hadi ama Jan" dedim, kolunu öperek. "Duş alıp tıraş olmam bir buçuk saatimi almaz."

"Beni randevularının arasına sıkıştırma."

"Jan. Böyle konuşma. O insanlarla konuşmam gerekiyor. Bu benim tek şansım. Bu fırsatı yakalamak için bir hafta harcadım. Sanırım bugün nihayet konuşabileceğim. Bana bu kadarcık bir alan ver. Bu akşam görüşürüz."

"Hangisi olarak geleceksin?"

"Ah, Jan."

Konuşmadı. Örtünün altından vücut hatlarını hissetmeye başladım. Önce yumuşadı sonra kaskatı kesildi. Koluyla elimi geri itti. Duygularım üstümde, gidecek bir yeri olmadan öylece uzanıyordum. Tekrar ona dokunmaya çalıştım.

"Asla" dedi.

Tavana baktım.

"42 numaralı pozisyon da mı olmaz?" dedim.

"Defol."

Saçlarından öpüp yataktan çıktım. Elbiselerimi giyerken başladı; hiç yoktan başlayan kavgalardan, kılcal bir çizginin neden olduğu göçük gibi.

"Kimdi o adam?" dedi bana bakmadan.

"O adam?"

"O adam. Bir çitanın bile kendisinden daha kültürlü olduğu anlaşılan adam."

Bir ayağım pantolonda ayakta dikildim. Haklı öfkesini yansıtmak için seçilecek en güzel poz bu değildi. Ama ben natürel bir doğaçlamacıydım.

"Hey" dedim. "O Marty Bleasdale'di. Dinleme nezaketinde bulunsaydın bilecektin. Barry Murdoch kadar kartviziti olmayabilir. Ama insanlık olarak ona beş çeker."

"Barry nereden geldi şimdi?"

"Gittiğini bilmiyordum ki."

Konuşmaya ara verdiğinde, diğer bacağımı da pantolona geçirebildim.

"Numaramı nereden bulmuş?"

"Jan. Benim verdiğimi biliyorsun. Başka hangi cehennemden bulacak ki?"

"Sen mi verdin numaramı? Numaramı sen mi verdin? Öyleyse geceyi burada geçireceğini biliyordun. Benim bir seçeneğim yok muydu? Bunu bilen son kişi gibi görünüyorum. Belki de randevu defterimi Marty kahrolası Bleasedale ile birlikte gözden geçirmeliyim."

"Hiç de öyle değil" dedim. "Bunu biliyorsun. Sadece burada olmayı umuyordum. Daha önce de olan bir şey, biliyorsun. Yani unutmuşsundur diye söylüyorum bunu. Numarayı ne olur ne olmaz diye verdim. Belli ki önce oteli aramış. Sonra burayı aramayı denemiş."

"Başka kaç kişiye benim numaramı verdin?"

"Hiç kimseye. Bunu yapmama gerek yok. Benim yardımım olmadan da sen bunu yeterince iyi yapıyorsun zaten."

Bu son cümlem bir hataydı, kıskançlığın boşa sallanan ve sizi kontra vuruşa karşı savunmasız bırakan sert vuruşlardan biriydi. Gömleğimin düğmelerini ilikleyerek ve kravatımı arayarak gelecek kontra vuruşa karşı bir savunma yapmaya çalıştım.

"Ben bıktım usandım" dedi.

"Bak özür dilerim. Öyle konuşmamam gerekirdi. Ben..."

"Hayır" dedi. "Sorun sadece o değil. Her şey. Burası senin için bir ev değil. İçinde yatak olan bir ofis. Ve her zaman öyle kalacak. Her zaman içinde yabancılar olacak. Onları kendinle birlikte getiriyorsun. Ben onların yaşantıları hakkında bir şey bilmek istemiyorum. Benim yaşayacak kendi hayatım var. Sanırım onu sensiz yaşamayı öğrenmek daha iyi olacak."

Kravatımı bulmuştum. Kravatı bağlamak çok ağır ilerleyen bir süreçti, neredeyse bir törene dönüştü. Sanırım belki de son bir ayrılık için giyindiğimi hissediyordum. Bu konuşma ilişkimizin minyatür bir özetiydi, sıkıştırılmış ama kesinlikle detayları olan. Uyuşmazlığın ana motifi, Jan'ın burada olanı yaşama ihtiyacı ve benimse dışarıda olanı yaşama zorunluluğumdu. Bu uyuşmazlığın nasıl çözüleceğini bilmiyordum. Hata benimdi. Neredeyse kravatımla boğazımı sıkıp kendimi öldürecektim. Öfkem Jan'a değildi. Kendime ve henüz belirleyemediğim bir şeye karşıydı. Muhtemelen bugün belirleyeceğim bir şey. Sonra tuhaf bir şey söyledi.

"Jack. Karanlık neden bu kadar çok ilgini çekiyor?"

Ceketimi giyip ayakta dikildim. Dürüstçe cevaplamaya çalıştım.

"Belki de onu her yerde gördüğüm içindir" dedim. "Ve birçok insan onu görmezden geldiği için."

O uzanmış, ben ayakta, kullandığım ifade aramızdaki mesafeyi korkunç bir boyuta çıkarıyordu. O mesafeyi aşmaya çalıştım. Yatağa gittim, ona doğru eğilip yanağından öptüm. Yanağı dudaklarımın altındaki bir buz parçası gibiydi. Erimedi.

"Seni bu akşam görecek miyim?" dedim.

"Görecek misin?" dedi. "Ama dün gece birlikte olduğumuz kişilerden herhangi birinin burada olup olmayacağından emin değilim."

Dışarı çıkıp kapıyı kapattım, bir süre balkonda bekledim. Güzel bir gün gibi görünüyordu. Onunla paylaşabilmeyi isterdim.

otuz dört

Karanlığın habercisi olsa bile, ki Jan büyük olasılıkla Melanie McHarg'ı öyle görürdü, pratik bir hazırlık yapmak gerekirdi. Otelde duş alıp, tıraş oldum ve giyindim. Saat onda servis edilmek üzere iki kişilik kontinental kahvaltı sipariş ettim, portakal suyu, kruvasan ve kahve. Kahvaltı Marty Bleasdale kapıyı tıklatmadan birkaç dakika önce geldi.

İçeri girdiler; Marty bizi tanıştırdı. Melanie McHarg'ın dikkat çeken bir dış görünüşü vardı. Ama çekiciliği tümüyle boyanmış bir resimden ziyade bir taslak gibiydi, silinmeye ve değişikliklere maruz kalan bir taslak. Vücut hareketleri inceydi ama olması gerektiği gibi hissettirmeyen, eğreti duran, abartılı bir incelikti. Yüz hatlarının tamamlanmaya ihtiyacı vardı. Siyah saçları parlaklıktan yoksundu. Canlı olan tek şey gözleriydi. Açık mavi gözleri, dürüst ve şaşırtıcı derecede hassastı. Kot pantolon, bluz ve siyah pamuklu bir ceket giyinmişti.

Marty, "Konuşmanız için ikinizi baş başa bırakayım. Aşağıda olacağım. Jack, ağır ol" dedi.

Başımla onayladım. Alçak masada oturduk. Kahvaltı, içinde bulunduğumuz garip durumdan, küçük hamlelerle sıyrılma fırsatı veriyordu. Kahve doldurdum. Portakal suyunu yudumlayıp bir kruvasan aldı. Kahvesi için süt veya şeker almadı. Ben ikisinden de koydum.

"Benimle konuşmaya geldiğin için teşekkürler."

"Seni duymuştum" dedi. "Eskiden bulaştığım insanlar bazen senden söz ederlerdi. Tam olarak hayranın değillerdi. Ama gönülsüz de olsa takdir ederlerdi. Bu sana güvenebileceğimi düşündürttü."

"Öyle umuyorum" dedim.

"Marty sana benden söz etti mi?"

"Biraz" dedim. "Umarım uyuşturucudan kurtulursun."

Durumundan söz edince gözleri daha bir çaresiz göründü. Ne denli hassas olduğunu görebiliyordum, sanki derisi onu tamamen örtemiyordu.

"Ben de öyle" dedi. "Her neyse, bugün Kanada'ya gidiyorum. Bir süreliğine. Oshawa'da yaşayan bir kız kardeşim var. Toronto'nun dışında. Hâlâ yaşanacak bir hayatım var mı bilmek istiyorum."

"Tabii ki vardır" dedim. Otuzlu yaşlarında görünüyordu. "Vardır."

"Benden nasıl haberin oldu?"

"Yakın bir zaman önce kardeşimi kaybettim" dedim. "Otuz sekizindeydi."

Yaşını neden söylediğimi bilmiyordum. Belki hâlâ dünyayı suçluyordum. Gözleri bana anında şefkatle baktı. Başkalarının acılarını paylaşmaya açıktı. Sanki bir süre önce tanışmış gibi baktık birbirimize.

"Ve ben Ayrshire'a gittim. Yaşadığı yere. Sanırım kardeşimin ölümünü anlamaya çalışıyordum. Birçok insanla konuştum. Onlardan biri de Hızlı Frankie White'tı."

Birden yüksek sesle ağlamaya başladı. İsim onun çözülmesine neden olmuştu. Şaşırmıştım. Ayağa kalkıp ona doğru gittim, kolumu beline doladım. Bir ara Frankie ile bir şeyler yaşadığını düşündüm. Ama öyle değildi. Gözyaşları içinde konuşmaya başlayınca, Frankie'nin ona çağrıştırdığı şey kendisi değil, onun önemsiz isminin simgelediği şeylerdi, bir şarkı cümlesinin insana eski zamanları çağrıştırması gibi. Hıçkırıkları suskunluğunu ihlal etmiş, birçok sözün dökülmesine neden olmuştu. Parçalar halinde anlattığı şey hayat hikâyesiydi. O anda kafamda oluşan özete göre sıra dışı bir hikâye değildi ama bu, durumunun daha az dokunaklı olmasını gerektirmiyordu.

Gençliğinde ne kadar güzel göründüğünü tahmin edebiliyordum. Adını bildiğim bir Glasgow mücevhercisi peşine düşmüş. Adam, şehrin belli bölgelerinde oldukça popülerdi. O zamanlar yirmilerinde olan mücevherci hızlı bir yaşam sürdürüyordu. Arabalar, yurtdışı seyahatleri ve bir sürü parti. Melanie'yi Matt Mason da dahil olmak üzere birçok kişiyle ve bir atlıkarınca gibi durmaksızın devam eden bir yaşam biçimiyle tanıştırmıştı. Kendisi atlıkarıncadan atlayınca parasının üstüne yumuşak bir iniş yapmış, Melanie'yi orada bırakmıştı.

Melanie'nin asıl yeteneği bakışlarıymış; onları kullandığını kendisi de itiraf ediyordu. Kaybolan zamandan daha fazlası için yas tuttuğunu hissediyordum. Geçen zamanın kendisinden almasına izin verdikleri için keder duyuyordu.

"Bir süre daha havam devam etti" dedi. "Ama gururumu kaybetmiştim."

"Çok korkuyorum" dedi. "Beni en çok korkutan şey ne biliyor musun? Kimseyi sevemeyeceğimden korkuyorum. Kendini beğenmişliğin sevmeye bir faydası yok. Sadece gururlu bir insan sevebilir."

Hayatının kırık döküktü detayları karşısındaki korkusu bir anlam ifade ediyordu. Diğer insanları kullandığını düşünürken, onların da kendisini küçük, sevimsiz yöntemlerle kullanmasına izin vermişti. Kendisinin pohpohlanarak kullanılması, beğenmişlik duygusunu okşamıştı. ("Hâlâ çekiciyim, hâlâ seviliyorum.") Kendini beğenmişlik başkalarını kullanabilir ama aşkı kullanamaz. Bir taraf kendini beğenmişlik iddiasındayken diğeri onun doğruluğundan şüphe eder. İnsanların onu kullanmasına bağımlı olmuştu, çevresindekiler azalmaya başlayınca kimyasallara bağlanmıştı.

Yumuşak ve sert bağımlılık arasında bocalarken Dan Scoular ile karşılaşmıştı. Onu sevebileceği biri olarak görmüştü. Bu şans da kaybolunca artık inancı kalmamıştı. Dan ona nereden geldiğini, kaybettiği değerleri hatırlatmıştı; Dan'ın, hayatından çıkmasıyla kaybettiği şeyleri tekrar yakalama iddiası da kaybolmuştu. Olması gerektiği yere ne kadar uzak olduğunu ve geri dönüş yolunun olmadığını anlamıştı. Meece'i kullanmak, Meece'in de kendisini kullanmasına izin vermek için onun yanına yerleşmişti. Çok ince bir dengede duran kırılgan bir birliktelikmiş onlarınki.

Dan Scoular'dan tekrar söz etmeye başladığımızda anladım ki Melanie onun öldüğünden habersizdi. Bilmemenin verdiği acıyla bilmenin neden olacağı acıyı tartınca, birinin bir diğerini sönümlendireceğini düşündüm. Ona anlattım. Uçma yetisini kaybeden kanatlar gibi sallanan omuzlarını tuttum; bunu kabullenmesi uzun bir zaman aldı. Sonunda sessizce duruldu.

"Affedersin" dedi.

Omuzlarını bıraktım. El çantasını alıp banyoya gitti. Soğumuş kahveye baktım. Rico'da Eddie Foley ile olduğum zamanı anımsadım. Kahve işinde iyi değildim. Belki bir ara bir tanesini bitirmeyi başarabilirim. Fincanları lavaboda yıkayıp tepsiye bıraktım. Bir parça kopardığı kruvasanı fark ettim. Tabağında parçalara bölünen kruvasan bir yemekten ziyade yemek taslağını andırıyordu.

Kararımı verirken gözüm kruvasana takılmıştı. Yapmasını istemeye niyetlendiğim şeyi ona söyleyemezdim. Çok yaralıydı. Başka bir şey kaldıramayacak kadar çekmişti zaten.

Banyodan çıktığında makyajını ustalıkla düzeltmişti ama bu maskenin arkasındaki gözleri ihtiyatla bakıyordu. Tekrar oturdu.

"Dan Scoular nasıl öldü?" dedi.

"Bir araba çarpmış."

"Araba mı?"

"Matt Mason'ın öldürttüğünü düşünüyoruz. Bunu tam olarak bilmiyoruz. Ama öyle olduğunu düşünüyoruz."

"Ya Meece?"

"Sen ne düşünüyorsun?"

Kafasını salladı. Gözleri hâlâ tedirgin bakıyordu ama gözlerini çevreleyen yüzü soğukkanlıydı.

"Beni neden görmek istedin?"

"Senden bir şey yapmanı isteyebileceğimi düşünmüştüm."

"Nedir?"

"Hayır" dedim. "Muhtemelen çılgınca bir fikirdi. Ve senin şimdiki durumuna bakınca, pek uygun olmaz."

"Anlat bana."

"Unutalım gitsin."

"Anlat bana."

Anlattım. Uzun bir süre gözlerini zemine dikip baktı.

"Bir şey içebilir miyim, lütfen?"

"Ne alırsın?"

"Cin tonik olur."

İçki dolabındaki mührü kopardım ve ona istediğini verdim.

"Sanırım ben de sana eşlik edeceğim" dedim.

Banyoda başka bir bardak buldum. Küçük viski şişesinden biraz koyup üstünü suyla doldurdum. Boş şişeleri çöp kutusuna attım. Onu düşünürken karşısına oturdum.

"Tamam" dedi. "Yapacağım."

"Bir dakika bekle" dedim. "Detayları anlaman gerek. Bu işte bir başkası daha var."

Ona anlattım. İçkisinden bir yudum daha aldı.

"Tamam" dedi.

"Belki biraz daha düşünmen iyi olur."

"Nasıl olsa ayrılıyorum buradan" dedi. "Belki böylece gitmeden önce Dan Scoular'ı onore edebilirim. Meece'i de. Meece kötü bir insan değildi, biliyorsun."

Bardakları tokuşturduk. Ona biraz daha zaman verdim.

Kafasını salladı. Edek Bialecki'yi aradım. Hemen otele gelecekti. Eddie Foley'i aradım. Görüşeceğimiz yeri belirledik. Brian Harkness'ı arayıp Bob ile otele gelmesini söyledim. Resepsiyon, Bay Bleasdale'i bulup yukarı göndereceğini söyledi.

Marty ne yapmaya çalıştığımızı öğrenince Melanie'yi vazgeçirmeye çalıştı. Ama Melanie kararlıydı. Marty, ölü beklemekten hoşlanmadığı gerekçesiyle içki almayı reddetti. Edek'in gelmesiyle Marty olan biten her şeye sırt çevirdi. Biz yapacaklarımızı tartışırken o pencereden dışarı bakıyordu. Edek, Melanie'nin kot pantolonunu değiştirmesi gerektiğini söyledi.

"Kostüm bakabileceğimiz bir yer biliyorum. Oradan bir şeyler alabiliriz."

"Bir kefen seçin bari" dedi Marty.

otuz beş

Birkaç yıl önce tekrar karşılaştığım, hayal kırıklığı içindeki mimar Davy'nin evlerle ilgili bir teorisi vardı. Teorisini bana açıkladığında ikimizin de sarhoş olduğu bir gerçekti. Motosikletiyle bir kamyonun altında kalarak on dokuz yaşında ölen ortak arkadaşımız Jim için bir tür anma töreni olarak yaptığımız konuşmayı henüz bitirmiş olduğumuz da gerçekti. Hepimizin on beşinde olduğu ve Atlantik'e bakan, hayalperest üç Kolomb görüntüsüyle Ayrshire tarlalarında akıl almaz umutlarla dolaştığımız o yılı anıyorduk. Bunun için Dave'in teorisi biraz tutarsız ve büyük olasılıkla olmasını istediğinden daha çapraşıktı. Üzgün bir ruh hali ve sorunlu bir hayatın genel huzursuzluğunu doğrudan ifade eden bir teoriydi. Ama demek istediği şeyin kabul edilebilir olduğunu düşünüyordum; sanırım ayık bir kişi, sarhoşun tespit ettiği şeyleri onaylardı.

"Tiyatro" dedi Davy, işaret parmağıyla bardaki masaya sıçrayan sıvı üstünde hızla yok olan bir plan çizerek. Çizmeye çalıştığı şekle sıvının meydan vermemesi gibi, çevredeki gürültü de sesini bastırıyordu. Ama bir şey bulmuştu ve onu söylemek zorundaydı.

"Tiyatro" dedi. "Evlerin olduğu şey budur, biliyorsun. Sadece tiyatro. Bütün binalar öyledir. Sürekli maskaralığın olduğu. Oralar hayal ürünüdür. Kendimizle ilgili oluşturduğumuz kurgular. Doğru mu?"

Sarhoşluğun neden olduğu önseziyle ne demek istediğini anlamadan önce kafamı sallayarak onaylıyordum.

"Doğru" dedi. "Örneğin piramitler ne anlama geliyor? Yalan, işte oldukları şey bu. Tamam mı? Ne anlama gelmeleri gerekiyor? Firavunların ölümsüzlüğü. Doğru mu? Firavunlar ölümsüz mü? Hadi oradan. Firavunlar tarih oldu, merak etme. Boş bandajlar ve bazı iç organ çömlekleri. İşte firavunların olduğu şey bu. Öyleyse piramitler gerçekten ne anlama geliyor? Ölümlülük. Onları inşa ederken ölümlerine neden olduğu bütün o insanların cesetleri. Piramitler birer yalandır. İnşa edilişlerindeki amacın tam tersi anlamına gelir."

Düşüncelerinin peşinden göndermek için viskisinden biraz daha yudumladı.

"Evlerin çoğu da yalandır her hâlükârda. Onları sadece sığınak olarak inşa etmek daha akıllıca olur. Eğer bakın biz oldukça zayıf bir türüz ve dışarısı soğuk ve hayatta kalmak için alabileceğimiz her türlü yardıma ihtiyacımız var dersek, bu bir anlam ifade eder. Hadi küçük sığınaklar yapıp içinde saklanalım. Bu dürüstlük olur. Bir çadır dürüstlüktür. Ama işlevi pas geçtiğimiz anda o durumdayız. Büyük evler bizi ifade eden şeyler değildir. Kendimizi inkâr etmektir. Onların içinde bakın ne kadar kırılganız demeyiz, bakın ne kadar önemliyiz deriz. Doğru mu? Burada sonsuza kadar kalabiliriz deriz. Buranın demirbaşıyız. Kendimizle ilgili yalan söylemenin ana yollarından biri evlerdir. Güvenliği, istikrarı ve başarıyı ilan ve mahrem doğruyu inkâr eden birer basın açıklamasıdır onlar. Onlar maskedir. Gerçekte biz olmayan rollerimizi oynadığımız yerlerdir. Sadece tiyatro. Evlere dikkatlice bak."

Bu tavsiyeye uymaya çalışıyordum. Davy'nin rehberliğinde gözetlediğimiz Bearsden'deki bu evde, büyük olasılıkla ailevi bir komedi oynanıyordu. Yumuşak günışığı eve vuruyordu. İyi bakılan çimenler gerçek olamayacak kadar yeşil görünüyordu. Balkon kapısı açıktı. Çocuklar kapıdan bahçeye saçılıyor, yetişkinler de onları tekrar partinin olduğu evin içine yönlendiriyordu. Bu mesafeden izleyince sergiledikleri performans bizim için pandomimi andırıyordu.

Seyirci olarak evin yukarısındaki tepede dört kişi bir arabada oturmuş aşağı doğru bakıyorduk. Bütün seyirciler gibi, biz de karma bir topluluktuk, herkesin kendi deneyimleri, kendi meşguliyetleri, izlenilen şeyle ilgili kendi yorumları vardı. Mekanik işlerden sorumlu adamımız Edek, sadece akustik için oradaydı. Kendi ekipmanının bir uzantısı olan arkadaşımız, olacakların net bir şekilde kaydedilmesi konusundaki kaygımızı paylaşmıyordu. Biraz bezgin duran Brian Harkness, sadece her şeyin bir an önce hatasız bitmesini ister gibi görünüyordu. İçimizde en endişeli kişi Eddie Foley olmalıydı. Oyunu gerçek gibi hissediyordu çünkü onun için gerçekti; hem izleyicisi hem de oyuncusu olduğu ve muhtemelen hayatını değiştirecek bir andı.

Bana gelince, sanırım peşinde olduğum iki hesaplaşmanın ilk parçasında son derece kişisel bir netice bekliyordum. Gideceğim bir oyun daha vardı. Michael Preston'un kendi payına düşeni söylemek için beklediğinin farkındaydım ve söylemesi gerekenleri Dave Lyons'tan öğrenmediğini umuyordum. Dediği gibi bu oyunun sahnesi Glasgow'da bir evde olacaktı. Bir haftanın finali orada oynanacaktı.

Ama orada olacak şey, burada olmasını beklediğim şeye bağlıydı. İkisi birbiriyle bağlantılıydı, yasal riyakârlık, yasal olmayanı kalabalık bir semt oluşturuncaya kadar sonu gelmez aynalarda birbirine yansıyordu. Sadece Matt Mason'ı suçlu çıkarmayı ummuyordum, bu hafta boyunca neyin peşinde olduğumu, uzun zamandır nerede olduğumu anlamaya yakınlaşmayı da umuyordum. Matt Mason'ın evine bakarken, Scott'ın ve Dave Lyons'un evlerini düşündüm. Ena ile yıllarca karşılıklı yalnızlığımızı gizlemek için oynadığımız evlilik oyununun geçtiği Simshill'deki evimizi de düşündüm.

Eddie Foley öksürdü. Kimse bir şey demedi. Sahneyi bizim için değiştirecek girişi bekliyorduk. Bulunduğumuz yüksek mevkiden aşağıdaki sokaktan taksinin geldiğini görebiliyorduk. Evin önündeki yolda taksi durduğunda, küçük bir kız arka taraftaki balkon kapısından dışarı koşuyor, Matt Mason da onu takip ediyordu. Üstünde kumaş pantolon ve polo yaka bir süveter vardı.

Küçük kız bir şeylere üzülmüş görünüyordu. Matt Mason yetişince kız durdu. Melanie McHarg taksiden indi. Matt Mason elini küçük kızın omzuna koydu ve onunla konuşmak için çömeldi. Melanie McHarg taksi ücretini arabanın dışında, camdan ödüyordu, bu Glasgow'da kullanılan bir yöntem değil, çünkü ödeme genellikle taksinin içindeyken yapılırdı. Belki de çok taksi kullanan biri değildir diye düşündüm. Matt Mason doğruldu ve küçük kızın elini tuttu; görünüşe göre dikkatini başka tarafa çekmek için ona bahçeyi gösteriyordu. Taksi oradan ayrıldı. Melanie McHarg geniş etekli çiçek desenli elbisesinin üstüne giydiği mavi, hafif paltosunu düzeltip eve doğru yürürken görüş alanımızdan çıktı.

Matt Mason hafta sonunu ailesiyle bahçede geçiren sorumluluk sahibi bir eş gibi görünüyordu. Bu mesafeden bir kenar mahalle erkeğinin robot resmi gibiydi. Ama onun hakkındaki malumatım, acımasız bir yakın görüş sağlıyordu bana. Küçük kızı kibarca tutan pahalı yüzükler takılı elinin saldırgan bir el olduğunun, zenginliği toplumsal olarak kabul gören bir muşta gibi eline taktığının farkındaydım. Seyrekleşen saçlarını, sert yüzünü, baktığı her şeyi soğutabilecek buz benekli gri irislerini görüyordum. Onu göründüğü gibi değil, olduğu gibi görüyordum.

Eşi Margaret, balkon kapısında durmuş ona bir şey söylüyordu. Kızın elini bıraktı. Eşi bahçeye çıktı. Kısaca konuştular. Gözlerini yere dikmişti. Eve girdi. Margaret kızın elini tuttu ve onu takip etti.

"Merhaba, merhaba" dedi Brian Harkness fısıldayarak.

Bu mesafeden bile Margaret'in kadınlık gösterisi yürüyüşü görünüyordu.

"Lanet olası etkin hale gel" dedi Edek. "Hadi lanet olası."

Arka camı aşağı indirip deri kılıflı alıcıyı pervaza yerleştirdi. Anteni çekip uzattı. Bize ısrarla markasının Nagra olduğunu söylediği, koltuğun üstündeki ses kayıt cihazıyla bağlantıyı kontrol etti. ("Lanet olası bir sanattır bu, merak etmeyin.")

"Bu çalışacak mı Edek?" dedim.

"Gerisi ona kalmış şimdi, değil mi?" dedi. "Buradan yapabileceğim başka bir şey yok. Sutyeninde bir mikrofon var. Birinci sınıf bir vericiye bağlanmış. Kalçasının kenarına bantlanmış. Zor bir işti. İnsanın sanatı için katlandığı şeylere bakın. Kıyafetini bile ben seçtim. Gerisi kaderin elinde. Veya belki de tanrıçanın göğsünde."

Makinesinin üstündeki düğmelerle anlamadığımız şeyler yapıyordu.

"Umarım kahrolası kablolara dokunmamıştır" dedi.

Evin bahçesi boştu. Bina büyüleyici ve güzel görünüyordu, bir emlak ofisinin camındaki resim gibi. Sonra ani bir cızırtı oldu ve evi karanlık bir ses kapladı.

"Burada ha! Zamanlaman daha iyi olabilirdi."

Matt Mason'ın, kayıt cihazının metalik hale getirdiği sesi alçak ve sertti. Beden hareketleri, yüz ifadesi veya sosyal bir bağlamdan soyut olarak duyduğumuz sesi, gizlemeye gerek duymaksızın sadece kendisi olarak duyuluyordu. Arabanın içindeki sessizliğe tırtıllı bir bıçak gibi daldı.

"Evet Melanie. Bu zevki neye borçluyuz?"

Bir sessizlik oldu. Melanie'nin sesi duyulduğunda sanki orada değil gibiydi. Sessizliğin yüzeyine parmak izi gibi özenle bastırdığı sesi neredeyse solup gidecekti.

"Matt, seni rahatsız ettiğim için üzgünüm."

"Öyleyse niye ediyorsun?"

"Matt, ne olduğunu biliyorsun."

"Öyle mi? Neymiş?"

"Meece öldü."

"Hı-hı? Otur Melanie."

Otururken elbisesi mikrofonu hışırdattı. Sessizliğin uzun sürmesi, bağlantının koptuğu endişesine kapılmamıza oldu. Dönüp Edek'e baktım. Açık camın yanındaki duruşunu bozmadan bana göz kıptı.

"Demek getirdiğin haber buydu?" dedi Matt Mason. "Bana bunu söylemeye mi geldin?"

"Meece'le beraber yaşıyordum."

"Bunu biliyorum. Hadi ama Melanie. Buralara daha dün geldiğimi mi sanıyorsun?"

"Onu özlüyorum, Matt. Onu çok özlüyorum."

"Özlediğin şey nedir? Tedarikçin mi? İstediğin şey para mı, Melanie?"

"Yo. Hayır. Uyuşturucudan kurtulmaya çalışıyorum."

"Bu doğru mu?"

"Ne oldu Matt? Anlamıyorum."

"Anlamak zorunda değilsin. Bırak başkaları anlasın. Şimdi istediğin paraysa, sana biraz para vereyim. İstemiyorsan sana kalmış. Her hâlükârda şimdi gitmen gerekiyor. Burada bir parti veriyoruz. Ortama bir katkı da sağlamıyorsun nasıl olsa."

Hazırlıksız olmamayı umuyordum. Melanie'nin doğrudan Matt Mason'a gidip Meece Rooney'i ve mümkünse Dan Scoular'ı sormasını teklif etmiştim. Ona bir prova yaptırmamayı tercih etmiştim çünkü bir metni takip ederse kendini belli eder diye korkmuştum. Karmaşık bir talimatla baş edecek bir halde değildi. Şimdi böyle kısa bir konuşmayla oradan uzaklaşması istenince buna doğaçlama bir karşılık verebileceğinden emin değildim.

"Gidemem, Matt" dedi.

"Pardon?"

"Yapamam."

"Beni duyduğunu sanmıyorum. Gidiyorsun."

"Yo, Matt. Hayır."

"Hadi! Kalk!"

Kayıt cihazından karmaşık sesler geliyordu: gıcırdama sesi, yere düşen bir sandalyeden olabilirdi, pat diye çıkan tuhaf sesler.

"Nagranın insanı çileden çıkarması" dedi Edek.

"Canı cehenneme" dedi Brian.

Elini kontağa götürdü. Bileğinden tuttum. Brian bana dik dik baktı.

"Ona bir şeyler yapıyor" dedi.

"Uslu dur" dedim sessizce. "Bu bir savaş. Küçük bir kavga değil. Saklandığımız yerden şimdi çıkmayarak Melanie'ye daha büyük iyilik yaparız. Hücrenin kapısı açık. Sessiz ol. Bakalım içeri girecek mi?"

Bekliyorduk. Eddie Foley'in hemen arkamda nefes alışını duyuyordum. Tekrar duyduğumuz ilk ses Melanie'nin ağlama sesiydi. Brian bana sert, yargılayan gözlerle bakıyordu.

"Hadi Melanie" dedim. "Bir tek insan bile ortaya çıkıp, onlara meydan okuyabiliyorsa şansımız var demektir."

Evi izliyordum. İkisi kız, biri erkek üç çocuk bahçeye çıkmışlardı. Elim sende oyununun doğaçlama bir versiyonunu oynuyor görünüyorlardı, birinin bir diğerine dokunma oyunu, biri bir diğerinden öğreniyordu yaptıkları şeyin, bu oyun olduğunu itiraf etmeden. Birbirlerinden uzaklaşıp sonra birbirlerine yaklaşıyorlardı, kaçışırken yakalanmayı umuyorlardı, güzel bir masumiyet görüntüsüydü, insan ilişkilerinin oyun haliydi. Arkalarındaki evin tehditkâr bir duruşu vardı, şimdiden bu çocukların hayatlarına gölge düşürecek bir tehdit olan yetişkin yozlaşması. Evin kendilerine bıraktığı mirastan, evin merkezinde şiddet ve acı arasında devam eden çekişmeden habersizlerdi.

Güneş ışığı alan bahçeye, kırmızı kiremitli çatıya, beyaz duvarlara, parlayan pencerelere bakıyordum. Kuşkusuz olduğumuz yer burasıydı: Şiddetin güzel elbiseler giydiği, adaletsizliğin yasal örtüye büründüğü, zehrin tatlı tatlı gülümsediği, gereksiz yere acı çekmenin göz ardı edilip riyakârlığın saygı gördüğü yer. Bu hafta görüştüğüm düşündüm. Onlar da burada yaşıyordu. Ve kibar ev misafirleri gibi kuralları ihlal etmeyeceklerdi. Sürekli ikametleri bu mutabakata bağlıydı. Kuralları ihlal etmek kendini tehlikeye atmaktı.

Görüştüğüm kişilerden hiçbirinin buna yeterince hazırlıklı olmadığını fark etmiştim. Bana tuhaf sırları fısıldamış olabilirlerdi ama ayağa dikilip başkalarının yalanlarına meydan okuma riskine girmezlerdi. Matt Mason'ın hayatının gerçeğini ortaya çıkaracaksak Melanie son şansımızdı.

Tuhaf bir düşünceydi. Burada kaçmak ve saklanmak için hepimizden daha çok nedeni olan bir kadın vardı. Hayat onu acımasızca hırpalamıştı. Erkekler tarafından kullanılmıştı. Uyuşturucu kullanmıştı. Kendi benliğinden artakalanlara tırnaklarıyla tutunmuştu. Sadece kendisine sadık kalmaya karar vermiş olsaydı, bunun için kim onu suçlayabilirdi ki? Bunun aksini yapmak için büyük bir cesarete sahip olmak gerekirdi.

Hâlâ bekliyorduk. Matt Mason konuşmaya başladığında, bu uzun süren sessizliğin, kendisini toparlaması için ona verdiği zaman olduğunu anladım.

"Tamam mı? Şimdi hazır mısın?"

Tekrar bir sessizlik oldu.

"Hayır."

Sevinçten bağırabilirdim. O tek kelime, sindirilmeyi reddeden bir savunmasızlıktı.

"Kalk ve buradan defol."

'Hayır. Meece'e ne olduğunu anlamam lazım. Hayatımın sona erdiğini hissediyorum.'

"Henüz değil. Ama bunu yapabilirim."

Bu vahşi ifadede, konuşmanın bizim istediğimiz yöne doğru döndüğünü görebiliyordum. Aciz bir kadının tuhaf yaşamının ona meydan okuması, Matt Mason'ın dikkatsiz davranmasına neden olmuştu. Bu olacak şey değildi; daha önce böyle bir şey olmadığı için muhakemesini kaybetmişti.

"Meece'e olanları bilmem gerekiyor" dedi Melanie.

"Meece'i biliyorsun. Herkes Meece'i bilirdi. Pisliğin tekiydi. Ne iş çevirdiğini biliyorsun. Sen de onunla beraberdin. Ona katılmadığın için şanslısın. Bunun için bana teşekkür borçlusun."

Brian bana baktı, kaşı yukarı kalkmıştı. Eddie Foley arkamda iç çekti. Çocuklar hâlâ bahçede oynuyorlardı.

"Meece mi? Sana Meece'i anlatayım. Bu arada senin Meece'le ne işin vardı? Biraz klas bir tarzın vardı eskiden. Dan Scoular'ı hatırla? Hayatının aşkı? O en azından adam gibi adamdı. Senin için yaptıklarımı hatırla. Seni evime getirdim. Gerçek insanlarla tanıştırdım. Şimdi şu haline bak. Dinle beni. Eğer biri için yas tutmak istiyorsan Dan Scoular için yas tut. O da öldü."

Melanie'nin perişan hali, bu bilginin yeni olmadığı gerçeğini gizler zannediyordum.

"Onu kim öldürdü biliyor musun? Meece. Zebani şoför. Bu doğru. Yas tutacağın kişi o değil. Karşılaştığım gerçek bir insanı öldürdü. Sadece para için. Aldığı ücret ona yetmiyordu, değil mi? Kendi kendine, düzenli bir kâr payı almaya karar vermiş. Artık kendini önemli sanıyordu. Bizim üzerimizde etkisi var sanıyordu. Özel bir vakaydı. Oldukça tuhaf bir tipti. Ben hak ettiğini yaptım. Onu etkisiz hale getirdim."

Bir süreliğine duyulan tek ses, Melanie'nin ağlamasıydı. Matt Mason'ın ona anlattıklarının şoku şiddetli olmalıydı. Henüz anlatacakları bitmemişti.

"Artık biliyorsun."

Balkon kapısında tombul bir kadın belirdi, fincandaki çayını içerken çocukları izliyordu.

"Hayatta olduğun için şanslısın. Bununla ilgili bir şey söylersen, öldürürüm seni."

Gördüğümüzle duyduğumuz acımasız sözlerin birlikteliği, katlanması zor bir şeydi. Eddie Foley'in nefes nefese kaldığını duydum ve oradaki kadının eşi Millie olduğunu fark ettim. Eddie'nin çelişkili hayatının çapraz ateşinde, ayakta dikildiğinden habersiz gibiydi.

"Zaten kim sana inanır ki? Müptela. Çık dışarı."

Gelen sesler bir hareketlenme, soluklanma sesleriydi. Arabada tamamen bir durgunluk söz konusuydu. Melanie eve giden yolun sonunda göründü. Körlemesine yürüyordu. Ses kayıt cihazı kapandı. Dönüp Edek'e baktım. Eliyle gözyaşını silme hareketi yaptı. Melanie'nin gözyaşlarının kişisel olduğunda karar kılmıştı. Yola çıkınca sola dönmesi gerektiğini hatırladığına sevindim. Bob Lilley köşede onu bekleyecekti. Gözden kayboldu. Çocuklar hâlâ bahçede oynuyorlardı.

"Hoş bir adam" dedi Edek.

"Melanie'nin ülkeyi terk etmesi iyi bir fikir sanırım" dedi Brian. "Mason söyledikleri için kızabilir."

"Bunun için zamanı olmayacak" dedim.

Dönüp Eddie Foley'e baktım. Solgundu.

"Böylesine cesur bir kadın korunmayı hak eder" dedim.

"Ne kadın ama!"

Eddie Foley gözlerini bana dikmişti. Belli belirsiz başını salladı. Ben bunu gürleyen bir alkış olarak değerlendirdim.

"Ne, onu yakalamaya şimdi mi gideceğiz" dedi Brian.

"Hayır" dedim. "Sözleşmemize bağlı kalacağız. Getaway'e gidiyoruz."

Brian arabayı sürdü. Şehre girdiğimizde, Eddie hafifçe omzuma dokundu.

"Brian herhangi bir yerde kenara çek" dedim. "Eddie'yi indireceğiz."

Eddie ile birlikte arabadan indim, birkaç metre yürüdük, sonra durduk. Ben bekledim.

"Peki, benden istediğin şey nedir?" dedi Eddie.

"Eddie, ne istediğimi biliyorsun. Matt Mason az önce kendini hapse koydu. Bunu yaptığını kendin de duydun. Onun için yapabileceğin hiçbir şey yok. Ama Millie'yi gördün. Manzaranın tadını çıkarıyordu. Gerçi görüş açısı biraz kısıtlıydı. Gözlerinin tamamen açılmasını istemezsin, değil mi? Onu hâlâ bir enayi olduğuna inandırabilirsin."

"Ne karşılığında?'

"Matt Mason ile içeri girmesi gereken biri daha var. Meece Rooney'in Dan Scoular'ı öldürdüğünü biliyoruz. Meece Rooney'i kim öldürdü?"

"İki kişiydiler" dedi.

Cadde boyunca baktı. Eski haline bir vedaydı.

"Tommy Brogan ve Chuck Walker."

İkisi de bilinen kişilerdi. Yüzüme baktı. Başımı salladım. Arkasını döndü. Kalabalık caddenin bir parçası oluverdi.

otuz altı

Biz oraya vardığımızda Bob Lilley Getaway'in kapısında ayakta bekliyordu. Üçümüz arabadan indik. Edek'in kayıt ekipmanı deri omuz çantasındaydı.

"Melanie içeride" dedi. "Her şey yolunda mı?"

"Melanie çok iyiydi" dedim. "Gerisi kendiliğinden geldi."

"Yani?" dedi Bob.

"Yani" dedim. "Brian sonucu biliyor. İkiniz gidip paketleme belgesini alabilirsiniz. Ve sonra kesin bir yöne doğru devam edeceğiz. Tommy Brogan. Chuck Walker. En son Matt Mason. Kaplanı yakalamadan önce kafesi hazırlaman lazım. Tamam mı, Brian?"

"Destekle geleceğiz, Jack" dedi Brian.

"Tabii. Ama Bob ile senin enselemeniz gerek. Sizin davanız. Siz yapın. Ben sadece orada bulunmak istiyorum."

"Onları gerçekten enseliyor muyuz?" dedi Bob.

"Durum biraz umut verici görünüyor" dedim.

Edek ile Getaway'e girdik. Mekân çok kalabalıktı, çoğu gençti. Benim meşguliyetimin yanında diğer işlerin de yürüyor olduğunu bilmek güzeldi. Ben etrafa bakınırken arkamdan bir ses geldi.

"Bu saatte burada ne yapıyorsun? Senin ortalıkta görüneceğin bir zaman değil."

Benim fedakâr mihmandarım Ricky'ydi.

"Bugün huzurevinden izin verdiler" dedim.

"Marty şurada köşede."

"Bize bir iyilik yapar mısın, Ricky?"' dedim. Ona bir onluk verdim. "Barın arkasından birini ayarla, bize büyük boy bir bira, bir bardak viski ve su, bir cin tonik ve Marty'nin içtiğinden getirsin. Bir tane de kendine al."

"Masaya servis mi istiyorsun şimdi?"

"Sadece bu defalık, Ricky. Getirene de bir içki."

"Bunu komisyona sunmam lazım."

Marty'nin önündeki viski koyuluğuyla Jack Daniels'e benziyordu. Gençlerden hiçbiri masasındaki sandalyeleri ondan talep etmemişti, belki de görüntüsündeki sarhoş otorite, onları yıldırmıştı. Sert yüzü ve acayip atkuyruğu saçıyla görüntüsü, deneyimleriyle bu noktaya geldiğini ve önceden kestirilmeyen bir şekilde davranabileceğini gösteriyordu. Marty'nin yanına oturduk.

"Melanie nasıl?" dedim.

"Çok iyi değil" dedi Marty. "Lavaboda. Kendine çeki düzen veriyor. Zorlandı mı?"

"Tehdit edildi. Ama gerçekleşemeyecek tehditler."

"Umarım öyle olur."

"Marty, Melanie bir yere gidecek" dedim. "Matt Mason başka bir yere. İkisi asla karşılaşmayacak."

"Bilemiyorum. Kötülük bir süre kenarda bekleyebilir. Ve onun kolları uzun. Ses kaydını kullanmak zorunda mısın?"

"Belki de kullanmam. Göreceğiz."

Genç bir adam içkileri getirdi. Biz içkileri alırken Melanie lavabodan çıkageldi. Kot pantolonunu ve ceketini tekrar giyinmişti. Elindeki iki poşeti Edek'e uzattı. Küçük poşette Edek'in mikrofonuyla verici cihazı vardı, onları deri çantasına koydu. Büyük poşeti alıp içine baktım. İçinde elbise ile palto vardı.

"Bunları niye almıyorsun?" dedim.

"Ne?"

"Sana yakışıyordu. Beğendin mi?"

"Evet. Giymesi güzeldi."

"O zaman senin olsun. Çok cesur davrandığın günü hatırlatabilir sana. Söz konusu olan kurban olmak olsa bile, canı cehenneme."

Edek bana baktı.

"Bedelini öderim" dedim.

"Polis fonundan olmaz" dedi Melanie.

"Cebimden, Melanie" dedim. "Bir rüşvet olarak değil. Bir hediye. Kişisel. Tamam mı?"

Gülümseyip başını salladı. Poşeti alıp yanına yere bıraktı. Savaşta ön cephedeyken sıla iznine gönderilmek gibi kısa ama güzel bir hava oluştu. Melanie havaalanına gitmek üzereydi, gideceği yerin heyecanı, az önce bulunduğu yerin sevimsizliğini zayıflatmıştı. Kendisine rağmen neşelenmişti. Bu halini görmek güzeldi. Marty'nin onun hakkındaki endişeleri de hafiflemişti. Matt Mason'la yüzleşip son zamanlarda olanlarla ilgili gerçekleri öğrendiği için memnun olduğunu söyledi. Böylece önüne daha az sıkıntıyla bakabilecekti. Marty uçağı kaçırmamak için onu kibarca dürttüğünde çevresine bakındığını gördüm, bir anlığına bir zamanlar olduğu kişinin görüntüsüne bürünmüştü: her şeyle ilgili, safkan bir kısrak gibi gergin. Onunla birlikte hepimiz ayağa kalktık. Vedalaştık. Bana sarıldı.

"Sen harika bir Melanie McHarg'sın" dedim. "Her şeyi sen yaptın. Biz hepimiz çizginin gerisindeydik. İyi şanslar."

"Her şey bana karşı, değil mi?"

"Her şey hepimize karşı. Ne olmuş yani?"

Sonra bana kaybettiği zamanla ilgili hoş bir şey söyledi.

"Neden ilk karşılaştığım polis sen olmadın ki?" dedi. "Daha farklı olabilirdi."

Cebimden bir zarf çıkardım, üstüne adımı ve numaramı yazdım. Yazdığım yeri yırtıp ona verdim.

"Bir sıkıntın olursa" dedim, "ara. Oradayken veya buraya döndüğünde. İhtiyacın sadece konuşmaksa konuşuruz. İşler zora girerse, daha da zorlaştıracak yollar biliyoruz. Korkma."

"Peki ya ben?" dedi Marty.

"Sen sadece doğru durmayı öğrenirsen Marty, hepimize iyilik yapmış olursun."

Bana bir öpücük attı.

"Seni beklerken Jack. Öyle duracağım. Söz veriyorum."

Onlar ayrılırken, Edek bana baktı. Marty'yi işaret edip başını salladı.

"Bu düşündüğüm anlama mı geliyor?"

"Ciddi olduğunu sanmıyorum."

"Biliyorum, biliyorum. Ama..."

"Evet. Marty'nin tarzı böyle. Kendi tercihlerine göre yaklaşıyor insanlara. Diğer şeylere de öyle. Her neyse, canın niye sıkkın? Çok sessizsin. Ne düşünüyorsun?"

"Düşünüyorum da" dedi Edek, "iyi ki ses kayıtçısıyım."

"Söylediğin şeydeki gizemi açıkla, bilge adam" dedim.

"Hay hay, anlatayım" dedi Edek. "Kendini öldürteceksin Jack. Bugün o evde olanlar. Bu işlerle ilgilenirken kendin olarak kalabileceğini mi sanıyorsun? Mümkün değil. Bana gelince işimi yapıp biramı içip Jacqueline'le olmak istiyorum. Belki hafta sonu tuhaf Munro'ya* tırmanırım. Hiç tepeye tırmanmayı denedin mi? Yapmalısın. Her bir Munro 910 metreden daha yüksek. Benim için yeterince yüksek. Sen riske girmeyi çok seversin."

"Risk nedir?"

"Risk sensin. Sen hayatını, aşısı olmayan bulaşıcı hastalıklar ünitesinde harcıyorsun. İçinde yaşadığın kötülükleri etkisiz

---

* İskoçya'da yüksekliği 910 metrenin üstünde olan dağlar. (ç.n.)

hale getirecek ne var elinde? Evlilik yok. Hayatının bir düzeni yok. Ne için yapıyorsun?"

Jan'la mı konuştu acaba diye merak etmeye başladım. Brian ve Bob'un içeri girmesinden memnundum.

"Bürokrasi arkamızda" dedi Bob. "Gidelim mi?"

Başımı salladım. Biz ayrılırken Edek hâlâ benim için endişeli görünüyordu. Nedenini anlamak üzere olduğumun farkında değildim.

otuz yedi

Oedipus yaşıyor. Bir haftadır kötülerin öne çıkıp kendilerini göstermeleri için çalışıyordum. Benim de onlardan biri olabileceğimi düşünememiştim.

Brian Harkness'ın elinde Tommy Brogan ve Chuck Walker için birer adres vardı. Ama Chuck Walker'ınki biraz sorun olabilirdi. Otuzlarında olan Chuck daha genç olanıydı ve bir cumartesi öğleden sonrası için birçok yerde olabilirdi. Maçta olabilirdi. Kumarı severdi. Ustalıkla gizlediği çekicilik sırrını keşfeden kadınlardan biriyle olabilirdi. Genellikle kısa süreli olarak birçok kadınla ilişkisi olmuştu. Bunu merak ediyordum. Bazen düşünüyordum da muhtemelen Chuck'ın bütün kız arkadaşları romantik aşkın olmadığını ispatlamaya kararlıydılar, ancak böyle hayatla barışık kalabilirlerdi. Eğer öğrenmek istedikleri şey buysa, doğru öğretmenle karşılaşmışlardı.

"Onun peşine Macey'i taktım" dedi Brian arabada. "Onu bulabilirse, telefonla mesaj atacak. Umarım bir futbol kalabalığının içinde olduğunu söylemez bize."

"Sorun olmaz" dedi Bob. "Ortalıkta olacaktır. Bu aralar Chuck kendini çok yükseklerde görüyor."

"Ondan bekleneceği gibi" dedi Brian. "Macey'in dediğine göre havalı bir kadınla beraber. Bundan sonra onu ancak kokteyl keser."

"Kavanozda içer o" dedi Bob.

"Öyleyse umarım biz onu enselediğimizde biraz içmiş olsun. İdare etmesi kolay olur. Onunla teke tek karşılaşmayı istemem."

"İki destek arabası var."

"Doğru. Bir araba onu şaşkına çevirince, diğeriyle onu yere yıkabiliriz."

Tommy Brogan'ı bulmak daha kolay olmalıydı. Sosyal hayatta bir leopar gibiydi. Sadece en yakın ve en sevdikleriyle beraber olmayı isteyen, tek başına yaşayan biriydi. Kısa bir süre önce evlenmişti ama bir gün barda karısıyla konuşan bir adamı hırpalarken, Müslümanların üç kere "boş ol" diyerek boşanmalarına benzer bir şekilde, "Seni darp ediyorum, seni darp ediyorum, seni darp ediyorum" deyip boşandığını ilan etmişti. Karısının cezası ise sonsuza dek onu kendisinden uzaklaştırmaktı, bu durum birini Riviyera'ya* sürgüne göndermek gibiydi biraz.

Bugüne kadar karşılaştığım en kötü kişilerden biriydi. Bir ara boks yapmıştı ve içinde bir şey, halen son raundun başlama sesini bekliyordu. Hayatı boyunca temel gıdalara dayanan diyeti, vücudunun zinde kalmasını sağlıyordu. Onu bir başkasına karşı kullanmak bir ziyafet olurdu. Frankie White'ın onun Dan Scoular'a antrenörlük yaptığını söylediğini hatırladım. Koca adam için tuhaf bir yakınlaşma olmuştur: Mars gezegenine hoş geldin.

Rutherglen'e giden yol üzerinde yaşıyordu. Eve yaklaşmadan önce sokağın iki başına birer araç koyduk. Yenilenmiş

---

* Güney Avrupa'da popüler turistik bölge. (ç.n.)

bir binaydı ama buna rağmen sokak kapısı mekanik kontrol olmadan açılıyordu. Bir kat yukarı çıkınca isim levhasında sadece "Brogan" yazılı olduğunu gördük, sanki dünyaya bana gelmeyin der gibiydi. Bob Lilley kapıyı çaldı. Yaklaşan ayak sesleri hafifti. Kapıyı açtı ve üçümüzü süzdü, yüz yüzeydik.

"Eğer polis fonu için geldiyseniz" dedi, "ben verdim."

"İçeri girebilir miyiz?" dedi Bob.

"Sizin gibilerin içeri girmesini engellemenin yolunu bulan biri anasının karnından doğmadı henüz."

Salon boyunca yürüyerek oturma odasına geçti. Kapıyı kapatıp onu takip ettik. Ayaklarında çorapları vardı. Vücudunun düşündüğümden nispeten küçük oluşu karşısında yine şaşkındım. Şöhretiyle boyu ters orantılıydı. Şimdi buradan bakınca son derece küçük ve sadeydi, duvara yansıtılmadan önceki bir film karesi gibi. Onu duvara yansıtan makine şiddete hazırlıklı oluşuydu.

Odanın ortasında ayakta durmuş bize bakıyordu. Kendi çöplüğündeydi. Çok düzenli bir odaydı. Gazeteler kauçuk gazetelikteydi. Cam sehpanın üstü boştu. Büfede büyük bir çerçevede yaşlıca bir kadının resmi vardı. Annesidir diye düşündüm. Barda kesinlikle yabancılarla konuşmayacak biriydi. Onun karar verdiği dışında hiçbir şeyin olmayacağı bir odaydı, yani bugüne kadar. Kapıyı açmadan önce muhtemelen sesini kıstığı televizyonda, spor skorları gösteriliyordu. Televizyondaki programın sesini duyamıyorduk.

"Evet?" dedi Tommy Brogan, sessizliği bölerek.

"Tommy, buraya seni cinayetten tutuklamaya geldik" dedi Bob ve ona haklarını okudu, harfi harfine.

Tommy Brogan televizyona baktı, özellikle ilginç bir skora bakarmış gibi. Bob'a baktı.

"Acaba maktulün ismi de var mı sizde, hı?"

"Meece Rooney" dedi Bob.

"Meece Rooney mi? Nasıl bir isim bu?"

"Ayakkabılarını giy" dedi Bob.

"Saçmalık bu" dedi Tommy Brogan. "Adamı tanımıyorum bile."

"Sana resimlerini gösteririz" dedi Bob. "Hazırlan, Tommy."

"Kim söyledi size?"

"Biliyoruz işte."

"Hayır. Bilmiyorsunuz. Çünkü öyle bir şey hiç olmadı. Büyük bir hata yapıyorsunuz. Bunun sonunda çok zavallı görüneceksiniz."

"Meece kadar zavallı görünmeyiz herhalde. Hadi."

"Tamam, ama bu sizin cenaze töreniniz olacak. Sizinle geleceğim."

"İyi" dedi Bob.

Tommy Brogan bir an harekete geçecek gibi yaptı, sonra durdu. Kafasında üçümüzü tartıyordu. Bir karara varıyor gibiydi. Bakışları bana sanki "Bire karşı üç olsaydınız, baş ederdim. Ama dışarıda sizden dahası vardır, değil mi?" der gibiydi. O an tehlikeli bir sessizlik içinde gelip gidiyordu. Sonunda kımıldadı, koridoru geçip oturdu ve ayakkabılarını giydi. Arkasında bıraktığı uygulanmamış olasılık, olaylarla ilgili önyargılarımda bir gedik açtı. Baş döndürücü bir olasılıktı. Bizimle gelmekten başka seçeneği yok diye düşünmüştüm. Ama o, kısa sürse de bir alternatif düşünmüştü. Bunun farkına vararak hayatının korkunç mantığını gördüm: Bir taş gibi hiçlikle yüz yüze olmak, iradesinin vahşi yapısını her an kanla boyamaya hazır olmak.

Hazırlanmak için yatak odasına doğru gibince, Brian da ona eşlik etti. Bob ile birbirimize baktık. Odanın içinde dolandım.

Öfkeliydim. Suç ve ceza arasındaki orantısızlıktan kaynaklanıyordu öfkem. Hepsi bu muydu? Kasten mahvedilen hayatların, uydurma cinayetlerin karşılığı böyle üstünkörü mü ödenecekti. Küçük, duygusuz bir adam, ayakkabılarını, ceketini giyecek ve bir şoför eşliğinde hapse götürülecek. Yaptığı şeye karşı ilgisizliği, yaptığı işten daha çok öfkelendirmişti beni. Bu yeterli değildi. İçimdeki kötü ses daha fazlası gerekir diye fısıldıyordu. Yatak odasından kavga ederek çıkmasını ümit ediyordum. Ama oturma odasına soğukkanlı geldi, spor bir ceket giymişti, Brian da arkasındaydı. Gidip televizyonu kapattı, bize döndü ve gülümsedi. Ekrandaki parlak futbol maçı görüntüsü arkasında karardı. Kendisi nasıl insanların hayatını gelişigüzel kararttıysa kendi hayatının da kararacağını kabul edecekti. Şimdiden onu hapse girmiş olarak düşünüyordum. Ama dışarıdan onun hücresini değiştirmekten başka ne yapabilirdik? Belki de daha fazla cezalandıramayacağınız kişiler vardır, çünkü kendi kendilerinin cezalarıdır onlar.

Macey'den gelen mesaj Chuck Walker'ın o entelektüel kadınla barda olduğu yönündeydi. Macey dışarıda bizi bekleyecekti. Bizimle buluşacağı yeri söyledi. Tommy Brogan'ı kelepçeledik, arkadaki arabalardan birine bindirip oraya gittik, günü güçbela algılıyordum. Düş kırıklığı duygusu, içimde bir tembellik gibi duruyordu. Beklenmedik bir durumla karşılaşmak beni tekrar kendime getirdi.

Macey orada değildi. Üçümüz çevreye bakınmak için arabadan indik. Bob diğer polislere arabalarında kalmalarını söylemeye gitti. Ben ile Brian kalabalık sokakta ne yapacağımızı araştırırken Brian birden, "İşte orada" dedi.

Macey'i kastettiğini sandım. Belli bir mesafeden, zarif kıyafetleri içinde Macey'nin, bize kalabalık içinde birini işaret ettiğini gördüm. Birkaç saniye sonra Macey'nin işaretinin ne anlama geldiğini fark ettim. Chuck Walker, uzun boylu sarışın bir kadınla caddedeydi. İlginç bir çifttiler, hanımefendi ile rottweiler köpeği. Bize, Macey'e olduklarından daha yakındılar. Bize doğru geliyorlardı. Biz ona bakarken o başka bir şey gördü.

Onun için şaşırtıcı bir görüntü olmalıydı, arabanın yan aynalarından bakıp bir kuru kafa görmek gibi. İlk polis arabasını geçmişti, rastgele ikinci arabaya bakınca, arkada oturan Tommy Brogan'ı gördü. Caddede kalabalığın üstünden bakınca bizi de gördü. Dönüp diğer arabayı da fark etti. Bize doğru döndü, bir anda gözden kayboldu. Caddedeki kalabalık bir itiş kakış içindeydi, o kadın kalabalığın ortasındaydı, bir ilişkiyi bitirebilecek ani ortadan kayboluştan halen habersizdi. Gelip geçenlere çarpmamaya gayret ederken, elinde içinde büyük olasılıkla satın aldıkları bir şey olan pahalı bir plastik çanta vardı, o anın hatırası olarak.

Kalabalığın içinden yolumuzu açmaya çalışırken, diğer polisler de arabalardan indi ama ondan bir iz yoktu. Ayrılıp amaçsızca ortalıkta dolanırken bir kafenin penceresinden içeri baktım. Kontuarın arkasındaki adamın etrafa bakındığını gördüm. Anlamadığı bir şey olmuştu. İçeri girdim. İçerisi kalabalıktı; masada oturanlardan bir kısmı da kafenin sahibi gibi bir şeyden dolayı telaşlanmış görünüyorlardı, sanki mekâna doğru şiddetli bir rüzgâr esmişti. Sahibine baktım. Korkmuştu. Arka bölüme doğru bakıyordu.

Oraya doğru gittiğimde, tekmelenen bir kapı sesi duydum. Sesin geldiği yeri tespit edince Chuck Walker'ın siluetini gördüm. Omuzları neredeyse kapı boşluğunu kaplamıştı. Arkası bana dönüktü. Önünde yüksekçe bir duvardan başka bir şey yoktu. Geri döndüğünde düşündüğüm şey, önünde bir duvardan başka bir şeyin olmamasına yanacak kadar uzun yaşayıp yaşayamayacağımdı.

Bana doğru koştuğunda, vücudu görüş alanımı kapladı. Ne yapmak istediğimi biliyordum ama her zaman işe yaramayabilirdi. Salladığım yumruğu bir sinek gibi savuşturdu. Önce mideme vurdu sonra bir şeyle, yumruğuyla veya koluyla veya dirseğiyle enseme geçirdi. Kapı aralığından geriye doğru kontuarın arkasındaki boşluğa düştüm. Elinde bıçak ile tepemde bekliyordu. Kıpırdamadan duruyordum. Yanağındaki beni gördüm. Yüzündeki çirkin art niyeti de gördüm, gözleri arkasında bir fener varmış gibi ürkütücü bir şekilde parıldıyordu.

"Benim rehinemsin, polis" dedi. "Geçmeme izin vermezlerse, öleceksin."

Bir an için onunla hemfikirdim. İsmimi ölüm ilanları içinde görebiliyordum. Beni tutup ayaklarıma doğru sürüyünce, her parmak bir göze gelecek şekilde başparmağımla işaret parmağımı gözlerine batırdım. Tökezlerken, kendi haline bırakılmış bir yumurtanın piştiği sıcak ısıtıcıya elini çarptı. Bıçağı düştü. Hayalarını tekmeledim. İki büklüm oldu. Kafasını ısıtıcıya çarpmaya on santim kala yakaladım onu. Kafasını orada tuttum. Elimde ısıyı hissediyorsam, onun yüzünün kavruluyor olması gerekirdi.

Kötülüğün peşinde olduğumu düşünmüştüm. Madende yolu takip edip orada kendimi bulmuştum. İnsanların bir şeyler yiyip sohbet ettiği kafenin varlığı benden uzaklaşmıştı. Ortadan kaybolduğunu, karanlığın onu içine çektiğini hissettim; ben öfkemle baş başaydım, elim insanlara karşı neredeyse sınırsız bir nefretin temsilcisi olan adamın üstündeydi. O an ona olan nefretimin boyutu beni hâlâ ürkütür. Şu an bana yapabileceği hiçbir şey yoktu ama ben onu orada tutmaya devam ediyordum. Normalde inanamayacağım şeyler hissediyordum. Daha sonra utanç duyduğum bir şey söyledim.

"Kızarmış bir yüz ister misin?"

Teklifimin ciddiyetini hissetmiş olmalı ki çığlık atmaya başladı. Başkalarında var olmasını istemediğim şeye, kendi içimde yaklaşmıştım. Hayvani saldırganlığı bertaraf olmuş, yerini karman çorman bir konuşmaya bırakmıştı, yalvarıyordu.

"Yapan Brogan'dı" diyordu. "Tommy Brogan. Yapan oydu. O yaptı. Ben değil. Ben yapmadım. Mason için yaptı. Ben sadece oradaydım. Anlatacağım. Her şeyi anlatacağım."

"Yetmez" diye bağırdım.

"Jack!"

Bu Brian Harkness'ın sesiydi. Kafenin varlığını tekrar hissetmeye başladım. Diğer polisler de onunlaydı. İnsanlar masalarında ayağa kalkmış, bana bakıyorlardı. Bir kadın küçük oğlunun yüzünü kapatıyordu. Brian, beni oradan uzaklaştırdı; Bob Lilley, Chuck Walker'ın ellerine kelepçe taktı. Birden Chuck Walker'ın kocaman ellerinin, metalle birbirlerine iliştirildiğini gördüm, cam kafesteki bir yırtıcı gibiydi. Kendi yansımamı camdan gördüm. Dışarı çıkarken, suçlunun araca götürülmesi, gazetelerde görmeye alışık olduğumuz türden görüntüler gibiydi. Ama insanların bana nasıl baktıklarını fark edince paltosuyla yüzünü kapatması gereken kişi ben olmalıydım diye düşündüm. Chuck Walker ikinci arabaya bindirilirken biz caddedeydik.

"Ben böyle değildim" dedim.

Kendi kendime konuşuyordum.

"Hayır" dedi Brian.

Bob bir şey demedi.

"Her neyse, hadi gidelim, Jack" dedi Brian.

"Hayır" dedim. "Matt Mason'ı kendiniz tutuklayın."

"Ne? Jack!" Bob beni ciddiye almamıştı. "Kendine gel. Çemberi tamamlaman lazım."

"Çember içinde çember vardır" dedim. "Benim tamamlamam gereken başka bir tane var. Görmem gereken bir adam var. Brian, bana bir iyilik yapar mısın? Bu iş bitince, eşyalarımı daireme bırakır mısın? Valizim bagajda. Ve satın aldığım bir küllük var. Antiquary viskisinden artakalanı da unutma. İhtiyacım olabilir. Ha, birkaç tane de tablo var."

Dairenin yedek anahtarını ona verdim. Onları kendileriyle gitmeyeceğime ikna eden şey de buydu.

"Seni ne zaman görürüz?" dedi Bob.

"En geç pazartesi."

"Peki ya bu akşam?" dedi Brian.

"Belki. Göreceğiz bakalım. İyi şanslar. Matt Mason'ı kaldırırken, düşürmemeye dikkat edin."

"Sen kendine bak" dedi Bob.

Arabaya bindiler. Biraz yürüdüm, çok kısa bir süre için, önüme çıkan ilk bara kadar. Hızlıca iki viski içip bana kim olduğumu hatırlatmasını bekledim. Kendime yabancı hissediyordum. Halen öfke doluydum. Oturdum, gözlerimi ileriye dikmiş, kimseyle konuşmuyor, sigaramı içip sakinleşmeye çalışıyordum. Bardan çıktım ve çok dolambaçlı bir rotadan Michael Preston'un dairesine gittim. Ama oraya ulaştığımda çok da sakinleşmemiştim. Dairenin sokağa açılan bağımsız kapısı vardı. Kapıyı açan kişi bir kadındı.

"Jack mi?" dedi.

"Doğru, benim."

"Ben Bev."

Avustralya aksanıyla konuşuyordu. Tokalaştık. Merdivenden yukarıya kadar önümde yürüyerek yolu gösterdi. Çevik bir kadındı. Michael Preston, yukarıdaki koridorda göründü. Benimle tokalaştı.

"Jack ile çalışma odasında konuşacağız, Bev" dedi.

"Her zaman iyi görünüşlü erkekleri benden saklar" dedi.

"Ben bu kuralın istisnası olmalıyım" dedim.

Beni çalışma odasına götürdü ve kapıyı kapattı.

otuz sekiz

Gömleğin içindeki tilki hikâyesi, okul günlerimden beri peşimi bırakmamıştı. Hangi öğretmenin anlattığını hatırlayamıyordum. Unutulan bir zamanda unutulan bir sınıfta, muhtemelen önemli bir konuyu küçük bir örnekle açıklamak için, bir yetişkin, bir çocuğa rastgele bir hikâye anlatmıştı; o an hikâye çocuğun zihnine bir bıçak gibi girmiş ve bir yara izi bırakmıştı. Yara oldukça inatçı bir iz bırakarak iyileşmişti, bütün yaralar gibi, yani hikâyeyi böyle hatırlıyordum.

O öğretmene inanacaksak eğer, Sparta'da hırsızlık yapmanın mahzuru yokmuş. Suç bunun ortaya çıkmasındaymış. Spartalı bir çocuk, günün birinde bir tilki çalmış. Onu gömleğinin altına saklamış. Şimdi yetişkin biri olarak o zamana gidip kimliği meçhul o öğretmene bir çift soru sormanın benim için bir sakıncası olmazdı. Çocuk bir tilki mi çalmış? Gömleğinin içine mi saklamış? Sanıyorum tilkiler o zaman da vahşiydiler, bu durumda çocuk tilkiyi birinin arazisinden çalmıştır. Belki de yaptığı izinsiz avlanmaydı. Ama bu durumda bile ya tilkinin çok küçük olması ya da gömleğin çok büyük olması gerekirdi. Muhtemelen yavru bir tilkiydi. Tam hatırlamıyorum.

Hatırladığım şey, hikâyenin devamının benim üzerimde bıraktığı etkiydi. Çocuk evine giderken, yolda onu sohbet ederek alıkoyan bir aile dostuyla karşılaşır. Ne konuştuklarını her zaman merak etmişimdir; belki de sandalet fiyatlarını konuşuyorlardı. Hayatın hoş yanlarıyla ilgili konuşarak zaman geçirirken, tilki çocuğun midesini yemeye başlar. Çocuk, "Bir dakika. Benim bir sorunum var" demediği gibi, yüz ifadesindeki sükûneti o denli korumuş ki arkadaşının neler olduğuyla ilgili hiçbir fikri yokmuş. Biraz konuşup ayrılmışlar. Eve gelip, gerçekte olanları anlatamadan önce onun için artık çok geçmiş. Bağırsakları ortalığa dökülmüş. Çocuk ölmüş. Görünüşe göre kendi toplumlarının ideallerini temsil eden biri olarak bir Spartalı kahramanına dönüşmüştü. Ne toplum ama!

Ben bunun çok kahramanca bir şey olduğunu düşünmüyordum. Kuşkusuz ürkütücü ölçüde zorlu bir durumdu. Bana kalırsa kabul görmüş kuralları ihlal etmiş olsaydı, kahramanlığa daha çok yaklaşmış olacaktı. Çocuğun, "Bu doğru", "Evet" ve "Gerçekten mi?" demesi gerektiğini zannetmiyorum. Spartalıların hikâyeyi veciz olarak aktarmaları boşuna değil. Bana kalırsa çocuğun, "Dinle. Bu zırvalıkla ilgili konuşmak istemiyorum. Şimdi bağırsaklarımı yemekte olan bir tilki var. Tamam, bu lanet şeyi ben çaldım. Ne halt yiyeceksen ye. Ama ben buna katlanmayacağım" demesi gerekirdi. Ya da buna benzer bir şeyler.

Bir çocuk olarak hikâye benim için her şeyden önce sadece müthiş bir olaydı. Zihnim şaşkın bir halde kalakalmıştı. Sonradan daha çok anlam kazanmaya başladı. Hikâyeye inanamama dehşeti, yerini yavaş bir farkına varma duygusuna bıraktı. Spartalı çocuğun davranışında nasıl yaşadığımızla ilgili bir mecaz bulmuştum sanırım. İnsanların gülüp, selamlaşıp önemsiz şeylerle ilgili konuşurken, kişiliklerinin parçalara bölünmesi Sparta'ya mahsus bir şey değildi. Bu hepimize öğretilen şeydi. Kesinlikle İskoçya'da birçoğumuz sosyal düzeni o kadar örtülü bir hale sokmuşuz ki neredeyse meramımızı sessiz tiyatro gibi ifade ediyoruz ve bunu sürdürmek zorundayız, kafamızda ne denli trajik bir opera geliştiğinin bir önemi yokmuş gibi.

Hikâyeyi asla unutmamamın nedeninin, içerdiği bu temel önemden kaynaklandığını düşünmüştüm. Michael Preston ile konuştuktan sonra eski bir kültüre ait bu kısa hikâyenin mantığın ötesinde dikkatimi çekmesinin başka bir nedeni var mıydı? Bunu batıl bir inanç çerçevesinde merak etmeye başladım. Çünkü kardeşimin hayat hikâyesiydi bu. Yıllar boyunca sabırla, bilincimin yanında uzanmış, sanki o amacını biliyormuş da ben bilmiyormuşum gibi. Sonra aniden akşamüstü ferah, güzel bir evin küçük, rahat çalışma odasında, hikâyenin aşina olduğum hiyerogliflerine tekrar baktım ve onun içinde kardeşimin yüz hatlarını gördüm.

Bunun farkına varmak ben de korkunç bir sessizliğe neden oldu. Bütün kapıları çalmıştım; en sonunda bir tanesi açılığından beni öyle bir yere buyur etmişti ki orada yoluma nasıl devam edeceğimi bilemiyordum. Michael Preston orada oturmuş ve öğrenmek için her şeyi göze aldığım bilgileri, bana anlatmıştı. O kadar çok boş yüze bakmış, o kadar çok işe yaramaz ses duymuştum ki, her türlü savunmasını zorlayıp geçmeye hazır bir halde gitmiştim Michael'a. Ama o, beni basitçe gerçeğe davet etmişti. Orada kendimi bulunca, olmak istediğim yerin orası olduğundan artık emin değildim.

Bir şeyi bulmak sadece bilgiye ulaşmak değildir, o artık bir zorunluluktur. Thornbank'taki Red Lion'da otururken bu hükme varmıştım. Glasgow'un batı yakasında da bu düşünce halen peşimdeydi. Michael Preston'un odasına gittiğimde gözlerimde alevler fışkırıyordu. Ama oradan yaralı gözlerle ayrılmıştım. Evine hiddetle gitmiştim. Ama oradan başıboş bir halde uzaklaşmıştım. Hayatım boyunca tanıdığım sokaklar bana yabancı geliyordu.

Ne yapılması gerektiğini bilemediğimden, ne yaptığımın bir önemi yoktu. Öylece yürüdüm. Barlara girdim. Diğer insanların hareketlerinde ve konuşmalarında bir amaç olmasının tuhaflığını gözlemliyordum. Arkadaşıyla büyük bir coşkuyla konuşan bir adam gördüm; sonra bara gidince garajının tamiri için kendisine ödetilen saçma fiyat hakkında konuştuğunu duydum. Bir yandan konuşup bir yandan aynada kendisine bakan bir kadını izledim. Birkaç yere uğradım. Çok içtim. Gece boyunca bir hayalet gibi dolaştım, bir kütlem yokmuş gibi hissediyordum.

Sadece zihnim şiddetli bir biçimde canlıydı. Scott'ın yaptığının muhtemelen bir tür intihar olduğunu düşünmem gerekiyordu; kasti ve bilinçli bir eylem olarak değil ama en kötüye davetiye çıkaran kasti bir dikkatsizlik sonucu. Tilkinin verdiği acıya daha fazla dayanamayacak kadar uzun bir süre yaşadığını hayal edebiliyordum. O da açıklayamadığı bir suçluluk duygusunun kurbanı olmuştu.

Bu hafta sergilediğim öfke kabarmak için çok imkân bulmuştu. Jan ile Lock 27 numarada, Scott'ın cenaze töreniyle ilgili konuştuğumu anımsadım. O da öfke miydi? Şimdiki halime bakın. Dave Lyons, Sandy Blake ve Michael Preston'a karşı büyüyen bir öfke vardı içimde. Ve Anna'ya. Scott'ın eski evinin dışında o yabancıyla konuştuktan sonra arabada otururken hissettiklerimi hatırladım. Köpeğe ağızlık takmak gerek demiştim kendi kendime. Peki ya şimdi bu olaya nasıl bir ağızlık takılabilirdi? Önceki bir Şivaya cinsi, bu ise Danua cinsi bir köpekti.* Böyle bir öfke vardı içimde.

O gün arabada otururken bu öfkemi yönlendirecek bir adres bulmam gerektiğini düşünmüştüm. Ama şimdi böyle bir şeyin asla olamayacağını biliyordum. Chuck Walker'a

---

* Şivaya dünyanın en küçük köpek cinsi, Danua çok iri bir köpek cinsi. (ç.n.)

veya benim gibilere karşı bir öfke değildi, üstünde uzlaştığımız hayat şartlarına karşıydı. Kavgam hepimize karşıydı. Şimdi bunu nereye oturtacaktım?

Ayaklarım beni her nereye götürdüyse, gittim. O yerlerden biri Chip olmalıydı, çünkü Edek, Jacqueline ve Naima Akhbar ile konuştuğumu anımsıyordum. Konuşulanlarla ilgili çok bir şey hatırlamıyorum ama Naima'nın tatlı yüzündeki kaygı ifadesini hatırlıyorum. Sanırım beni rahatlatmak için bir Müslüman sözü söylemişti. Ama faydası olmamış ki unutmuştum. Biz içtikçe insanların itişip kakıştığına dair bir izlenim kalmış kafamda, sanki kalabalık bir futbol grubunun içine bardaki bardak askılığı kurulmuş gibi. Ve sonra yine dışarıdaydım.

Sonra neyi, niçin yaptığımı bilmiyorum. Jan'ın restoranındaki partiye gittim. Orada benden başka davetsiz misafir olacağını hayal etmek güçtü. Sarhoştum ama tuhaf, zıvanadan çıkmış bir sarhoşluktu. Soğuk ve kasvetli yanım, sarhoş tarafımın dolambaçlı gidişatını izliyordu, ayık bir adamın şaşkın arkadaşına yardım etmek için çok bitkin ve ilgisiz olması ve sadece arkadaşının gitmemesi gereken yerlere yanlışlıkla gidişini izlemesi gibi. Sanırım belki de bir jeneratör gibi diğerlerinin enerjilerine fişimi takıp bir yabancı gibi hissettiğim şehirle bir bağlantı kurmaya çalışıyordum.

Jan'ın mekânında bir hayli enerji vardı. Partide her şey yolundaydı. Müzik çalıyordu. Bazıları dans ediyordu. Yüksek sesli konuşmalar daha yüksek kahkahalara karışıyordu. Bu şenliğin içinde, birden ortaya çıkıverdim, fırtınalı düşüncelerle çevrelenmiş bir azizin diskodaki hali gibiydim. Biri restoran kapısını açık bırakmış. İçeri girer girmez Betsy beni fark etti ve yüzünde bir hazımsızlık ifadesi belirdi. Hemen bana doğru geldi ve kapıyı sürgüledi; hırsız içeri girdikten sonra kilitleri kontrol ediyordu. Sonra Barry Murdoch ile konuşmakta olan Jan'a haber vermeye gitti. Barry'nin kolu Jan'ın omzundaydı. Betsy'nin Jan'la konuşma tarzından tahmin ettiğim kadarıyla ona iyi bir haber vermiyordu. Yaklaşan sorunu muştuluyordu. Barry'nin beni buluncaya kadar ortamı süzdüğünü gördüm. Bana uzun bir maço bakışı attı. Bir mantar tabancasının namlusundan tabancanın içine bakmak gibiydi. Jan bana doğru geldi.

"Sen iyi misin?" dedi.

"İyi olmak nedir?" dedim.

"Hı-hı. Anladım. Metafizik gecelerimizden biri. Bak, biz burada sadece bir parti yapmaya çalışıyoruz."

"Bırak parti devam etsin" dedim görkemli bir şekilde.

"Ha, teşekkürler. Senin için bunun bir mahzuru yok değil mi? Dinle Jack. Adamakıllı duracaksan aramıza hoş geldin. Ama burada sorun istemiyorum."

"Seninle konuşabilir miyiz Jan? Scott hakkında?"

"Jack. Zamanlama diye bir şey duydun mu? Şimdi yapabiliyorsan partinin tadını çıkar. Belki sonra görüşürüz."

Gitti ve misafirlere karıştı. İhtiyacım olanı alamayınca, bütün ihtiyaçlarım içinde en son sıradakini aldım: Bir içki daha. Beyaz şaraptı sanırım, zaten böyle bir ortamda sirke olacak hali yoktu ya!

"Şampanya bitti" dedi birisi bana.

"Bitmiştir, bitmiştir" dedim kasvetle.

Farklı diller konuşuyormuşuz gibi aramızda geçen donuk diyalog, ortama ne denli yabancı olduğumun kristalleşmiş bir göstergesiydi. Oradaki etkinliğin bir parçası değildim. Sonradan eklenen önemsiz bir şeydim, eğlenceli metindeki eften püften bir dipnot gibi. Aldıkları keyfi benim için önemli olan konuya dönüştürmek amacıyla mekânda dolanıyordum.

Onların yerinde olsaydım beni dışarı atardım. Bu, hepimizi mahcup olmaktan kurtarırdı. İnsanlar birbirleriyle yüksek sesle konuşuyorlardı. Yeteri kadar keyifliydiler. Ama onların ev fiyatları, arabalar ve iş anlaşmalarıyla ilgili konuştuklarını duyduğumda bunun bir parti olmadığında karar kıldım. Bu bir açık artırmaydı. Bana saldıran saksıyı gördüm. Bir kadının dans teklifini geri çevirirken kibar olmayı başardım. Beni partner olarak istiyorsa, içki konusunda dikkatli olması adamakıllı tavsiye edilecek tek kişi ben değildim.

Bir bardak daha şarap alırken bu gecenin moralimi aniden çökerttiğini fark ettim. Ölümcül derecede burnu havada bu parti ile dışarıda, içinde gezindiğim kasvetli dünya arasında bir bağlantı kuramadım. Davy'nin piramitlerle ilgili düşüncesi geldi aklıma: yanlış, kişiye özel emniyet, inatçı egoların yetişme ortamını inşa etmek için harcanan onca hayat. Scott'ı, Bayan White'ı, Dan Scoular'ı, Drumchapel'deki Julian ile Marlene'i ve Melanie McHarg'ı düşündüm. Bir şekilde, onları bu partiye davet etmenin bir yolu olsun istedim. Maalesef, çevremdekilerle ilgili karışmış algım kendine bir yol buldu.

Çılgınlığımın vahşi bir mantığı vardı. Barry Murdoch ile kavgaya tutuşmamaya karar verdim. Fakirlerin kendi kendilerine nasıl sorun oluşturduklarını birbirlerine anlatan bir gruba nutuk atmamak için kendimi tutabildim. Çok zorlansam da, Jan'a benimle Scott hakkında konuşmasını istemekten çekindim. Ama bu nispeten küçük akıllıca manevralar, beni inatla mutlak bir ahmaklığa sürükledi, yapacağım bir hareketle partideki her bir kişiyi rencide eden bir yola.

Bu ilhamın nereden kaynaklandığını bilmiyorum. Ama aniden kendimi baş düşmanımla, para saksısıyla güreşirken buldum. En yakınımdakiler ilk önce şaşırdılar ama sonra hoşnut göründüler. Sanırım bir partide olabilecek doğaçlama bir kabare anına şahitlik ettiklerini düşündüler: Sarhoş kadının masaya çıkıp dans etmesi, bir şişeyi alnında dengede tutabileceğini göstermek isteyen adamın şovu gibi. Sarhoşluk, öfke anında olduğu gibi insana şaşırtıcı ölçüde güç verebiliyor. Her ikisi de benim takımın oyucularıydı o anda. Saksıyı yerden insanı sıçratan alaycı bir alkış eşliğinde alabildim. Saksı kucağımda bacaklarım yanlara doğru açılmış, cebelleşerek restoran bölümüne doğru yol alırken, insanlar geçmem için kenara çekilip yol veriyordu. İlginç bir merak konusu olmuştum. Partideki rolüm bu muydu? Zekice ve göze çarpan bir şey söyleyemeyince, dikkat çekmek için yaptığım şey bu mu olacaktı? Muhtemelen öyleydi. Yiyeceklerin olduğu masanın arkasından yönüm onlara doğru durduğum an, ortamda bir sessizlik oldu. Kimi keyifle, kimi şaşkın bir beklenti içinde beni izliyorlardı. Muhtemelen saksıdaki parayı, gözde bir hayır kurumuna bağışlayacağımı düşünüyorlardı. Sanırım bazısı bunun önceden hazırlanmış bir aksiyon olduğuna inanıyordu. Resmi bir konuşma bekliyor gibi görünüyorlardı. Ama benimki çok kısa bir konuşma olacaktı.

"Sizi aşağılık herifler!" diye bağırdım. "Alın parayı yiyin. Tadabildiğiniz tek lanet şey bu."

Dünyanın en büyük sığır burginyonunun içine dikkatli bir şekilde boşalttım saksıyı. Bunu yaparken saksıyı malzemenin eşit dağılmasını sağlamak istercesine özenle yemeğin üstünde gezdirdim. Saksının içindeki madeni paralar şıngırdayarak yahninin üstüne dökülüp içine batıyor ve anında yemekten ayırt edilemez oluyordu. Banknotlar havada dalgalanıp yemeğin yüzeyine kondu, sosyete yemekleri kapak yapan bir roman gibi. Elimde, içinde pastan başka bir şey kalmayan yardım saksısı, orada dikilmiş onlara bakıyordum.

Partidekilerden yayılan hayret sesleri, bir şaşkınlık vakumu oluşturdu. Buruk yüzlü, çok başlı bir yılan ile yüzleşiyordum. Çıkardıkları sesler bana karşı öfke hırlamalarıydı. Aralarında Barry Murdoch'un da olduğu beş altı kişi bana doğru yöneldiler. Gelmelerini istiyordum. Bana ilk ulaşan kişi şapka olarak metal bir saksı takacaktı kafasına.

"Durun!"

Sesin tizliği mekânı dondurdu.

"Hemen durun!"

Jan'ın sesiydi. Herkes olduğu yerde durmuş bekliyordu.

"Ona kimse dokunmayacak. Hiç kimse. Jack, şimdi git. Git!"

Kendi algım gibi boş olan saksıyı yere bıraktım.

"Betsy onu dışarı çıkar. Kimse ona dokunmasın. Kimse buna cüret etmesin."

Heykellerin arasından yürüyen biri gibi aralarından geçtim. Betsy beni dışarı çıkarıp arkamdan kapıyı kilitledi. Sokakta hafif yağmurda, parke taşlarının üstünde ayakta dikilmiştim. Yalnızca hoyrat anımda benimle olan, kötü bir arkadaş olan sarhoşluk, beni hemen terk etmişti. Gidecek bir yerim yok gibi hissediyordum. Bürünecek bir benliğim yok gibi hissediyordum. Kendi ihtişamlı davranışlarımla, kendimi harcamış gibi görünüyordum. Bir boşlukta durmuş, adeta o boşluğun bir parçası olmuştum. Yağmur benden daha gerçekti.

"Jack."

Sesin geldiği yeri bulmak biraz zaman aldı. Balkondan seslenen kişi Jan'dı. Onu görebildiğimi anlayınca aşağıya bir şey fırlattı. Ellerim kendiliğinden uzanıp tutuverdi. Plastik bir poşetti. Çok ağır değildi.

Orta yaşlı Romeo, balkona tırmanmana gerek yok ve aslında bunda bir mahzur da yok. Juliet orada durup ihtiyacın olan ve hatta ihtiyacın olmayan şeyleri aşağı atar nasıl olsa.

"Ne olur ne olmaz" dedi, "buraya geri gelmek için bir nedenin olduğunu sanmıyorsundur."

Dairesine döndü. Poşete baktım. Bazı elbiselerim vardı içinde. Belki de bana kim olduğumu söylüyorlardı: Tom Docherty'nin kişiye özel olağanüstü durum tayini. Beni, ruh halimin yönünü kaybetmiş vahşiliğimden alıp bana yaşamanın küçük uygulanabilir şeyler meselesi olduğunu hatırlattı. Durmak bir şey çözmüyor. Aksiyon lazım, hareket yetmez. Küçük uygulanabilir şeylere yeniden dönmek gerekiyordu. İlkiyle başlamaya karar verdim.

Bir taksiye binme zamanı.

yedinci bölüm

otuz dokuz

Ve yedinci günde dinlendim. Dünyayı tekrar kendi görüntünüze dönüştürmeye çalışmak çok yorucu.

Jan tarafından reddediliş paketi elimde, kendimi daireme atarken telefonum çalıyordu. Karanlıkta aceleyle hareket ederken ayağım bir şeye takıldı, küfrettim. Ben buradan ayrılırken orada değildi. Mobilyalar yokluğumda çiftleşiyor muydu? Telefonu açtım.

"Nerelerdesin?"

Güzel bir soruydu. Bunun için biraz düşünmem gerekecekti.

"Burada küçük bir parti veriyoruz. Senin onur misafiri olarak burada olman lazım."

Arayan Brian Harkness'tı. Sesi kasaba tellalı gibi geliyordu. Kulak mikrofonunu kulağıma değil kafama tutmak zorunda kalmıştım. Arkadan sevinç sesleri duyuluyordu.

"Jack? Sen misin? Ne yapıyorsun orada? Getaway'deyiz. Kapalı kapılar arkasında. Bizim grup. Marty bu gece harikaydı. Herkes seni soruyor. Bu sık olan bir şey değil. Bu fırsat kaçmadan faydalanmalısın. Çık gel buraya. Başardık, işi başardık. Mason, Brogan ve Walker. Arka defans için bu üçlüye ne dersin? İmzalandı, mühürlendi ve teslim edildi."

"Güzel."

"Matt Mason hâlâ inanamıyordur. Yüzünü görmen lazımdı. Onu dışarı çıkarırken daha önce hiç sokak görmemiş gibi bakıyordu. Sanki yaşadığı yeri tanımıyor gibiydi."

Betty Scoular'ın, kapısının eşiğinden gözlerini dikip baktığını düşündüm. Matt Mason'ın kendisine yabancılaşması kendi kabahatiydi.

"Öyleyse geliyor musun? Koca Ernie Milligan bile burada."

"Bu oradan uzak durmam için yeteri kadar iyi bir neden. Burada kendi küçük törenimi yapıyorum, Brian. Yine de teşekkürler."

"Bunu hayal edebiliyorum. Hadi ama Jack. Çık gel buraya."

"Bu gece olmaz. Yorgunum."

"İyi o zaman, dinle. Birlikte yemek sözümüz hâlâ geçerli. Bu hafta. Morag seni uyardığını söylüyor. Hiçbir bahaneyi kabul etmeyecek."

"Hiçbir bahane sunmayacağım. Ben de dört gözle bekliyorum."

"Bob ile Margaret de gelecekler. Güzel bir gece olacak. Dinle. Jack. Sen iyi misin?"

"Nasıl yani?"

"Yani endişelerinden kurtuldun mu?"

"Ha, sanırım öyle. Ama nasıl kurtulduğumdan ben de emin değilim. Ama bir şekilde kurtuldum."

"Acayip yerlere seyahatlerin yok mu daha? Arabaya ihtiyacım var da."

"Pazartesi görüşürüz."

"Tamam. Kendine iyi bak."

"İyi eğlenceler."

"Ha! Jack. Bob Lilley senin en iyisi olduğunu söylüyor. Elinde hiç malzeme olmadan da çözüm üretebilirmişsin."

Ama denilene göre tamircinin çocuğu en kötü ayakkabıyı giyermiş. Kendi hayatımdaki sorunları çözemiyordum. Lambayı açınca takıldığım şeyin valizim olduğunu gördüm. Bunları evime getirdiği için Brian'a teşekkür etmemiştim. Scott'ın iki tablosu duvara dayalı duruyordu. Ne yazık ki azalmış olan Antiquary, büfede David Ewart'ın atölyesinden aldığım yeşil küllüğün yanında duruyordu.

David'e idealizmin ölümünün, Michael Preston versiyonunu vermek isterdim. Bunu ona borçlu olduğumu hissediyordum. Ama öte yandan onlarınki bir suçtu. Ve buna karışanlardan bir kısmı hâlâ hayattaydı. David Ewart'a anlatacaksam eğer faili meçhul bir durum olarak anlatacaktım, suçluları korumak için isimleri zikretmemem gerekirdi.

En azından bugün ilerleyen saatlerde Betty Scoular'a telefon açabilirdim. Dan Scoular'ın ölümünün bedeli ödenecekti. Yattığı yerde rahat uyumasına yardımı dokunacak ve böylece kendi hayatına devam edebilecekti. Öyle olmasını umuyordum. Bu dünyanın onun gibi kadınlara, tam güçlü halleriyle ihtiyacı var, kendilerine yıkılan haksız yaralarla dermansız bir halde değil. Hızlı Frankie White'a da telefon açabilirim. Şu anda kendi göçebe, kırılgan benlik duygusuna iç rahatlığı verecek her şeyi hak ediyordu. Annesinin acısız bir şekilde bu dünyadan ayrılacak bir yol bulduğunu ümit ediyordum. Kibar ve solgun elinin, elimde bıraktığı duyguyu halen hissediyordum. Melanie'nin de iyi olmasını temenni ediyordum. En azından ses kaydını kullanmak zorunda kalmamıştık.

Perdeleri çektim. Ev böylece daha az kasvetli göründü. Ruh halimi değiştirmedi ama yalnızlığımın gözünü bağladı, böylece kendini kıyaslayacak bir şey kalmadı. Jan'ın bana verdiği naylon poşeti açtım. İki gömlek, bir çift iç çamaşırı ve sonra da üç çorap çıktı içinden. Yıkanmamışlardı. Çamaşır torbasından öfkeyle çekiştirdiğini hayal edebiliyordum. İçeride kalan, huzur bozucu çorabın tekini buruk bir gülümsemeyle düşündüm. Ayrılık hiçbir zaman kolay değildir. Diğerine ait bir şey, isteğiniz dışında orada kalacaktır. Ama bu durumda çok uzun süreceğini sanmıyordum. Poşette hâlâ bir şeyler vardı. Elimiz uzatıp sigara paketini çıkardım. Paketi açtım. İçinde üç tane sigara vardı. Bu davranışın güdüklüğünde Jan'ın benden kopuşunun finalini gördüm. Belki süreci tamamlamak için evini arındıracaktı.

İçerisi soğuktu. Gaz ocağını yaktım. Valizimi açtım, yıkanmayacak elbiseleri bir kenara koydum. Sonra yıkanacakları alıp çamaşır makinesine attım. Bazı duygusal nedenlerle, gözden geçirme gereği duymadan eski çorabı da içine attım. Sanırım kendimi Beyaz Atlı Prens'in utanç verici bir türü olarak hayal ediyordum. Olur da prensi bir daha biriyle eşleştirecek olursam, gerçek aşkıyla olacak bu. Kendi motivasyonumdan saklanmama şaşmamak lazım. Lavabonun altından çamaşır tozunu alıp makinenin beyaz plastik gözünü doldurdum. Makinenin kapağını kapatıp çalıştırdım. Sessiz ortamda birden ortaya çıkan sesin şokuyla pazar gününün erken saatleri olduğunu hatırladım. Kendime kızarak hemen makineyi durdurdum. Mutfakta ayakta dikilmiş, yalnız yaşamanın bana yaptıkları konusunda endişelenmeye başlamıştım. Belki kişisel dürtü ve zorunluklarımın zaman ölçeğindeki varoluşumu sonlandırmam gerekecekti artık.

Şimdi,hemen,yıkama,işini,yapmalıyım dürtümden kurtulup beni bekleyen bir başka dürtüyü bulmak için oturma odasına geçtim. Scott'ın tablolarını asmam gerekiyordu. Ev işlerinde maharet, kişiliğimin etkileyici yönlerinden olmadığından, bir çekiç bulmak yirmi dakikamı aldı. Evi kiralarken çocukların fotoğraflarını bıraktığım yatak odasından iki tane resim kancası aldım. Başka kancalar satın alınca çocukların saygısızlığa uğramış alanlarını tekrar onarabilirdim. Çivileri kaçamak ve aralıklarla çakarak yemekteki beş kişi tablosunu şöminenin üstüne, "İskoçya" tablosunu da karşı duvara astım.

Antiquary şişesinde iki içimlik viski kalmıştı. Bir bardağa koyup mutfakta sulandırdım ve odaya geri döndüm. İçerisi şimdi çok soğuk değildi. Ceketimi bir sandalyenin arkasına astım, elimde viskimle ateşin yanına oturdum. Bir yudum alıp tablodaki beş adama baktım. Scott, Sandy Blake, Dave Lyons, Michael Preston. Ve hâlâ tanımlanamayan kişi. Paltonun rengi bile kesin değildi.

"Kahverengiydi, hatırladığım kadarıyla."

Suçluluk duygumuzu bile kendi ihtiyacımızın gerektirdiği şekle sokuyoruz. Scott kendisininkini şekle sokmak için uzun bir zaman harcamıştı. Sonunda bununla yüz yüze gelmiştim.

"Kahverengiydi, hatırladığım kadarıyla."

Michael Preston'un sesi, birlikte yapılan bir işin bile bizi birbirimizden nasıl ayırdığını görmemi sağlamıştı. O gün evde David Ewart'la yapılan hazırlıksız parti, kafasında net olarak kalmıştı ve hâlâ onu tedirgin ediyordu ama Scott'ı rahatsız ettiği kadar değil. Dave Lyons'u düşündüm. Onu rahatsız eden bir şey var mıydı? Güney Afrika'daki Sandy Blake'i düşündüm. Belki de onun için suçluluk duygusu coğrafi bir şeydi.

"O gece sarhoş olduk" dedi Michael Preston. "Sonuç olarak bir kutlamaydı. Üçümüz mezun olmuştuk. Sandy'nin okulu bitirmek için daha zamanı vardı. Ama bize veda ediyordu. Genç olduğunuz ve olasılıkları düşündüğünüz o gecelerden biriydi. Ne demek istediğimi anlıyor musun? O bar senin bu bar benim gezmeye başladık. Köylüleri ziyaret eden, yeni asiller gibi hissediyorduk kendimizi sanırım. O zaman hepimiz kendimizi çok güçlü görüyorduk. Ufkumuzun bir sınırı yoktu. Ben yazar olacağımı söylerken iddiasız olmadığımı hatırlıyorum. Scott resim, Dave Lyons ise bilimsel değeri olan bir şey yapacaktı. Sandy'nin ne yapmak istediğini hatırlamıyorum. Belki de kansere çare bulacaktı. Şimdi bütün yazdığım, oturma odasında zaman geçirmeye yarayacak birkaç televizyon programı için pek bir önemi olmayan yorumlar."

Cam kâğıt tutucuyu kaldırıp ters çevirdi, sonra tekrar yerine bıraktı. Camın içindeki suni kar fırtınasının yumuşak bir şekilde minyatür evin üstüne düşüşünü izledik. Hepsi dibe çökünceye kadar gözlerini ayırmadı.

"Bazen düşünüyorum da ben de şu evde yaşıyor olabilirdim" dedi. "Kariyerime hava geçirmez bir şekilde kapatılarak. O gece Scott'ın hepimizi sisteme direnme konusunda uyardığını hatırlıyorum. Çok azla yetinme kaygısı vardı. Bu sadece bir başlangıç diyordu. Önemli olanla, nereden geldiğimizle ilişkilendirmedikçe, hepsi anlamsız olacaktı. Hepimizin geçmişi, işçi sınıfına dayanıyordu. Bize verilen şans diğerlerini himaye etmek içindir, dedi. Sahip olduğumuz bütün yetenekler sokaktaki adama aitti. Her birimiz onunla yeniden bağlantı kurarak kendi yolumuzu bulmalıydık. Onu bulup ona tüm hünerimizi gösterecek, o da onları nasıl kullanacağımızı bize öğretecekti. Onsuz öğrendiğimiz her şey faydasızdı. O zaman için iyi bir konuşmaydı."

Yanındaki rafta dosya mandalıyla tutturulmuş bazı dosyalarda dolaştırdı elini. Her birinin arkasında keçeli kalemle bir şeyler yazılmıştı. Sanırım kendisiyle ilgili projelerin başlıkları yazılıydı ama okuyamıyordum.

"Sana doğrusunu söyleyeyim" dedi. "O konuşmanın iyi olduğunu düşünüyorum hâlâ. Bunlar..." İşaretparmağıyla dosyaları gösterdi. "Bunlar Preston Sözlüğü. Anlamsızlığın eşanlamı olan kişisel bir sözlük. Yaşadıkça Scott'ın o gece haklı olduğunu daha çok düşünüyorum. Keşke öyle düşünmeseydim."

Bana baktı; bu dilekteki derinliğin, çaresizliğiyle aynı oranda olduğunu gözlerinde gördüğümü sandım.

"O gece bardan çıktık" dedi. "Sonuncusundan kapanış zamanında kovulmuştuk. Şiddetli bir yağmur yağıyordu. Bardaktan boşanırcasına. İçinde bulunduğumuz duygu coşkunluğuna uymadığından, yağışlı hava neredeyse gücümüze gitmişti. Kapı eşiklerinde zıplama totemi yaptık. Bunu başaracağımıza kendimizi inandırdık. Bir antlaşma gibi. Havaya Kral Lear tonuyla hitap ettik. Aklını başına almasını söyledik. Aramızda oluşturduğumuz duygunun durmasını istemiyorduk. Geceye, içimizde hissettiğimiz ihtişama uyacak bir nokta koymak için bir sokak gösterisi yapıyorduk. Sonra en son kapı eşiğinde biri bir araba gördü. İlk kimin gördüğünü bilmiyorum. Bütün hatırladığım, orada arabayla ilgili konuşuyorduk. Eski model bir A40'tı, oldukça yıpranmıştı. Sokağın karşı tarafında park halindeydi. Çevremizdeki binalarda herhangi bir ışık yoktu."

Arabayı çalmaya karar vermişler.

"Bir grup kararıydı, sanırım. Kendi zekice katkımı hatırlıyorum. Dedim ki, 'Sahiplenmek hırsızlıktır. Sonra terk etmek şartıyla çalalım.' Düşüncemiz arabayı eve yakın bir yere götürüp orada bırakmaktı. Bir zarar vermeden. İzimizi sürüp evi bulsalar bile, ertesi gün orada olmayacaktık. Sadece bir araba gezintisi olacaktı."

Arabayı açıp içine girmek kolay olmuş. Dave Lyons kabloları bağlamış. Arabayı alıp gitmişler. Hikâyenin bu noktasına gelince, Michael Preston elini kaldırıp soru sormamı engelledi.

"Arabayı hep beraber kullanıyorduk" dedi. "Bundan daha detaylı bir açıklama yapmamı isteme. Aynı ruh halini paylaşan bir gruptuk. Bazen olur ya. Arabayı hepimiz çaldık. Sonra kendi aramızda bu mutabakata vardık. Ben hâlâ öyle olduğunu düşünüyorum. Scott'ın da öyle düşündüğünü biliyorum. Direksiyonda bir çift el olabilir. Ama arkasında dört kişinin amacı vardı. Bu sözümüzden dönüş yok."

Şüpheci bakışımı gördü ama bu konuda geri adım atmadı. Nefret ettiği bir şeyle bu kadar uzun bir süre yaşamasını sağlayan gücü gördüm. Yaralar bazen kalıcı bir iz bırakarak iyileşir.

"Ben oradaydım" dedi. "Ortak deliliğimizi hatırlıyorum. Sanırım buna kibir deniliyor. Bizim için sadece bir araba değildi. Bir ego makinesiydi. Üstünde gittiğimiz sadece bir yol değildi. Gittiğimiz yere, olacağımız şeye götüren, bizim yolumuzdu. Hepimiz bağırarak talimatlar veriyorduk. Yer isimleri söylüyorduk. 'Bizi liderimize götür.' 'Sonraki durak: dünyanın anlamı.' 'Beni bir sonraki gezegende indir.' 'Kendini gerçekleştirme, işte geldik burası.' Bu tür saçmalıklar. Arabanın içi bizim deliliğimizle bulanık bir hal almıştı. Dışarıda arabayı döven yağmur bizi duymuyordu. Ve sonra olan oldu. Tanrım, nereden çıktı bilmiyorum. Bana sanki hiçlikten ortaya çıktı gibi geldi. O anda arabanın far ışıkları önünde doğup, hemen büyümüş de olabilirdi. Sanki darbeyle ortaya çıktı, başka bir taraftan değil. Havada küçük bir şekildi. İkarus gibi. Tek fark bizim kibirli aşağılık herifler oluşumuzdu. Suç onun üstüne kaldı. Arabayı durdurduk. Gördüğüm en gürültülü yağmur. Veya hayatım boyunca duymak istemeyeceğim. Bir şelalenin altında yaşamak gibi. Hiçbir zaman durmayacağını bildiğin. Hayatının geri kalanı boyunca kulaklarında sesini duyarak yaşayacağın bir yağmur."

Kâğıt bıçağı görevini gören hançeri kaldırdı, yüzü o kadar sıkkın ve kasvetliydi ki onu kendi üzerinde kullanmayı düşünüyor olabilirdi. Sanki yağmurun sesini hâlâ dinliyormuş gibi bir süre öylece durdu. Bana baktı.

"Senin yeşil paltolu adamın oydu" dedi. "Paltonun yeşil olmayışı dışında. Hatırladığım kadarıyla kahverengiydi. Ama belki de sadece yağmurdan öyle görünüyordu. Kaldırımın üstünde boylu boyunca yatıyordu. Gördüğüm en durgun şeydi. Saçları seyrelmişti. Normalde dikkat çekecek bir yüz değildi. Hani bir yerdeki sayıyı tamamlamak için var olan kişilerden biriydi o. Binlerce bar sahnesindeki rastgele bir tip. Yani herkes olabilirdi. Korkutucu bir aksilik olarak, orada öylece duruyordu. Birçok kâbusun şekillenmiş haliydi. Sandy Blake onu kontrol etti. Ölmemişti. Ama ölmek üzere olduğunu, onu kurtarmanın bir yolu olmadığını söyledi. Adamı sokakta bulmuştuk, tamam. Ve onu öldüren biziz gibi görünüyordu."

Birini öldürdüğüm rüyasını çok defa görmüşümdür. Gördüğüm en korkunç rüyalardı. Sanırım rüyanın dehşeti, yaptığın şeyden dönememe duygusu. Geriye dönüşü olmayan bir yerdesindir. Hiçbir zaman olmak istemediğin bir insan olmuşsundur ve sonsuza kadar da o insan olarak kalacaksındır. Terler içinde uyandığında tarif edilemez bir rahatlama yaşarsın. Hiç uyanamamanın nasıl olacağını hayal etmeye çalıştım.

"Kan, sadece" dedi, "yere çarpan kafasının arka tarafından geliyordu. Sandy'yi ikna etmeye çalıştık. Ama nabzının zayıfladığını söyledi. Birbirimize fısıldayarak feryat ediyorduk. Ve yağmurun sesi her şeyi bastırıyordu. Dehşet; insanlar onun hakkında çok gevşek konuşur. Dehşet işte oydu. Hayatının uzun, uzun bir rastlantı anında donduğunu düşün. Buzunu çözmek için hareket etmen lazım. Ve hareket etmekten ödün kopuyor. Çünkü gidebileceğin iki yol var sadece. Ve her ikisi de düşünebileceğin her şeyden daha kötü. Onu alıp götürebilirsin ama zaten ölecek. Ve sen araba kullanan sarhoş aşağılık bir herif olarak adamın katili olacaksın. Hayatın başlamadan bitecek. Veya onu orada bırakıp gidebilirsin. Ve belki hiçbir zaman senden başkası bilmeyecek. Ama hayatının geri kalanı, masum bir insanı yağmur altında ölüme terk etmen üzerine şekillenecek. Kendimiz için iyi olanı seçtik. Hoşuna gitti mi?"

Bir şey demedim. Acı gülümsemesi yüzünde bir yara izi gibiydi.

"Biz seçimimizi yaptık" dedi. "Veya yaşadığımız panik bizim adımıza seçim yaptı. Orada beklediğimiz sürece yakalanma ihtimalimiz artacaktı. Başka seçenek yoktu. Scott ağlıyordu. Onu arabaya bindirmek için neredeyse boğuşmak zorunda kaldık. Arabayla oradan uzaklaştık. Adamı orada bıraktık. Onu orada bıraktık. Onu orada bıraktık. Hepimiz için adam hâlâ orada sanırım. Zavallı Scott dışında. Sonunda, o görüntüden kurtuldu. Arabayı bir yerlerde bırakıp eve geri döndük."

Gözlerini ileriye dikmiş, öylece duruyordu. Sesi kalbindeki ıstırapla öğrendiği bir metni tekrarlıyorcasına söndü.

"Üniversiteye gittin mi bilmiyorum. Yazın başında mezun olduğumu sanmıştım. Ama gerçek mezuniyetim o yağmurlu gecede olmuştu. Kim olduğumu görmüştüm. Ve olduğum kişiyi sevmemiştim. Hiçbir zaman da sevemedim. Arkadaşlarımın harika zekâlarıyla uğraşmayı severdim. Tartıştığımız ahlaki sorular. Sonra aniden bir gece o konular gerçek olarak karşımıza çıktı. O soruları birebir yaşıyorduk. Seminer mi? O gece bir seminer mi vardı? Aydınlıktan söz ediyorduk ama onu hiç bulduk mu bilemiyorum. Scott hâlâ oraya dönmek istiyordu. Teslim olmamız gerektiğini söylüyordu. Ben de onun gibi düşünüyordum. Dave ve Sandy buna karşı çıktı. Bununla nasıl yaşayabileceğimi bilemiyordum. Hâlâ bilemiyorum. Ama yaşadım. En sonunda yapabileceğimiz bir şey olmadığına, bununla yaşamak zorunda olduğumuza beni ikna eden kişi Dave'di. Hepimizin belli yetenekler edindiğimizi söyledi. Öldürdüğümüz adama saygımızı göstermenin en geçerli yolunun bu yeteneklerin gereğini yapmak olduğunu söyledi. Bunun dışındaki her şey anti-hayattı. Teslim olursak ahlaki bir ders için kendimizi mahvedecektik. Bunun kime ne faydası olacaktı? Ölü bir insanı geri getirmeyecekti. Sadece hayatlarımızı harcamış ve sahip olduğumuz yetenekleri gömmüş olacaktık. Korkunç ve geri alınması mümkün olmayan bir şey olmuştu. Ya amaçsız bir şey için kendimizi kurban edecek ya da onunla yaşayacak gücü bulacak, yaşamımızın gereklerini en iyi şekilde yerine getirecektik. Bire karşı üçtük. Ama dört olmamız gerekiyordu. Scott bizi de bulaştırmadan sadece kendisini teslim edemezdi. Bu olayda vicdanı sadece kendisine ait değildi. Ya hep, ya hiçti. İşte bu, tablolarını parçalayıp kitaplarını yırttığı zamandı. Yapmasına izin verdik. Çünkü sanırım bu yaptığının ne anlama geldiğini biliyorduk. Kendine olan inancını kaybettiğini gösteriyordu. Ve bu inanç olmadan yaşamanın bir yolunu bulması gerekecekti. Hepimizin ihtiyacı olan şey buydu."

Kapı çaldı, karısı Bev içeri baktı. Onu görünce yüzünü kaplayan yumuşak ifade dikkate değerdi. Anlattığı kasvetli şeyleri gizlemek için yapılan bir refleks değildi. Düşünmeden yapılan bir sevgi gösterisiydi.

"Siz iki kocakarı" dedi. "Size kahve yaptım."

İçinde bisküvi ve kahve olan bir tepsi getirdi.

"Umarım bu seni sıkmıyordur" dedi bana.

"Asla" dedim.

Tepsiyi bırakırken Michael elini yavaşça onun beline koydu. Sevginin içgüdüsel bir ifadesiydi.

"Bütün fıkralarını anlatma" dedi ona. "Akşama parti var."

"Seninkilerden biraz aşırırım" dedi.

"O zaman ben de can alıcı noktalarını önceden anlatırım."

Odadan çıktı. Kapı kapanınca kafasını salladı.

"O benim hayatım" dedi. "On sumo güreşçisinden daha güçlü bir ruhu var. Bu anlattığımı o da biliyor. Ama sana anlattığımdan haberi yok. Ona yarın anlatacağım. Bu parti onun için önemli. Doğrusu sana bunları anlatmazdım. Eğer Scott ölmemiş olsaydı. Ölümü benim için çok şey değiştirdi."

Bisküvileri bana doğru itti, kahvesini yudumladı.

"İlginç, değil mi?" dedi. "Eşyanın doğasındaki çift anlamlılık. Hayatımın maskaralığından dem vurup bir yandan da kahvemi yudumlayabilirim. Bir koltuğa kurulmak gibi suçluluk duygumun üstüne oturabilirim. Tuhaf şeyleriz biz. Bazen hayatlarımızın imkânsızla yapılan bir anlaşma olduğunu düşünürüm. Eğer birlikte yaşayacaksak, bu anlaşmayı imzalamamız gerekir. Ama çoğumuz bu anlaşmanın şartlarını yerine getiremeyeceğimizi biliriz. Onun için kendimizle ilgili özel cümleleri küçük harflerle yazarız. Ve kimseye bundan söz etmeyiz. Sadece en iyilerimiz anlaşmaya sadık kalmaya çalışır. Ve bunun için gösterdikleri çaba genellikle onları mahveder. Scott gibi. Dördümüzü düşün. O sabah oradan ayrılırken bir anlaşmaya varmıştık. Ama adil olmayan bir anlaşmaydı. En iyimizin, en kötü olanın şartlarına sadık kalmasını zorlayan bir anlaşmaydı. Scott'ın doğasına, son nefesine kadar dürüstlüğü takip etme idealizmine tersti. Onun için bir idam kararıydı bu. Diğer adamı öldürdüğümüz gibi Scott'ı da öldürmüştük. Bunu düşün. Ben düşündüm. Bunu çok düşündüm. Dave bunu atlatacaktı. Başka ne yapacaktı ki? Zaten bunun için doğmuştu. Sandy mi? Dünya üstünde dinozorlar gibi dolanan insanlar vardır. Evrimden haberleri yoktur. Yiyip, sıçıp, yatarlar. Fırsatını bulunca çiftleşirler. Bunların hepsini yapmaya devam edebildikleri sürece bir sorun olduğunu düşünmezler. İşte bu Sandy'dir. Ona kızmıyorum. Ona acıyorum. Bana gelince, sanırım hayatımı Bev kurtardı. Bir parçamın bozulmadan kaldığına inanmamı sağladı. Ama hepimiz adına acıyı sırtlayan kişi Scott oldu."

Bana baktı. "Üzgünüm" dedi.

Çift anlamlılık konusunda haklıydı. Hayatınızın anlamını sonsuza dek değiştiren bir haber duyduğunuzda ne yaparsınız? Kahvenizi bitirirsiniz. Duyduğunuz şeyin büyüklüğüyle uyuşan derin ifadeler kullanmazsınız. Babasına çarpıp ölümüne neden olan arabanın rengini merak eden anlayışı kıt bir çocuk gibi tuhaf, yüzeysel bir soru sorabilirsiniz ama.

"Ona neden yeşil paltolu dediği hakkında bir fikrin var mı?" dedim. "Paltosunun kahverengi olduğunu söyledin. Scott neden böyle bir şey yaptı?"

"Sanırım biliyorum" dedi. "Bilmem gerekir. Bir yönüyle hayatım boyunca çalıştığım şey buydu, değil mi? Suçluluk duygusunun yöntembilimi. Hepimizin bununla nasıl başa çıktığını düşündüm. Tam anlamıyla görüşmeye devam etmedik. Kim riyakârlığını her gün karşısındakinin yüzünde görmeye ihtiyaç duyar ki? Buna rağmen Dave, Scott'a yakın durmaya çalıştı. Onu takip ediyordu. Bir yalan zincirinde en zayıf halka her zaman dürüstlüktür. Ama onlarınki arkadaşlık değildi. Ona nezaret ediyordu."

Dave Lyons'un Anna ile olan ilişkisini düşündüm. Bu da nezaretin bir parçası olarak mı başlamıştı? Scott'ın eşiyle aşk yaşayarak, kendini soktuğu tehlikeli durumu fark ettim. Scott bunu bilseydi, anlaşmayı bozup olanları açıklamasına bundan daha iyi bir neden olabilir miydi? Dave Lyons neden böyle bir şeye kalkıştı? Kendini bundan alıkoyamadı mı? Bu durumdaki büyük tehlike miydi onun ilgisini çeken? Scott ölmeseydi bu ilişki gizli kalmaya devam edecek miydi? İkiyüzlülüğümüzün kesinliği bile şüphelerimizi çoğaltır.

"Sandy" dedi. "Onu bir tür ahlaki aptal olarak görüyorum. Başkalarını algılama gibi bir derdi yoktur. O sadece kendisi için vardır. Onun için bu durum bilinmediği sürece, sorunun ciddi bir anlamı yoktur. Ama Dave farklı. Tuhaf bir şekilde sonradan ortaya çıkan gücünü o olaydan aldığını düşünüyorum. En kötü yerde bulunmuş ve orada hayatta kalmıştı. Eğer hayat onu orada alt edemediyse, ona başka ne yapabilirdi ki? Bir gizem bulmuştu. İşlerin işleyişiyle ilgili. Onun için intikam melekleri yoktur. Adalet yoktur. Sadece kanunlar vardır. Onlardan kaçabildiğin sürece özgürsündür. Uğraşman gereken tek şey, kafanın içinde. Dave bunu rahatlıkla yapabilirdi. Ve ben nedenini görebiliyordum. Onun kafasıyla düşünmeye çalıştım. Hayal edebildiğim herkesin kafasıyla düşünmeye çalıştım. Kafasında bunu nasıl çözdüğü hakkında ne düşündüğümü biliyor musun? Bir düşün bakalım. Kanunları delebilme gerçeği bu kanunların aslında ne kadar anlamsız olduğunu ispatlıyor. Sadece yakayı ele verenler için geçerli bir dizi kural. Ve kanunlarla dalga geçerek büyürsen, bunu yapabilen tek kişinin kendin olduğunu düşünmek biraz kendini beğenmişlik olur. Öyle değil mi? Dave kendi suçluluk duygusunun daha başka birçok insana ait olduğunu da biliyordu. Bu oyunun doğası böyleydi. Bu onun için bir buluştu. Kendi kişisel atomunu bölmek gibiydi. Eşyanın, olayların yapısını çözmüştü. Riyakârlık onun için bir zayıflık değil, bir güç kaynağı oldu. Toplumsal açıdan ölüm anlamına gelmiyordu. Kariyeri için bir can suyuydu. Bu kadar başarılı olmasına şaşmamak lazım. Düşününce gerçekten basit olduğunu görebiliyorsun. Kötünün limitsiz kapasitesi vardır. İyi sınırlıdır. Riyakâr görünüşlü iyilik onu sınırlamıştır. Riyakârlığın dışarıdan içerisi görülebilen, uyumlu bir yapısı vardır. İçeride ise her şeyi yapmaya olanak sağlayan, yeraltı geçişleri vardır. İşte Dave budur. Ben mi?"

Masasına baktı. Gülümsedi. Mahcup ve kırılgan bir gülümsemeydi, keyiften daha çok acıyla kaplanmış bir maske gibi.

"Buna gülmezsin umarım" dedi. "Benim bu olayla yapmaya çalıştığım şey, olabildiğim kadar iyi bir insan olmaya çalışmaktı. Bev hayatımın anlamı oldu. O ve çocuklar. Her şeyin onlar için doğru olmasını istedim. Bunun da ötesinde herkese elimden gelenin en iyisini yapmak. Hepsi bu. Ev, her şey Bev'in adına. Mülk edinme korkum var. Burada bana ait olan her şeyi Bev almıştır. Her yıl, hayır kurumları için yapabildiğim kadar bir kenara koyarım. O geceden sonra bilerek hiç kimseyi aldatmadım. Bev'e asla sadakatsizlik yapmadım. Acınası bir haldeyim değil mi? Bunların bir şey değiştireceğini sanmak. Çünkü hâlâ o olayın bir suç ortağıyım. Ve o olay oldu. Burası teknik olarak Bev'in evi olabilir ama içinde son derece rahat yaşıyorum, değil mi? Burası hâlâ o adamın kemikleri üstüne inşa edilmiş bir ev. Onu ne kadar beyazlaştırmaya çalışırsam çalışayım, hayatım bir yalan olmaya devam ediyor."

Gözlerini bana dikti. Gözlerinde yakaladığım anlam şuydu sanırım: Beni istediğin kadar acımasızca yargıla, ben sadece senin acımasızlığına katkıda bulunabilirim.

"Scott" dedi. "Biliyorsun işte, değil mi? Dünyada en acınası insanlar kimlerdir? Bana göre başarısız olan idealistler. Scott'ın onlardan biri olmasını biz sağladık. Ama idealizmini öldürmüş olamazdık. Biz onu sadece kanser yaptık. Onu içinde tutmaya devam etti ama garip bir tümöre dönüştü. Olayı geri döndürememesi ve bunu itiraf edememesi, onu hayatındaki en önemli şey yaptı. Öldürdüğümüz adam, toplumsallaşmanın kurbanı olan herkesi, topluma uymak adına kaybettiğimiz doğallığımızın bütünlüğünü temsil ediyordu. Sanırım bunun için ona yeşil paltolu adını verdi. Sanırım onu doğal bir insan olarak gördü. Scott'ın ihtiyacına cevap vermek adına o yalnızca arabayla çarpıp öldürdüğümüz bir adam olmazdı. Benim için Scott budur, doğrusu. Ama yaşam tarzımla doğruya Scott'tan daha yakın olduğumu söylemeye ne haddim var? Scott için sanırım o adam, öldürdüğümüz kendi parçamızdı. Hayatımıza devam edebilmek için diğer insanların olduğumuzu sandıkları rolleri oynuyorduk. Sana bir şey göstereceğim."

Masasının üst çekmecelerinden birisini açtı. Bu kadar rahatlıkla ulaşabileceği bir yerde tuttuğuna göre, bana göstereceği şeyin onun için bir anlamı olmalıydı. Üstünde el yazısıyla yazılmış bir mesaj olan bir kartpostal. Bana uzattı.

"Scott bana birkaç ay önce göndermişti."

Yavaşça okudum.

"Ne demek istediğimi görüyor musun?" dedi.

"Sanırım" dedim.

"Sende kalabilir" dedi. "Bir kanıt. Ha?"

Cebime koydum. Artık biliyordum. En azından gerçekler zihnimdeydi artık. Yüreğime ulaşması biraz zaman alabilirdi. Ama hâlâ tatmin olmamış sezgim ısrar ediyordu, bir elin istemsiz olarak cesedin saçlarını düzeltmesi gibi.

"Arabayı kim kullanıyordu?"

"Bunu söyleyemem" dedi.

"Scott mı?"

Yere baktı, sonra da bana.

"Bak. Kardeşin olduğu ve öldüğü için sana söyleyeceğim. Kullanan Scott değildi. Ama hepsi bu. Diğer üçümüz kullanıyorduk. Tamam mı? Anlaşma anlaşmadır. Şartları ne kadar aptalca olsa da. Onursuzluk içinde bir onur. Benden artakalan sadece bu. Zaten bu şekliyle hepimizi uçurman için yeterli, sanırım. Artık sana kalmış. Hayatımın ışığı ne zaman sönecek bilmeden, bugün partide oturacağım. Bu düşünceyle yaşayabilirim. O olayla yaşadığım gibi bununla da yaşayabilirim. Belki de bir parçam bunu yapmanı istiyor. Sanırım sadece Bev ve çocuklar için endişelenirim. Dave ve Sandy ile kötü bir inancı paylaştım. Ama Scott ölünce benim için şartlar değişti. Sen de ortaya çıkınca, bunları sana anlatmam gerektiğini biliyordum. Scott'ın hatırı için. Bunu hak ediyordu. Ben sana anlattım. Sen bununla istediğini yapabilirsin."

Korkarım benim de yapacağım şey sadece buna katlanmak olacaktı. Bu gece erken saatlerde amaçsızca dolaşırken Dan Scoular'ın ölümü gibi bu davayı da mahkemeye götürebileceğimi düşünmüştüm. Ama ne için? Ne elde edecektik? Tanımadığımız bir ailenin yeniden canlanan acısını mı, olay olduğunda faillerin bile kim olduğunu bilmeyen akrabalarının perişan olan hayatlarını mı? Ortadan kaldırmamız gereken kederler olduğu gibi katlanmamız gereken kederler de vardır. Bu temize çıkarılabilecek bir suç değildi. Bütün yapabileceğim, kendi payıma düşeni almaktı. Bu sırrı içime attım.

Ama kendi şartlarımla yaşayacaktım bu acıyı. Dave Lyons kazanmayacaktı. Bu olmamalı. Bir şeye göz yummanın yanı sıra, kendi kabiliyetlerimizle ona ihanet etmek için yapabileceğimiz şeyler de vardır. Ölünceye kadar onunla çatışabiliriz, Scott'ın kendi yöntemiyle yaptığı gibi.

Scott'ı bir bütün olarak görmeye çalışarak, onu bir daha düşündüm. İçimde yeni başlangıçların heyecanını ve geldikleri sonun pişmanlığını duymak gibi tekrarlayan bir eğilim olduğunu görüyordum. Sebep olduğu acı, hayata yalancı şahitlik etmesiydi. Hayatın özünün, beklentilerimizi boşa çıkarmakta değil, uzaktan tadını çıkarmakta olduğunu düşünüyordum. Hayat savurgan bir annedir. Elindekileri size bir kere verdi mi, sizin adınıza bir sigorta poliçesi öngörüp yaptırmadığı için yakınmanız nankörlük olur. Sadece teşekkür edersiniz.

Ben de öyle yaptım. Scott benim kardeşimdi ve bundan gurur duyuyordum. Güçlü ve nazik olduğunda onu sevdiğim kadar, öfkesinde, zayıflığında ve ölümündeki ahmaklığında da onu severdim. Onun yadsınacak bir tarafı yoktu benim için.

Mezarından bana gönderdiği son hediye, muhtemelen içimdeki karanlığı görmemi sağlamasıydı. Kim olduğum konusuna doğru bir kaygıyla bakmayı öğretti bana. Onun hayatının karanlıkta kalan yerlerini anlamaya çalışırken kendi hayatımdaki karanlıkları daha derinlemesine gördüm. Onun mücadele ettiği, insanları yağmalayan canavar, kontluğumun altında uyuyormuş. Onunla adil yaşam sürmeye çalışacak ve öğrenecektim.

Viskimi bitirdim. Ayağa kalktım, Antiquary'nin içinde kalan son viskiyi de bardağıma boşalttım. Boş şişeyi oturma odasındaki dolaba bıraktım. Benim için önemli olan bazı şeyleri hatıra olarak koyduğum yerdi orası. Hepsi de oldukça değersiz, benimle beraber çöpe atılacak şeylerdi. Ama bana önemli olduğuna inandığım bazı şeyleri hatırlatmaya yarıyorlardı.

İçkime mutfakta su ekledim ve odaya geri döndüm. Scott'ın Michael Preston'a yazdığı kartı hatırladım. Onu cebimden çıkarıp yemekteki beş kişi tablosunun kenarına sıkıştırdım. Oturdum. Bugün ilerleyen saatlerde çocuklarımı görecektim. Onlara tekrar iyi bir baba olmaya çalışacaktım. Bardağımı bitirirken Scott'ın kartına baktım. Oturduğum yerden okuyamıyordum ama bu sorun değildi. Michael Preston bana verdikten sonra o kadar çok okudum ki yazılanları yüreğimden biliyordum.

"Dört uzmanın sıradan bir adamla randevusu vardı. Buldukları ya da elde ettikleri herhangi bir şeyin anlamsızlığını ona onaylatmak için. Onunla buluşmak için arabayla giderken yoldaki bir adama çarptılar. Adam ölüyordu. Adamı kurtarmaya çalıştıkları takdirde randevularını kaçırabilirlerdi.

Hepsini ilgilendiren randevunun, adamın hayatından daha önemli olduğuna karar verdiler. Randevularına yetişmek için yollarına devam ettiler. Buluşacakları kişinin yolda ölüme terk ettikleri kişi olduğunu bilmiyorlardı."

Keşke daha çok viskim olsaydı.

Dedektif Laidlaw üçlemesinin yazarı William McIlvanney ile yapılan röportaj arka sayfada yer almaktadır.

"Öylesine yakıcı bir suç üçlemesi ki hafızanıza sonsuza dek kazınacak. McIlvanney kendine özgü bir İskoç polisiye-suç yazarlığı dehasıdır."
CHRIS BROOKMYRE

William McIlvanney ile Röportaj

Len Wanner

İskoç polisiyesi, Bay McIlvanney'e çok şey kadar borçludur. İnsanoğlu edebiyatta da hayatta da formüller olmadığını göstermiştir. Ama McIlvanney amaç ve pratik arasında bir geçit açarak, hepimizin zorluklara, sıkıntılara ve sınanmaya dokunma mesafesinde olduğumuzu hatırlatarak bunu başarmıştır. Bunun ümitsiz bir durum olarak görülmesi, düşünceli zihinlere metanet egemen olduğunda duyarlılığın ortaya çıktığının işaretidir; onun yazın türünü tanımlayan herhangi bir çalışmasını okuyan birinin, ruhundaki zenginliği canlanır. Aşağıdaki röportaj için Glasgow'daki bir barda buluştuğumuzda, sorularımı, cin toniğini içer gibi cevapladı: yavaş, heyecanlı ve tebessümle. Üstündeki takım elbisede elindeki bozuklukları koyacağı bir cep yokmuş gibi, nesir şeklindeki konuşmamıza şiirsel bir bahşiş veriyordu. Bir insan, toplumu şaşırtmak için daha fazla ne yapabilirdi ki?

Ian Rankin'e göre İskoç polisiye romanında edebiyat varislerinize kazandırdığınız kendi melez geleneklerinizle onlara destek oldunuz. Bu nasıl oldu?

Docherty'yi henüz yazmıştım ve o süreçte yaptığım sözel araştırmadan büyülenmeme rağmen modern zamana ait konulara bir açlık hissediyordum, böylece tekrar günümüzle bağlantılı yazmak istedim. Bu biraz dehşet verici gelebilir ama bir ses duydum. Joan of Arc'ın hikâyesi gibi geliyor, hı? Laidlaw için ilk ipuçlarını o sesten duydum. Oldukça yıpratıcı bir adamdı ve onun hakkında yazmak istediğimi biliyordum. Kilmarnock'tan Glasgow'a gelen biri olarak burayı her zaman sevdim; böylece bugünün Glasgow'unu kötü yerlere girip çıkmak zorunda olan birinin bakış açısından yazmaya karar verdim. Bir aşçının şehir gezisi olsun istemedim, bunun için onu bir polis yaptım. İlk taslağını yaklaşık 40.000 kelime olarak yazdım ve ajansım iyi olduğunu söyleyince taslak üzerinde tekrar çalışmaya başladım. Acayip bir deneyimdi. Bir kısmı hoşuma gidiyordu ama uzun bir zaman gidişatın nereye doğru olduğunu bilmiyordum.

Laidlaw'ın neden olduğu etkiden, Val McDermid gibi insanların bana: "Bunu sen başlattın" dedikleri ana kadar haberim yoktu. Ben mi başlatmıştım? McDermid'in beni Tartan Noir hareketinin öncüsü olarak değerlendirmesi beni oldukça etkilemişti. İlerlemiş yaşında beklemediğin bir itibar maaşının bağlanması gibi. Ian Rankin gibi esaslı biri, o zamanlar yaşadığı Fransa'dan bana yazdığı mektupta: "Bu tür kitapların değerli olabileceğini anlamamı sağlayan kişi sen oldun, bunun için ikinci kitabımı sana ithaf etmek istiyorum" gibi bir şeyler demişti. Kahrolası mektubu kaybettim. Yıllar sonra onunla karşılaştığımda özür diledim. Bana ithaf edilen bir kitap olabilirdi ama o kadar düzensizim ki bu fırsatı kaçırdım.

Dördüncü bir Laidlaw yazma durumu var mı?

Bilmiyorum. Sean Connery bir defasında beni arayıp dedi ki: "Bir film çekmek için zamanım var. Herhangi bir fikrin var mı?" Bunun üzerinde 80-100 sayfalık "Streets" isimli senaryoyu yazdım. Bu senaryoda Laidlaw yüzeysel olarak geçiyordu. Çok iyi bir fikir olduğunu düşündüm ama sana söylemem başkası fikrimi çalabilir diye. Connery beni gümüş bir kurşunla vurdu. Bana dedi ki: "Asistanım çok beğendi ama bana sorarsan bu bir senaryodan daha çok bir roman." Muhtemelen haklıydı, bunun için öylece bıraktım. Her neyse bu fikir var, Laidlaw'ın finali olarak başka bir fikir daha var ama bilemiyorum. Yazma yöntemim çok düzensiz. Baron Frankenstein'ın laboratuarının, her tarafta atıl durumda dağınık duran ve kendilerini canlandıracak şimşeği bekleyen projeleri gibi.

Laidlaw'ı filme uyarlamak için hepimiz o odada oturmuş çalışıyorduk ve finansman olarak biraz eksiğimiz vardı ve o hoş kadın dedi ki: "Bakın size ne diyeceğim, paramız bizde kalsın, Connery veya başka bir aktör tutacağımıza, Laidlaw karakterini Willie'ye oynatalım." Ben, "Ne müthiş bir fikir!" diye düşünürken odadaki herkes kahkahalara boğuldu ve ben, "Şey, belki de o kadar müthiş değildir" dedim kendi kendime. Bunu her zaman şöhret olmak yolunda kaybettiğim bir şans olarak düşündüm. Şimdi geçti artık, yürüyüş desteğiyle yürüyen çetin bir Glasgow dedektifinin bununla baş edebileceğini sanmıyorum. Soruna geri dönersek, her zaman yapmadığım şeylerin gölgesi peşimde ve Laidlaw da o gölgelerden biri. Eğer bir şey ortaya çıkacaksa bu Laidlaw'ın günbatımı olacak.

Tuhaf İlişkiler'de Laidlaw, karanlığın kendisini neden cezp ettiği sorulduğunda şöyle cevaplıyor: "Belki de onu her yerde gördüğüm içindir. Ve birçok insan onu görmezden geldiği için." Onun bu gece görüşünü paylaşıyor musunuz ya da neden anlatıcı olarak ona geçiş yaptınız?

Bu soruyu dürüstçe cevaplamak çok zor, Len. Onu neden birinci şahıs anlatıcı yaptığımdan tam olarak emin değilim. Benim bilincimde, Liadlaw kendi adına konuşabilecek kadar birikimli biri ve benim yazarken nefret ettiğim bir şey sıkılmak –okuru da sıkmak için yeterince kötü bu– onun için: "Onun hakkında üçüncü şahıs anlatıcısını tekrar kullanmak istemiyorum ve birinci şahıs anlatıcısı Laidlaw'ı daha özgür kılar" diye düşündüm.

Laidlaw çıkınca birkaç yayıncı onun polis olmak için çok zeki olduğundan yakındılar ama benim tanıdığım birçok zeki polis var, onlardan bir tanesi ağır suçlar masasının başıydı ve hayatı boyunca şiirler yazmıştı. Laidlaw'ın Unamuno okumasını makul bir hale getirmek için kendi adına konuşmasına izin verdim böylece sonuç olarak beni gerçekten özgürleştirdi. Benim için *Tuhaf İlişkiler*, Laidlaw'ın tam olarak anlaşıldığı romandır ve eğer yeni bir kitap yazacaksam o da birinci şahıs anlatıcısıyla olacak.

Yine aynı roman, Tuhaf İlişkiler'de 'The Getaway' adında bir bardan söz ediyorsunuz. Jim Thompson'ın geleneksel polisiye romandan kaçmak istediğinin yeterince farkında mıydınız?

Aslında çok da değil. Çok fazla polisiye okumamıştım ve okuduklarımın çoğuyla ilgili şüpheciydim. Agatha Christie? Sevdiğim Raymond Chandler bile beni: "Dur bir dakika. Bu dedektifin kafası betondan yapılmış" diye düşündürdü.

Benim dedektifim hırpalandığında, oradan öylece çekip gitmez. Bununla beraber "polisiye bir öyküde" "Suçlu kim?" sorusu her şeyin önüne geçer ve bunun peşine düşünce, birçok önemli şeyin üstü örtbas edilir, bunun için ben bunu 'Niye yaptı?' şeklinde dönüştürdüm. Laidlaw'ın başında, kimin yaptığını biliyorsunuz, onun için sorduğunuz soru: "Bunu niye yaptı?" oluyor. Ve "Ona ne olacak?"

Bundan dolayı *Laidlaw*'ın fikir aşaması zamanı hakkında yanılmıyorsam, polisiye romanın benim gördüğümden farklı bir şeyler yapmak istediğinin farkındaydım. Beni büyüleyen yeni bir alandı ve yeterince gelişmediğini düşünüyordum. Bunu büyük ölçüde geliştirebileceğimi iddia etmiyorum ama en azından bu alanda daha yapılacak şeyler olduğunu gösterebilirim. Bu alan bana genellikle hafif sıklette dövüşüyor gibi gelmiştir, ben en azından orta sıklette dövüşebileceğini düşünüyorum.

Yazı yazmadan geçen yavan döneminiz ne kadar sürüyor bilemem ama yılda bir Laidlaw yazmam gerekse burada yazacak herhangi bir şey kalmaz gibi bir endişeniz oldu mu?

Kitap üretme yönünden yavan dönemlerdir ama ben yazmanın bununla ilgili olduğunu düşünmüyorum. Yazmak yazmakla ilgilidir. Kitap üretimi daha çok ikincil bir konudur, onun için yayıncım bana: "Yılda bir tane yaz" dediğinde, "Şaka mı yapıyorsun? Bu fabrika üretimi gibi olur" diye düşündüm. Ben iyi yazarların böyle yapmayacağını söylemiyorum ama ben bunu yapmak istemedim. Boş geçen yıllarda, kendimi geliştirmeye ve büyütmeye çalıştım ama tembel olduğumu söylemek de adil olur ve benim için bir kitap mücadelesi de oldukça şiddetli olur. Benden çok şey alır ve ne zaman bir kitap yazsam, kendimdeki güven eksikliğini yeniden keşfederim. Benim için yazdığım her kitabım biraz travma olmuştur: "Belki de bu kötü oldu. Kim bunu okumak ister ki?" diye düşünmüşümdür. Bu duygumu hiç kaybetmedim.

Alan Sharp bir defasında İskoç futbolu ile ilgili bir deneme yazmıştı. Billy Bremner golü atamayınca bir üst finale çıkamamıştık, o da dizlerinin üstüne çökmüş elleriyle yüzünü kapatmıştı ve Alan bunun için: "Bu anı biliyorum. Bu bir İskoç anı, suçüstü yakalandığınız an" demişti. Sanırım bu duygu bende her zaman biraz var. Bununla beraber olanaklı olduğunu veya birazcık da olsun yaklaştığımı iddia etmememe rağmen her zaman sıradaki kitabıma önceden inanmak ve "Burada yeni bir şey var, bir gelişme olmuş", bilmek isterdim.

Yazmanın keyfi bağımsız oluşu mudur?

Evet, ama kendine güvenme tarzında bir bağımsızlık değil; tehlikeli bir anlamda bağımsız. Her yazdığınızda tepetaklak düşebileceğinizi fark edersiniz ve heyecan verici olan şey bu risk, riske meydan okuma. Benim için hayat kurguları tetikleyen rastgele bir araç. Bir yere giderim ve oradaki şeyleri kapsayacak bir şeyler yazmak isterim. İlgimi çeken şeylerden bir şey oluşturmak isterim ve eğer şanslıysam gerçekten olan şeyleri yazarımı ama bu her zaman risktir.

Siz ve karakterleriniz onların hayatlarındaki değişen rollerle –Burada ben kimim?– meşgulsünüz demek doğru olur mu?

Sanırım öyle. Bütün hayatımı bu soruyu kendime aralıklarla sorarak geçirdim. Bunu yapmazsanız gerçeğin bir yarısını kaçırmış olursunuz sanırım. Birçok rolde oynadığınızı fark etmezseniz ve bunlardan hangisi gerçekten benim diye sormazsanız oyunu kaçırmış olursunuz. Birçok açıdan hayat bir gösteridir. Bu yapar gibi göründüğünüz anlamına gelmiyor, ama şartların el verdiğinden daha kendinden emin bir duruş benimsiyorsunuz ve ince buzun üstünde tek ayak üzerinde dönüş yaptığınızı itiraf etmezseniz, büyük bir heyecanı kaçırırsınız. Bazısı bu oyunu oynar, çok keyifli ve buna bayıldım. Bazen buz kaybolacaktır ama bununla yaşamak zorunda kalacaksınız. Sürekli kendinizi yeniden incelersiniz ve kendinize bir geçme notu verirseniz şanslısınızdır ama devam edersiniz. "Burada ben kimin?" sorusu sürekli oradadır.

Sizin ve sonunda büyük umutları trajediyle biten karakterleriniz için edebiyat inançla mı ilgili?

Kesinlikle. Benim için Shakespeare bir tür Tanrı elçisidir. Bir tanrının yokluğunda ona inanabilirim, insan doğasını okuduğum herkesten daha iyi açıklıyor bana. Hayatın başarıyla ilgili olduğunu düşünmüyorum; gösterdiğiniz çabanın onuru ile ilgili. Ben onura inanacak kadar eski kafalıyım. Diğer insanların arasında elinizden geldiği kadar dürüstçe yaşarsınız ve onurunuzla yaşarsanız mezara kendi koşullarınızda gidersiniz. Bana göre insanların büyüklüğünün bir parçası kötü şeyleri üstlenmek ve bunu bir başka birine yüklememeleridir. Acıyı yok yere isteyerek başkalarına bulaştırmak türleri cüceleştirir, kendi payıma bunu yapmış olsam da. Laidlaw gibi bir insan büyük ölçüde kusurlu biridir ve oyunda hile yaptığını düşündüğü insanlara bulaşabilir ama düzgün insanların hayatlarını ihlal etmez. Trajik bir kişi mi bilemem ama ıstırap çeken bir kişilik. Sonu gelmez debdebe ve sahtekârlık ortasında dürüst olmaya çalışan biri. Garip bir adam ama onu seviyorum ve çoğu zaman onunla aynı fikirdeyim. İnançlarımız değil de şüphelerimiz konusunda cesur olabilseydik mutlu gelecek şimdi burada olabilirdi.

Dedektiflik işini "karşılıklı saygının ustaca dengeleme eylemi. Azı vererek çoğu elde etmeyi umarsınız" şeklinde açıklamışsınız. Bu yaklaşım Laidlaw ve sizin için nasıl işledi?

Ben kesinlikle karşılığını oldukça aldım. Glasgow Kitap Festivali'ni organize eden kişi önümüzdeki yıl için konuşmacı olarak beni davet etti, çünkü Laidlaw ortaya çıkalı 35 yıl olmuş. Bu şey gibi oldu: "Sevgili Willie, ne kadar yaşlandığının farkında mısın?" Sen söyleyinceye kadar hayır. Polisiye roman seri yazarları için İskoçya'da türün piyasaya sürülmesinde yardımım oldu diyecek kadar şanslı olduğum konusunda hiçbir fikrim yoktu ama bu konuda çok mu gönlü zengin davranıyorlar emin değilim. Böyle düşünmeleri kendi incelikleri ama oturup buna bel bağlayabileceğimi düşünmeme neden olmadı. Bu önemli çünkü size enerji veriyor veya bir başınıza olduğunuz ve yazı yazdığınız yere dönme cesareti veriyor ama o ses geçirmez hücreye bir kere girip de söylemeyi umduğunuz şeylerin dürüstlüğünü keşfetmeye çalışınca artık önemi kalmıyor.

Kendinizi ilk defa ne zaman bir yazar olarak gördünüz?

17 yaşındayken müdüre gidip dedim ki: "Efendim, Yunancayı bırakıyorum." "Neden?" "Çünkü okumamı engelliyor." O da dedi ki: "Okuman, Yunancanı engelliyor mu demek istiyorsun?" "Hayır, efendim. Eğer yazar olmayacaksam, hiçbir şey olmayacağım." Bir başka sefer Glasgow'da bir kütüphanede oturmuş bir arkadaşla, Frank Donnelly, birlikte tarih sınavı için notlarımızı gözden geçiriyorduk, birden

küçük örgülü bir pencere rüzgârla açıldı. Tuhaf bir duyguydu ve defterimi çıkarıp bunu yazmaya başladım. Başımı kaldırdığımda Frank gözlerini bana dikmişti ve dedi ki: "Sanırım bu konuda dikkatli olmalısın, Willie. Seni bunun için uzaklaştırabilirler." Bana olan bir zorunluluktu o zaman ve bu zamanla gelişti ama bunu umursamıyorum çünkü bir yazar olmaya çalışmak benim için neredeyse hayat boyu devam eden bir zorunluluk oldu.

Nasıl yazıyorsunuz?

Kalemle yazıyorum. Kendi sistemimden doğrudan kâğıda geçmeyince pek inanmıyorum, bunun için hayatım boyunca yazdığım her şeyi el yazısıyla yazdım. Favori kalemim keçeli kalem ve hiç daktiloda yazmadım ve hiç bilgisayar kullanmadım. Bundan gurur duymuyorum, umursamıyorum. Sadece yaptığım şey bu.

Yazmanın hangi yönleri sizce öğretilebilir?

Bütün yapabileceğiniz yazmaya teşvik etmek. Yazmanın öğretilebbilineceğini sanmıyorum. Olay örgüsünün neden öğretildiğini anlıyorum ama bunda ne kadar başarılı olabileceğimi bilemiyorum. Ben ilerledikçe bunun üstünde çalışma eğilimindeyim ama yazmak isteyen kişilerin kendilerine öğreten yazarlar bulmasını haklı görüyorum. Benimki sadece onlardan biri olmayacağım. Bu yazarın kendisine bağlı ama yazmak için gerçekten güçlü bir zorunluluk hisseden kişinin başkalarından çok fazla tavsiye almamaya dikkat etmesi gerektiğini düşünüyorum. Bunu ölümüne kuramlaştırmaya gerek yok.

Yazmak tamamen açıklanamaz bir zorunluluktur ve bu sürece yardımcı olacak geçerli yollar olabilir ama ben bunların ne olduğunu bilemeyeceğim ve ben yazma gücünün böyle bir şeye ihtiyaç duymayacağına inanma eğilimindeyim, ama yanılıyor da olabilirim. Ben yaratıcı yazma dersleri verdiğimde kimseye nasıl yazması gerektiğini söylemedim. Onları yazmaya teşvik ettim ve tavsiyeme karşı çıkmanın muhtemelen tavsiyeme uymak kadar faydalıydı olduğunu gördüm. Yaratıcılık, zekice bir tutkudur, sırtında bir jokey olan tutku. Yazmak için gücünüz olmalı ama bununla birlikte bu gücü yönlendirecek zekânız da olmalı. Ve sonuç olarak kendi jokeyiniz olmalısınız.

Şimdi geriye bakınca Laidlaw'ın evliliğinin neden başarısız olduğunu biliyor musunuz?

Hayır. Tamamen emin değilim. Bana hiç anlatmadı. Muhtemelen işinin yoğunluğundandır. Dışarıda olanlarla o kadar ilgili ki evde olanlara tam olarak odaklanamıyor. Ev hayatında rahat edemiyor. İkisi çelişkili bir şekilde bir arada var oluyor ama sanırım başka faktörler de var. Evlilik dışı ilişkiye giriyor ama benim ona kamçı cezası vermemi hak ediyor mu bilemiyorum çünkü sorunlu bir adam ve ben ondaki bu özelliği seviyorum. Eşyanın doğasıyla çok ilgili, onun için sizinle her zaman doğrudan bağlantı kurmasına güvenemezsiniz, bu da onu bir yazarın kendi deneyimini başkalarınınkiyle ilişkilendiren dedektif versiyonu yapar. En azından şu ölçüde; onu az biraz yazar gibi yapar.

Yazmak normallikle anlaşmaya varmaktır. Bu da onun topluma rahat bir şekilde uymasını biraz zorlaştırır. Yazarlar dalga geçme konusunda iyi olabilirler veya belki benim sevdiğim yazarlardır her zaman biraz farklı olan. Kafka'yı rahat ettirmeyi hayal edebilir misiniz? Hayır. Sorun sizin şaşırtıcı bir dahi olmanızda değil, yapmaya çalıştığınız şey çok biçimsiz, hayatı hem yaşayıp hem de onu geride bırakmaya benzer. Bir şeyin bağırsaklarını döküp ve onu tekrar yaşatmaya çalışmak gibi, bunun için ciddi yazmak her zaman taşıması zahmetli bir şeydir. Hayatım o gösteri olmadan daha kolay olabilirdi. Hayatımı mahvetmiş olsun veya olmasın, hayatımı çetrefilli bir hale getirdiği bir gerçek. Aşırı duygusal olmadan yazmak, paralel bir varlık gibi yaşamaya benzer. Gerçek hayatınız kurgunuzu beslediği gibi, kurgunuz da gerçek hayatınızı besler, bundan dolayı yazarların yazar olmayanların yaptığı gibi yaşama doğru aynı yumuşaklıkla hareket ettiklerini sanmıyorum. Graham Greene her yazarın kalbinde bir buz kırıntısı olması gerektiğini iddia eder ve bir ressamın ölü yatan karısının kafasına ışığın vuruş açısına dikkat etmeyi engelleyemediğini itiraf ettiğini belirtir. Bir şeyi yaşarken bir parçanız bunları kaydeder ve bu hafif bölünmüş kişilik biraz zahmetli olabilir çünkü onu sadece yaşamakla kalmıyor bir yandan da onu gözetlemek durumunda kalıyorsunuz.

Edebi anlamda pişmanlıklarınız var mı?

Biraz, kaçınılmaz olarak. *Laidlaw*'ı yazdığımda bana: "Bundan yılda bir tane yaz, milyoner olursun" dediler. Ben de, "Bundan yılda bir tane yazmak istemiyorum" dedim. Kendimi bu tuzağa düşürmek istemedim, çünkü denemek istediğim başka şeyler vardı. O zaman 1970'lerdi. Şimdiyse, ara sıra gecenin ikisinde "Evet, 1970'lere geri dönmenin benim için bir sakıncası olmaz. Birkaç sterlin kazanabilirdim" diye düşünürüm. Ama bu kendime yaptığım bir şaka. Bundan dolayı gerçekten pişman değilim. O zaman öyle hissediyordum. Şimdi şu yarım pişmiş hayalim var, ölmeden önce bütün bitmemiş işlerimi ele almak ve çöpe atılacaklar ve saklanacaklar konusunda son kararımı vermek. Ama şu an 12 tane tam olgunlaşmamış roman düşüncem olmasına rağmen onları yazmadığım için pişmanlık duymuyorum çünkü yazmak için enerjiyi bulursam onları yazma potansiyelim belki de orada bekliyordur. Ama açıkçası yaşlandıkça bunun olma ihtimali de zayıflıyor.

Yazmaya başladığınızda ne bilmeyi ümit ederdiniz?

Sanırım şimdi bildiğim pek çok şeyi o zaman bilmiyordum ama bunları keşke o zaman bilseydim gibi bir düşüncem yok. Çünkü o zaman öyleydim ve buna saygı duyarım. Bununla beraber şu andaki bilgimin hayatımda büyük farklar meydana getirecek kadar etkileyici olduğunu düşünmüyorum. Bildiğimi düşündüğüm şeylerin çoğunu cümlelerime döktüm. O zaman olduğum kadar masum olmam zor ama o zamanki masumiyet değerli bir şeydi ve ümit ediyorum ki onun bir parçası halen kalmıştır.

AYRINTI

Jorge Semprun
Hesaplaşma

Kara Kitaplar/Çev. Mustafa Balel/368 sayfa/ISBN 978-975-539-213-4

*Zapata'nın arabasının Froidevaux Sokağından çıktığını görmüştü.
Bir Jaguar'dı bu. Eski haydutun, hiç değilse bu konudaki
beğenisinde bir değişiklik olmamıştı.*

Proletarya Öncüsü'nü kurduklarında, yirmili yaşlarda üniversite
öğrencisi beş delikanlıydılar. Silahlı mücadeleyi bırakıp örgütü
fesih kararı almalarının üzerinden yirmi yıl geçmiş, bu süreçte
içlerinden üçü, bir zamanlar yıkmak istedikleri düzene katılarak
ün ve para sahibi olmuştu. Elie Silberberg, hayatta kalabilmiş dört
kişi arasındaki "başarılı" olamayan tek kişiydi. Örgütü, grubun
beşinci üyesi olan ve "Neçayev" kod adını kullanan Daniel
Laurençon'u yirmi yıl önce ölüme mahkûm etmişti.

Nazi işgaline direniş yıllarından '68 olaylarına ve dar kadro
örgütlerinin silahlı mücadele eylemlerine uzanan; bu örgütlerin
yöneticiliğinden medya patronluğuna kadar savrulan üç kuşak
Batı Avrupa solcularının ve onların oğullarının, kızlarının
hikâyesini anlatır Jorge Semprum. Soluk soluğa okunacak bu
hikâyenin bir kara ayrıntısı vardır: Aniden başlayan cinayetler ve
suikastlar zincirinin hedefi olan kariyer sahibi eski solculardan
hesap sormaya mı gelmiştir biri?

Rafael Bernal
Moğol Komplosu

Kara Kitaplar/Çev. Özgül Erman/224 sayfa/ISBN 978-605-314-061-0

Merhume için dua etsek iyi olurdu ama artık cenazelerde hangi dua okunduğunu hatırlamıyorum. Asla bir cenazeye gitmemem de garip. Belki birinin görevi öldürüp bir başkasınınki de dua etmek olduğundandır.

Pancho Villa yanlısı bir generalin eski infazcısı ve tipik bir tetikçi olan Filiberto García, vasat Çin Mahallesi'nin Dolores Sokağı'nda örülmüş entrika ağını çözmek için yola çıkar.

Filiberto García hediyelik eşya dükkânlarının, Kanton yemekleri veren lokantaların ve afyonkeşlerin arasında sırlarını çözdüğü bir komployu adım adım keşfeder. Girdiği bu çetrefil yolda arkasında bıraktığı bir düzine ceset ve trajik aşk, bu kaba saba katilin hayatının asıl anlamını ortaya çıkarır.

Son derece akıcı bir üslupla yazılmış, kara mizahla ve 1960'lı yılların Meksika'sının modern görünüşü ardına saklanmış kör şiddetle dopdolu olan *Moğol Komplosu*, Meksika kara romanında bir köşe taşı kabul edilmektedir.